TERESA J. RHYNE

Os cães nunca deixam de amar

São Paulo
2013

UNIVERSO DOS LIVROS

Diretor editorial: **Luis Matos**
Editora-chefe: **Marcia Batista**
Assistentes editoriais: **Raíça Augusto, Raquel Nakasone**
Tradução: **Mayara Fortin**
Preparação: **Júlio Domingas**
Revisão: **Mariane Genaro, Viviane Zeppelini**
Arte: **Francine C. Silva, Valdinei Gomes**
Capa: **Zuleika Iamashita**

Dados Internacionais de Catalogação na Publicação (CIP)
Angélica Ilacqua CRB-8/7057

R362c

Rhyne, Teresa J.

Os cães nunca deixam de amar / Teresa J. Rhyne; tradução de Mayara Fortin. -- São Paulo: Universo dos Livros, 2013.

312 p.

ISBN: 978-85-7930-536-8

Título original: The Dog Lived (and So Will I)

1. Câncer – pacientes – biografia 2. Donos de animais de estimação
3. Relação homem-animal I. Título II. Fortin, Mayara

13-0577 CDD 926.36755

Universo dos Livros Editora Ltda.
Rua do Bosque, 1589 – Bloco 2 – Conj. 603/606
CEP 01136-001 – Barra Funda – São Paulo/SP
Telefone/Fax: (11) 3392-3336
www.universodoslivros.com.br
e-mail: editor@universodoslivros.com.br
Siga-nos no Twitter: @univdoslivros

Nota da autora

Como sou uma advogada, eu me preocupo em proteger os inocentes (e, às vezes, isso significa eu e meu editor). Por isso, alguns nomes, características identificadoras e lugares foram alterados neste livro de memórias. Alguns personagens desta obra são, na verdade, combinações de algumas pessoas, e algumas cenas são composições de diferentes eventos, combinados para efeito da história e da minha sanidade. Conversas e eventos são transmitidos precisamente pelo melhor da minha memória, mas, por favor, lembre-se de que meu cérebro passou por quimioterapia.

Para Chris, que manteve meu copo não somente meio cheio, mas até a boca – e me ajuda a vê-lo desse jeito também.

"Nós, dois coiotes, altos como novembro que vêm ao nosso encontro. As festas estão prontas para chegar, e então é abril, com o verão esperando na esquina, seguido da mudança das folhas, e aqui estamos nós novamente. Problemas à espreita, minha querida, nosso futuro incerto, exatamente como sempre, mas agora, nós dois dividimos o céu, alto, tão alto."

– *Markus Pierson*

Sumário

PARTE I

Capítulo 1

Bagagem

Eu nunca deveria ter pedido a ele que me pegasse no aeroporto. Eu já estava assim, tão sozinha e desesperada? Peguei minha bagagem de mão do compartimento superior. Tarde demais. Ele estaria lá esperando, bem apropriado para mim, na área das esteiras de bagagem. *Ou não.*

Agora, eu sentia um novo medo crescer. Já era bastante vergonhoso o fato de eu ter lhe enviado um e-mail de um Cyber Café na Irlanda admitindo que sentia sua falta e pedindo para que ele me buscasse. Mas e se ele não fizesse isso? E se ninguém estivesse lá para me receber? O preço do táxi para casa não chegaria nem perto do valor de toda a terapia necessária para passar por cima dessa ferida psicológica. Eu andei pelo estreito corredor do avião, sendo levada pela impaciência dos meus companheiros de voo, que, eu imaginei, tinham alguém feliz no aeroporto esperando pela chegada, segurando placas e flores, e prontos para levantá-los do chão em abraços entusiasmados. Não é de se estranhar que eles estivessem correndo.

– A propósito, adorei seu cachecol – disse a aeromoça, sorrindo e parecendo bem-disposta mesmo depois de um voo de doze horas.

Eu olhei para o meu cachecol longo, leve, de cores vivas e feito à mão.

– Ah, obrigada. Na verdade, eu comprei na loja do meu primo em Athboy, perto de Dublin – expliquei.

Talvez se eu me envolvesse em uma conversa longa com a aeromoça, talvez nunca tivesse de sair do avião ou, ainda, talvez ela pudesse me dar uma carona quando o inevitável acontecesse.

– É do McElhinney? – ela perguntou com o mesmo sotaque irlandês dos meus primos.

– Sim. Que engraçado você saber isso – eu disse, enquanto a multidão seguia adiante, fazendo-me passar por ela.

– Bela loja. Coisas tão bonitas. E você está sensacional – ela elogiou com um sorriso que parecia sincero. – Tchau.

Mas o elogio não me confortou. Estar sensacional não era um bom sinal. Há muito tempo, minha amiga Stacey havia me dito que ela sempre sabia quando minha vida estava desmoronando porque eu parecia muito atraente. Se eu estivesse perfeitamente vestida, arrumada e bem apresentada ao mundo, ela sabia que eu estava usando minha armadura e o fazia porque tentava me distrair da minha própria miséria. Se eu parecia sensacional, era porque algum aspecto da minha vida estava indo mal.

Eu estava voltando para casa depois de ter ido à Irlanda com meu irmão e com uma prima, teoricamente para celebrar o aniversário de quarenta anos deles, mas especialmente para escapar da minha casa solitária, do meu segundo divórcio e da morte dos meus dois velhos cachorros, tudo nos últimos seis meses. Então, pela análise da Stacey, sim, eu deveria parecer impecável.

No entanto, a viagem havia sido maravilhosa e cumpriu sua proposta de me tirar da minha própria cabeça e me colocar em direção a uma nova vida. E eu estaria com um humor muito melhor se eu não tivesse estupidamente pedido a um homem com quem eu estava saindo há alguns meses para me buscar no aeroporto. Pelo amor de Deus, eu nem deveria estar saindo com alguém. Eu tinha jurado parar com isso – parar com homens. Agora eu tinha a vida cuidadosamente planejada, e relacionamentos eram coisas do passado. Sem envolvimentos futuros. Nenhum.

Conforme me aproximei da escada rolante, vi Chris esperando no fim dela. Mesmo daquela distância, seus brilhantes olhos azuis eram notáveis – saco, até seus cílios eram longos o suficiente para serem notados. Ele era alto, com um cabelo volumoso e grisalho que também chamava a atenção. E estava vestindo sua camisa xadrez azul-clara. Minha camisa favorita. Ele estava lindo.

Eu não podia conter um sorriso. Tinha sentido sua falta. Havia tantas boas histórias para contar para ele que eu sabia que nos fariam rir... logo depois de um banho quente de banheira juntos, uma garrafa de vinho, e... bom, as histórias talvez devessem esperar. Assim como o meu cuidadoso projeto de vida, aparentemente. Eu saí da escada rolante em direção aos seus braços.

– Depois de todos esses dias frios passeando pela Irlanda, isso é muito, muito bom – eu disse, afundando mais na banheira, tanto por conta da água quente relaxante como para manter meu corpo de meia-idade coberto pelas bolhas. Minha casa no subúrbio tinha a maior banheira que eu já havia visto. Sua profundidade me permitia o pudor que eu ainda sentia – as bolhas na altura do meu pescoço –, mas era mais do que isso. A grande banheira chegava a quase dois metros de comprimento e um e meio de largura, ocupando dois terços do banheiro. Por isso, independentemente de quão altos nós dois éramos, eu e Chris cabíamos facilmente na banheira um de frente pro outro. Havia também espaço de sobra dos dois lados para um balde de champanhe e velas.

– É muito bom para mim também, e olha que eu nem viajei. Você está cansada? – Chris perguntou, enchendo minha taça.

– Um pouco. Mas eu dormi bem no avião. E seria melhor para combater o jet lag se eu ficar acordada por mais algumas horas.

– Eu posso ajudá-la com isso – Chris falou, inclinando-se para um beijo.

Eu o beijei de volta.

– Eu sei que você pode.

Chris levantou as sobrancelhas com um olhar sexy e divertido. Ele se encostou de volta.

– Me conte sobre sua viagem.

Amei como ele gostou das minhas histórias. E eu certamente tinha trazido uma porção delas da Irlanda ao visitar a família do meu avô. Contei para Chris sobre um membro da família em particular que me fazia rir – meu primo de segundo grau, Seamus. Eu sabia que ele o faria rir também.

Na nossa segunda noite na Irlanda, vários familiares se juntaram para jantar em um pub. A prima Colleen, com quem eu viajei, tinha dito que seu namorado irlandês também se juntaria a nós. Meu irmão teve algumas conversas com Colleen sobre esse misterioso namorado irlandês e estava começando a duvidar de que ele fosse real. Ele nunca aparecia quando tinha de aparecer. Muitos outros parentes e amigos se juntaram a nós naquela noite, mas o Namorado Irlandês Misterioso não estava entre eles. Nós passamos duas horas no pub esperando por uma mesa grande o suficiente para acomodar todas as catorze pessoas. Ou talvez fôssemos somente treze. Muitos telefonemas e bebidas depois, o Namorado Irlandês Misterioso ainda era desconhecido. Quando nós finalmente nos sentamos para o jantar às onze da noite, Colleen pediu licença para fazer mais um telefonema.

Meu irmão Jay perguntou à outra prima, Claire:

– Então vocês nunca encontraram o cara, certo?

– Nunca. Ela está perdendo tempo.

–Você acha que ele existe mesmo?

– Se sim, ele é um merda.

Isso veio do Seamus, o irmão da Claire, um dos meus favoritos desde sempre, exceto por ele ser tão boca-suja, como boa parte dos meus familiares irlandeses. Seamus para mim era o protótipo de irlandês: magro, pálido, ruivo, fã de bebida e cheio de comentários histéricos.

Quando Colleen retornou à mesa, Seamus a abordou:

– Priminha, o que você está fazendo? Esquece. O merdinha nem vem.

– Eu estou preocupada. Ele pode ter tido uma emergência no trabalho ou não está conseguindo achar o lugar.

– Ele é um bosta de um encanador. Que tipo de emergência ele pode estar tendo que não pode nem fazer a porra de uma ligação? Esse é o único pub na vila chamado Inn Moderation. Se estivesse tentando, ele encontraria.

Eu entendi isso como um sábio conselho.

A Colleen viu isso de modo diferente:

– Eu só acho que ele não consegue encontrar o lugar. Ele não cresceu aqui, é tarde e ele provavelmente está cansado, você não acha? Eu sei que ele queria estar aqui. Ele disse isso ontem à noite. Eu só quero explicar o caminho para ele, se ele precisar.

Seamus colocou suas mãos para o alto, dizendo:

– Priminha! Se um bosta de um homem quer achar uma mulher, ele vai achar, porra!

Contei a história, imitando o sotaque irlandês do meu primo o máximo que eu podia. Meus esforços eram recompensados quando Chris caía na risada.

– O Seamus é um gênio.

– Foi exatamente o que eu pensei – eu disse.

– Eu vou me lembrar disso. "Se um bosta de um homem quer achar uma mulher, ele vai achar, porra!"

– E você não acha que isso soa muito melhor com aquele sotaque? Eu e o Jay não conseguíamos parar de dizer *porra*. Nós adicionávamos essa palavra a todas as coisas.

– Com certeza. É hilário. E o que ele diz é verdade – Chris disse olhando para mim com firmeza. – Eu encontrei você.

De repente, eu fiquei intensamente interessada no fundo do meu copo de champanhe, olhando fixamente para dentro dele. Tomei o líquido para ter uma visão melhor do fundo.

Isso era só uma aventura. Era sexo bom e diversão. Eu não era o que ele procurava. Como poderia ser? Ele tinha 29 anos. Eu tinha quarenta. Ele morava no oeste de Los Angeles. Eu estava a cem quilômetros de distância em um lugar bem menos glamouroso. Ele era jovem, solteiro e bonito. Eu era... bem, eu não era jovem e ainda estava curando as feridas do meu segundo divórcio. Meu *segundo* divórcio. Eu não era o que alguma pessoa estavivesse procurando.

Ele segurou meu pé direito e o massageou gentilmente.

Quando ele começou a traçar com seu dedo uma delicada linha que subia pela minha perna, eu relaxei. Viu, é só sexo. Isso é o que ele está procurando. Tão melhor! Não é nem um pouco como um relacionamento. Ufa! Sexo eu posso fazer; o problema são só todas as outras coisas nas quais eu não sou boa.

Eu era boa em matemática, no entanto. Eu havia facilmente determinado que o denominador comum entre os meus dois divórcios era eu. Considerando que durante a minha infância nenhum dos casamentos ao meu redor era feliz ou sobreviveu até minha fase adulta, isso não deveria ser uma surpresa para mim, mas foi. Eu era boa em muitas coisas, mas casamento, como foi provado, não era uma delas. Então, seis meses antes, quando deixei o meu segundo marido e me mudei para essa casa alugada, fiz um voto de começar o que eu, talvez muito aficionadamente, havia nomeado como o meu alfabeto da vida.

Como o personagem de Steve Martin no filme *O panaca*, tudo que eu precisava era de B, C e D: bons livros, café e dóceis cachorros. Isso era tudo de que eu precisava.

B era para bons livros – eu revesti as paredes da minha sala de estar e um dos quartos extras com as minhas incompatíveis e pesadas estantes e empilhei o restante dos livros por toda a casa em lugares onde ninguém poderia dizer que eles estavam bagunçados.

C era para café – aos litros, sem ninguém por perto para me dizer que ele espirrou nos rejuntes brancos dos azulejos fazendo a maior bagunça.

E D era para dóceis cachorros – eu tinha dois beagles, Richelieu e Roxy, e havia dito para o meu parceiro de trabalho com quem eu aluguei a casa para não se importar em trocar o carpete verde feio, uma vez que os meus cachorros estavam velhos e poderiam ser bagunceiros. Com isso, quis dizer que eu estava velha e bagunceira e pretendia permanecer assim gloriosamente (acho que uma das muitas coisas boas nos cachorros é que eles não se importam em ser culpados por coisas que não são culpa deles).

Então, um amigo da faculdade lembrou-me de que eu provavelmente não sobreviveria sem bebidas de adultos. É para isso, eu acho, que temos amigos da faculdade, não?

Então, adicionei o A para álcool – que eu usei para me referir ao vinho. Ok, e martínis. E, claro, eu também quis dizer margaritas.

A, B, C e D. Eu tinha empacotado meu alfabeto, colocado em um caminhão de mudanças e deixado meu casamento para trás.

Aquele som que você escuta não é somente o barulho do caminhão apertando os freios – é o destino rindo na minha cara.

Eu tinha sete semanas com meus dois cachorros no meu novo lar – tempo suficiente para me organizar em uma rotina de caminhadas e refeições, para estipular quem ficaria com qual porção da cama e do sofá, e para estabelecer nossa casa para três. No fim de abril, meu beagle de treze anos, Richelieu, teve uma série de convulsões e, no fim das contas, soluçando e xingando, mas sabendo o que era melhor para ele, eu tive de deixá-lo partir.

Em agosto, uma falha cardíaca congestiva, da qual o veterinário já havia me dito que aconteceria, de fato ocorreu e eu perdi a Roxy também. Voltei para casa do trabalho para encontrá-la morta no meio da minha sala de estar, exatamente na frente de todas aquelas estantes de livros. Minha amiga Stacey me levou para a clínica do veterinário enquanto eu segurava o corpo da Roxy e a sacudia com tristeza e lágrimas. Quando minha amiga me levou de volta para casa, eu me encolhi no banco do passageiro, soluçando de novo.

Ao chegar em casa, tudo o que eu tinha para me receber era aquele carpete verde horroroso. Eu estava há cinco meses no meu alfabeto da vida e já estava sentindo falta de uma letra. Eu quis permanecer sozinha, mas não tão sozinha. Eu nunca quis estar sem meus cachorros. Meu relacionamento com os cachorros era o único consistente na minha vida, e agora eles tinham ido embora também.

O silêncio me sufocou por algumas semanas. Considerei pegar outro cachorro, mas havia aprendido a grande maldição cósmica que todos os amantes de cachorro aprendem mais cedo ou mais tarde: você pode ter o amor incondicional, a devoção e a companhia quase perfeita de um cachorro, mas somente por doze ou quinze anos, se você tiver sorte. Então, seu coração se parte. Eu não achava que poderia aguentar aquela dor novamente.

E foi quando escapei para a Irlanda.

Mas agora eu estava de volta e continuava sem cachorro, sentada nua em uma banheira quente com bolhas, bebendo champanhe com um homem jovem e bonito. Eu estava com a vida em ordem ou não?

– Ei – Chris deu uma cutucada na minha perna embaixo d'água –, você ainda está acordada?

– Sim – apoiei minha taça de champanhe e abri um sorriso. – Posso lhe contar o restante das histórias da Irlanda de manhã. Nós temos coisas melhores para fazer agora.

– Eu gosto disso – Chris disse, movendo-se em minha direção e me envolvendo em seus braços.

Eu apaguei as velas antes de me levantar da água.

Quando Chris acordou, eu estava na minha terceira xícara de café e pronta para falar. Sobre a Irlanda. Eu o presenteei com histórias de passeios por castelos e pelo interior; cantorias em pubs; meu primo que nos fez entrar em um clube privativo em Limerick sem nos avisar que ele não era membro; montanhas verdes e paisagens espetaculares; estradinhas e rotatórias; lindos rostos irlandeses. Contei também que eu era aproximadamente trinta centímetros mais alta que a maioria dos meus familiares. Chris ouviu, riu e fez perguntas.

– Nós vimos as sepulturas dos nossos avós, o que foi legal, mesmo que isso significasse que nós também teríamos de ir à missa.

– Sim, eu não pensei que você fosse ficar dez dias na Irlanda sem ir à missa.

Eu e Chris fomos criados como católicos. Nós dois frequentamos escolas católicas e somos de descendência irlandesa, ainda que ele tivesse uma mistura com o sangue alemão. Mas ser criado católico é uma coisa especial, particularmente quando se sobrevive à escola católica.

– As freiras notaram algo e começaram a bater em suas mãos com uma régua? Ou lhe deram um sermão interminável?

– Nenhum dos dois, surpreendentemente. E eu evitei a confissão, uma vez que nós só tínhamos dez dias.

– O divórcio já é legalizado lá? Talvez naquele país você ainda seja casada.

Nós estávamos sentados na cama e, enquanto eu vestia pelo menos um hobby, Chris estava nu.

– Isso me faria uma pecadora em um nível muito diferente.

– Uma pecadora sexy. Gosto disso. – Nós dois rimos, até que ele disse: – Provavelmente, a falha do seu plano de se recuperar do divórcio foi ter escolhido um país fortemente católico. Os seus divórcios aconteceram quando você ainda estava lá? Como você explicou isso?

– Não expliquei. Eu só evitei todo o assunto – disse tentando soar mais desencanada do que eu realmente estava. Na verdade, senti como se eu tivesse um "D" vermelho na cabeça durante todo o tempo que eu estava na Irlanda, especialmente pelo fato de que eu nunca encontrei alguém divorciado.

– Eles provavelmente acham que eu sou uma solteirona. Se alguém perguntasse sobre filhos ou marido, Jay e eu respondíamos falando sobre a mulher e os filhos dele.

– Espertos. Então ninguém nunca perguntou sobre o seu marido? Você nunca teve de explicar a ausência de filhos?

– Bom, o primo Seamus rodeou esse assunto no final. Na nossa última manhã por lá, nós estávamos na cozinha da Claire nos despedindo de todo mundo. O Seamus me deu um abraço de despedida e cochichou: "Eu ainda não entendo por que um cara não a pegou dizendo que você é dele".

– O primo Seamus ataca de novo! Ele é hilário.

– Ele me fez rir muito.

– Então você explicou que muitos homens tentaram te pegar e não deu certo?

E como eu explicaria isso? Eu tinha acabado de me reorganizar. Com muita e muita terapia. Escolhi meu primeiro marido sem conhecimento algum do que um relacionamento saudável poderia ser. Eu só entendia que um casamento tradicional (mãe em casa, pai trabalhando fora em vários empregos, crianças correndo furiosamente) nunca funcionou para ninguém que eu conhecesse e parecia completamente não proveitoso. Isso não era para mim. Portanto, escolhi alguém exótico (nascido na Croácia e que falava três línguas), inteligente (nos conhecemos na faculdade de Direito), bonito (Willem Dafoe em esteroides... e espere, nós chegaremos nisso) e infinitamente charmoso. Eu ainda consegui ser surpreendida por ele também ser um narcisista que abusava das drogas, gastador e mulherengo que pensava que eu ficaria em casa e teria seus bebês loiros de olhos azuis enquanto ele... bom, veja acima.

Então, fazia todo sentido que o próximo marido que eu escolhesse fosse ultraconservador, o garotinho da mamãe, tão protegido quanto... bem, tão protegido quanto os confins do seu não diagnosticado (e não tratado) transtorno obsessivo compulsivo o exigia ser. Logo, entendi que eu havia feito a minha própria versão de Cachinhos Dourados ("um muito quente, outro muito frio, um muito duro, outro muito mole..."). Mas isso não significava que eu esperava que a maior parte das pessoas entendesse.

Chris sabia da minha história Cachinhos Dourados. Eu dividi isso com ele antes mesmo de começarmos a sair. Antes de cruzarmos a fronteira entre colegas de um grupo de escritores e amigos dividindo a mesma banheira. Antes, quando eu pensava que ele estava somente distraindo com coquetéis uma mulher de meia-idade que enfrentava um divórcio, enquanto esperávamos pelo início de nossos encontros do grupo de escritores. Antes de eu perceber que nós estávamos nos encontrando por horas sem que as reuniões tivessem começado.

– Não – eu disse. – Eu acho que a minha história da Cachinhos Dourados não pode ser traduzida para irlandês católico. Eu só a deixei de lado. E queria deixá-los com uma boa impressão minha.

–Tenho certeza de que eles pensaram coisas boas sobre você. E saber dos erros que cometeu e que venceu esses erros não teria mudado isso.

Ele realmente era um cara legal.

–Você acha?

– Bem, se mudasse algo, eles seriam uns putos.

E engraçado. Nossa, ele é engraçado.

A segunda-feira chegou, e eu tive de sair da cama para alguma coisa além de comida e banheiro. Eu tive de ir trabalhar. O Chris saiu às seis da manhã para dirigir por uma hora de volta à sua realidade. Ele havia concordado com a minha regra "semana sim, semana não" (isso faz um não relacionamento, você entende), então nós não nos veríamos por outras duas semanas. Hora de retornar ao modo advogada.

– Eu coloquei sua correspondência em três pilhas: coisas de clientes, coisas urgentes e coisas chatas – falou minha assistente, Michelle. Ela me seguiu até o meu escritório.

– Posso pegar um café primeiro? E aí eu acho que vou começar com as coisas chatas.

Ela falou mais baixo:

– Eles tiveram uma reunião de sócios enquanto você não estava aqui. Eu não acho que tenha ido bem. Ninguém parece estar falando com o Gerald. Ou ele não está falando com ninguém. Eu não sei dizer. E os outros três estão entrando e saindo um do escritório do outro a portas fechadas o tempo todo.

Adeus, férias. Adeus, semana sexy e prazerosa. Olá, política de escritório e necessidades dos clientes.

– Obrigada. Eu realmente não posso lidar com isso ainda – disse enquanto apoiava minha bolsa; depois liguei meu computador e fui buscar café.

Conseguir ter uma discussão semirracional com dois dos meus parceiros sobre o que tinha, mais uma vez, acontecido com Gerald, um homem vilmente miserável e teimoso em ser o mais difícil possível com detalhes triviais para acalmar o seu ego patético. Dessa vez, foi a falta de transparência nos cubos de gelo produzidos pelo nosso freezer da sala de descanso. Ele queria um modelo mais novo de refrigerador e queria agora. Meus parceiros mais sãos se negaram a gastar 3 mil dólares em cubos de gelos bonitos.

Na quinta-feira, eu estava totalmente absorvida no meu trabalho, a Irlanda havia se tornado uma bem-aventurada memória. Eu fiz planejamento de espólios, o que significa que lidei com taxas e mortes (e, portanto, frequentemente brinquei que eu sempre teria um emprego). Eu tinha um cliente recentemente diagnosticado com câncer nos ossos que precisava dos seus fundos atualizados rapidamente. Eu me encontraria com ele no hospital, na próxima semana, ou no meu escritório durante o final de semana. Havia muito a ser feito.

–Você quer falar com a Destiny do centro de adoção de animais? – a minha secretária perguntou pelo viva-voz.

– Como eu posso não atender quando a Destiny[1] liga?

Eu havia sido parte da comissão administrativa no Centro de Adoção de Animais Mary S. Roberts por mais de quinze anos, e eles estavam cientes das minhas recentes perdas caninas. Eu havia adotado a Roxy lá quando ela tinha oito anos e havia sido diagnosticada com sopro cardíaco. O pessoal me enviou um simpático cartão quando ela faleceu.

– Bom, eu sei que você acabou de voltar das férias, e nós esperamos alguns dias, mas eu queria que você soubesse que... nós temos um beagle. Eu o peguei no abrigo em Moreno Vallet na hora em que iam marcar a eutanásia dele. Você está pronta para outro cachorro?

Meu amor irracional por beagles era conhecido, já que a Roxy era o quarto beagle que eu havia adotado, e eu havia encontrado lares para muitos outros fazendo a propaganda de que eles eram o cachorro perfeito para qualquer um – pequenos e fofos o suficiente para mulheres; de pelo curto, compactos e esportivos o suficiente para homens; cheios de energia e com um temperamento tolerante e brincalhão para crianças. Eu amava beagles, e como qualquer mulher quando ama, eu deixava passar muitas das características menos charmosas da raça.

Mas eu estava pronta para outro cachorro?

Não. Eu não estava. A Irlanda havia sido uma pausa bem-vinda para a minha dor no coração, mas eu não estava curada ainda. Comecei a imaginar que talvez eu devesse diminuir meu alfabeto da vida ainda mais, para A, B e C. E espere... talvez um beagle não seja um cachorro perfeito para todos. Talvez eu tivesse encontrado o limite. Um jovem beagle não é um cachorro para ficar em casa. Um beagle não é um cachorro para uma mulher solteira que trabalha muitas horas. Um beagle não é somente um cachorro. Um beagle é um pacote. Um beagle é um cachorro para minha vida antiga, não para essa nova vida que eu estava vagamente formando. Um beagle não seria uma boa ideia.

Mas ah! Como eu adoro beagles.

Meu amor por cachorros vem do verão entre meus anos de bixete e veterana na faculdade. Eu queria estar longe por um semestre em um programa de intercâmbio no mar, mas o meu pai queria que eu estivesse na companhia da família. Uma vez que papai estava pagando as contas, minha faculdade e qualquer viagem que eu fizesse, acabei na área rural da Geórgia durante as férias de verão. Inicialmente, fiquei

1 *Destiny*, em inglês, significa destino. (N. E.)

carrancuda e de mau humor pela injustiça, como somente uma adolescente consegue ficar. Mas um dos meus tios criava beagles para caça, e eu rapidamente me vi passando boa parte dos dias brincando com um monte de filhotes de beagles. Em pouco tempo, eu já estava visitando meus primos e brincando com eles também. Não existe nada mais fofo que um filhote de beagle, e eu rapidamente esqueci Istambul, Atenas e Barcelona em prol de bolinhas de pelo que latiam em Gray, Geórgia. Meu tio estava disposto a enviar um filhote para minha casa, mas eu tinha de terminar a faculdade. Peguei o meu primeiro filhote de beagle duas semanas depois de terminar os estudos, e minha paixão por essa raça teve início.

Meu coração pode ter endurecido em várias partes, mas o espaço para cachorros continuou macio. E eles haviam resgatado esse beagle pensando em mim. Eu devia parar por cortesia. Por medida de segurança, eu também me certifiquei de que esse cachorro em particular ainda não estava pronto para adoção, então era seguro só olhar.

Cuidado, sinta o vento.

A Destiny me levou até o canil onde o beagle estava, ainda em isolamento – era o último dos três dias exigidos. Ouvi o beagle uivar bem antes de chegar em frente ao canil. Os uivos dos beagles são distintos de uma forma que faz o sangue gelar. Há uma razão para os franceses chamá-los de *be'gueules* (bocas escancaradas), mas, para mim, é um chamado para casa. Esse uivo em particular, no entanto, não era de um beagle comum latindo.

O cachorro me recebeu com uivos frenéticos, insistentes e ríspidos. Quando Destiny abriu a porta do canil e colocou a coleira nele, ele correu em direção a mim, pulou nas minhas pernas, esticou o focinho em minha direção e fez *Auuuuuuuuuuuuuuuu* na minha cara. Eu ri e me abaixei para fazer carinho nele, lembrando mais uma vez do quão felizes e adoráveis os beagles eram. Ele se virou para mim para que eu pudesse fazer carinho nas suas costas. Agora que ele havia recebido contato humano, ele se acalmou, mesmo que só por um momento. Acariciei a sua cabeça macia e redonda e notei algumas coisas incomuns sobre ele. Primeiro, a sua cor – ele tinha as marcas pretas da raça, mas onde a maioria dos beagles seria marrom ou bege, esse cachorro era vermelho. E onde você esperaria encontrar uma parte de branco puro, nele era branco manchado, parecendo cinza e com pintas. Suas unhas eram pretas e pareciam ter sido pintadas daquele jeito por algum adolescente gótico. Seus olhos pareciam traçados com um delineador preto do qual qualquer membro de uma banda emo teria inveja. E mais uma vez o uivo. Ele soava como se tivesse sugado uísque das tetas da mãe e como se tivesse fumado desde o nascimento.

Ele estremeceu em minhas mãos enquanto eu fazia carinho nele. Ficou perto de mim, empurrando minha perna, minha mão ou qualquer parte que ele pudesse alcançar. Na maior parte do tempo, ele estava empurrando meu coração. Notei outra característica única. A orelha esquerda dele dobrou para trás, virando-se do avesso e ficando daquela forma. Virei de volta para baixo, fazendo dele um beagle característico de orelha caídas, mas a orelha acabava virando de novo. Ele olhou para mim, com uma longa orelha dobrada do avesso e outra caída, grandes olhos marrons com delineador e suplicantes.

Ele era fofo e gostava de mim. Naquele momento, nós dois sabíamos que ele iria para casa comigo. Eu somente tinha de acreditar que "ele é fofo e está indo para casa comigo" funcionava melhor com cachorros do que com homens.

O cachorro tinha de esperar os três dias obrigatórios de resguardo e eu precisava voltar ao trabalho, o que deveria ter me dado tempo suficiente para considerar se o cachorro era uma boa ideia para mim. Deveria.

– Eu posso pegá-lo no sábado, certo? – falei para a Destiny.

– No sábado de manhã.

– Isso me dará tempo para comprar alguma comida e uma caixa de transporte para ele – disse fazendo carinho na cabeça arredondada do cachorro.

– Eu vou voltar, amiguinho. Eu venho pegá-lo amanhã.

– Eu sabia que ele seria perfeito para você – falou Destiny, prendendo-o na coleira de novo e levando-o até o canil.

Os latidos começaram imediatamente: *Auuuuuuuuuu!!! Auuuuuuuuuuu!!! Auuuuuuuuuu!!! Isso não está acontecendo! Me leve com você agora! Agora, eu estou falando! Agoooooooora!!!*

Eu ainda podia escutar os uivos enquanto saía de lá, já com saudade dele e me sentindo culpada por deixá-lo. Eu não parei nem por um minuto para considerar aquele uivo vindo da minha casa. Mulheres apaixonadas podem deixar passar muitos maus traços.

Cada um dos beagles com os quais eu havia divido a minha vida no passado tinham suas próprias cores. O beagle que eu adotei depois da faculdade de Direito era a Raz (apelido de Razumov, obrigada, Joseph Conrad), e ela teve coleiras amarelas durante toda a vida. Azul para Rabu (apelido de Rabushov – uma transmutação não intencional de outro nome literário, Rubashov, com desculpas à Arthur Koestler, mas, de verdade, que tipo de apelido "Rub"[2] seria?); vermelho, naturalmente, para Richelieu (como o Cardeal) e rosa para a minha garota Roxy (está bem, eu não dei um nome à ela; eu a adotei quando ela já tinha oito anos). No sábado de manhã, comprei uma coleira verde-escura para o novo beagle, com a caixa de transporte e sua confortável almofada de algodão macio de um lado e um material liso verde-escuro do outro.

No caminho para o centro de adoção, pensei em um nome para esse novo beagle. Eu estava pensando em me distanciar de nomes com R. Eu havia escolhido a cor verde-escura porque esse beagle era tão vermelho e eu tinha acabado de voltar da Irlanda, então naturalmente associei o pelo vermelho com "irlandês". Talvez eu desse a ele um nome irlandês para combinar com o tema verde. Um nome irlandês daria certo. Eu pensei no primo que tinha me feito rir tanto durante a viagem. Seamus poderia ser um bom nome para o cachorro. Talvez ele até trouxesse alguma sorte irlandesa. Mas um nome tem de combinar com o cachorro. Nós veremos, eu pensei, enquanto eu estacionava na frente do centro de adoção. Nós veremos.

Destiny trouxe o barulhento, saltitante e extasiadamente feliz beagle à sala de apresentação para que eu pudesse conhecê-lo novamente. Não demorou muito. Ele parou de uivar assim que fiz carinho nele e direcionei sua atenção para cheirar a minha bolsa e a mim, nessa ordem. Ele deve ter encontrado alguma coisa que gostou, porque ele pulou ao meu lado no banco e se apoiou em mim, inclinando-se na minha direção e olhando para o alto. Ele era meu e eu era dele. A decisão não era nem minha.

Coloquei a nova coleira verde e ele latiu e pulou, e me fez rir de uma centena de modos diferentes no caminho para casa, incluindo latir todas as vezes que o carro parava – *Não me esqueça! Eu estou aqui atrás! Bem aqui! Não me deixe aqui atrás! Eu estou aqui!!!*

---

2 Em inglês, *rub* significa "esfregar". (N.T.)

Nesse momento, eu soube. Meu pequeno e divertido beagle vermelho, de uivo bêbado, era obviamente um Seamus (*quando um cachorro quer encontrar uma mulher, ele a encontra, porra*).

Quando nós chegamos a minha casa, o beagle Seamus me seguiu e correu de um lado para o outro, checando cada centímetro e hesitando em qualquer lugar que tivesse um perfume do Richelieu ou da Roxy. Ele se cansou de cheirar, uivar e pular no meu colo e do meu colo. Finalmente, ele se juntou a mim no sofá, pressionando-se contra mim enquanto eu fazia carinho na sua cabeça e na sua barriga. Ele relaxou. Comecei a notar o quão macia sua pele era. Especialmente suas longas orelhas. Foi quando eu notei que dentro da sua orelha direita havia uma cicatriz cirúrgica de cinco centímetros de comprimento. Passei meu dedo pela cicatriz. Onde quer que ele tenha começado sua vida, eles haviam se preocupado o suficiente para colocar um microchip nele, castrá-lo e fechar sua orelha com pontos, seja lá o que tivesse acontecido.

Destiny me disse que ele foi encontrado pelo Controle de Animais pelas ruas de uma cidade próxima e ninguém tinha ido buscá-lo. Ninguém atendeu ao telefone quando eles tentaram ligar para o número na informação do microchip. Quando o tempo dele no abrigo acabou, ela o olhou e o selecionou para uma segunda chance, trazendo-o com outros três cachorros para o centro onde ficariam até que lares fossem encontrados para cada um. Isso foi dois dias antes de ela ter me ligado para dar a ele aquela segunda chance.

Sentados juntos no meu sofá, eu fiz carinho e esfreguei o cachorro, encontrando seus vários lugares favoritos – sua barriga, atrás das orelhas, no topo da sua cabeça redonda. Ele era doce, macio. E aqueles olhos achocolatados e bem marcados derreteram meu coração. Ele era jovem – tinha somente um ou dois anos de idade. Eu teria tempo de sobra com ele, garanti a mim mesma. Não haveria mais dor. Nem coração partido. Não por um bom, bom tempo.

Continuei a fazer carinho no cachorro, gentil e lentamente. Minha casa não estaria mais solitária. Meu alfabeto da vida estava de volta à ativa. E esse cachorro era um doce, doce. Depois de alguns minutos, o Seamus moveu sua pata esquerda da frente sobre a minha perna e, olhando para mim, apoiando-se em mim, ele me fez dele.

Capítulo 2

O homem conhece o cachorro

– Você pegou um cachorro? – Chris soou incrédulo e ligeiramente assustado na nossa conversa noturna por telefone.

– Sim. Outro beagle. Ele é tããããão fofo. Espere até que você o conheça. Você vai amá-lo.

– Está bem. Bom, acho que só estou surpreso. Você não tinha mencionado isso.

Eu tinha de ter mencionado? Nós havíamos cruzado alguma trincheira onde eu agora precisava pedir a opinião dele – ou pior, a sua permissão – nas decisões que eu tomava? Não! Não, nós certamente não havíamos.

– Eu queria outro cachorro. Tenho certeza de que mencionei isso. Lembra de todo o alfabeto da minha vida? Lembra do D? Ele era para "dóceis cachorros".

– Ah! Eu sei disso. Eu só... bom, eu acho que pensei que você esperaria um pouco.

Esperar pelo quê?

– Eu não saí exatamente para procurar, mas o centro de adoção de animais ligou e basicamente, quando me disseram que era um beagle, eles me convenceram.

Ele pausou, mediu suas palavras.

– Eu não sou muito de cachorro.

Não é muito de cachorro? Como eu não tinha notado isso? Eu sabia que ele era um Republicano, e eu não havia notado isso. Eu sabia que ele era inapropriadamente jovem, e eu estava trabalhando em não notar isso. Como eu não percebi que ele não era chegado em cachorros? Eu olhei para o Seamus, enrolado no travesseiro ao meu lado. Seamus inspirou fundo e expirou, sua respiração causando a rangida barulhenta da sua mandíbula, como se para concordar que aquele era um pensamento ridículo. Não é muito de cachorro?

– Uau! Eu não sabia disso – eu disse.

– Ele é um cachorro pequeno?

– Ele é um beagle.

–Você falou. Mas ele é pequeno?

– Beagles têm tamanho de beagles.

– Isso não está ajudando. Qual o tamanho dele?

Ele não sabe o tamanho de um beagle? Ele definitivamente não era muito chegado em cachorros. Mais uma prova de que isso não poderia ser um relacionamento.

– Ele pesa mais ou menos treze quilos. Ah! E eu lhe dei o nome de Seamus.

– Eu tenho certeza de que seu primo ficará honrado. A boa notícia é que eu tenho mais medo de cachorros grandes. Então estaremos bem. Espero.

Medo de cachorros grandes? Se eu tivesse um jardim, agora que eu morava sozinha, eu teria um doberman e provavelmente um pastor alemão e mais meia dúzia de beagles, todos adotados no centro de adoção de animais. Eu seria aquele estereótipo de mulher divorciada, de meia-idade, somente com cachorros em vez de gatos. E eu estava saindo com alguém que tinha medo de cachorros grandes? Como a minha vida foge do meu controle dessa forma?

Ao menos ele estava disposto a conhecer o Seamus. Eu esperava que eles se dessem bem, mas eu sabia qual ficaria na minha vida se eu tivesse de escolher. Minha semana com o Seamus havia sido desafiadora, mas o cachorrinho havia me mantido entretida. Minha casa subitamente se encheu de energia. Eu quase tinha esquecido o quão exuberante filhotinhos – e particularmente beagles – podem ser. Eu levava o Seamus para passear de manhã e, quando eu chegava em casa de noite, ele ainda corria pela casa, jogava seus brinquedos para o ar e me implorava para correr atrás dele, o que eu fazia, é claro. Eu era recompensada com o Seamus se encostando todo em mim. Ele foi o primeiro beagle que eu vi que gostava tanto de carinho assim. Normalmente, um beagle dá alguns minutos de carinho e, então, seu nariz e sua alegria sem limites o enviam balançando em outra direção. Mas Seamus era tão entusiasmado com carinho quanto era com sua comida. Eu sabia que Seamus ficaria. Eu tinha um compromisso com Seamus. Mas a verdade era que eu não teria de escolher entre o Seamus e o Chris.

Quando chegou a sexta-feira à noite, eu me preparei para apresentar o beagle ao meu namorado. Eu passeei com o Seamus de manhã e de novo à noite. Eu andei com ele mais do que o normal e esperei ter esgotado um pouco daquela energia beagle. Então, acendi a lareira, escolhi um vinho e preparei algumas besteirinhas para comer.

Normalmente, o Chris esperava pelo trânsito de Los Angeles e não saía de casa antes das oito da noite, o que significava que ele chegaria entre nove e dez. Eu sempre gostei desse horário. Eu ainda podia jantar ou beber com uma amiga, dar uma passada em qualquer evento social ou da comunidade que eu precisasse ir ou simplesmente ficar em casa relaxando e lendo antes de sua chegada. Naquela noite, no entanto, eu estava ansiosa para que ele chegasse. Eu não havia pensado na possibilidade do Chris e do Seamus não se darem bem. Nem sequer havia pensado no Chris quando decidi adotar o Seamus. Eu não havia pensado muito quando decidi adotar o Seamus; isso estava ficando claro.

Seamus me seguiu pela casa enquanto eu a arrumava e estava particularmente atento quando eu estava na cozinha. Ele se sentou com uma postura perfeita de cachorro, cabeça caída para a esquerda, boca um pouquinho aberta e olhos bem abertos e focados, prestando atenção em cada movimento meu, apenas a trinta centímetros de distância. Eu coloquei bolachas de água e sal em um prato, fiz o meu melhor para organizar artisticamente os queijos, adicionei algumas fatias de salame ao prato e, então, preparei uma *bruschetta*, e me dei conta tarde demais de que o alho não era uma boa ideia para uma noite romântica. Ainda assim, a comida estava bem apresentada, ao máximo das minhas habilidades domésticas.

Eu levei os dois pratos da sedução à sala de estar e os coloquei na mesa de centro. A lareira dava um toque especial à sala, então, diminuí a intensidade da luz. *Velas seriam legais*, eu pensei. Fui até a sala de jantar, peguei duas ou três velas da mesa, e voltei à cozinha para pegar os fósforos. Quando fiz isso, o telefone tocou. O interfone me disse que o Chris estava no portão do condomínio.

Abri a porta para ele e me virei para falar com o Seamus.

–Você vai gostar dele. Seja bonzinho, está bem, amiguinho?

Mas o Seamus já não estava aos meus pés.

– Seamus?

Sem resposta. Sem barulho da coleira dele vindo até mim.

– Seamus? Vem cá garoto.

Sem resposta.

Eu fui até a sala.

– Seamus!

Os dois pratos de comida estavam no chão. Seamus estava engolindo cada pedaço de comida, não importando o seu tamanho. A cada passo que eu dava na direção dele, ele engolia pedaços mais rápidos e maiores.

A cobertura de tomate e alho havia se esparramado no carpete e no sofá. O queijo, ou os poucos pedaços que sobraram, estavam visíveis debaixo do prato de cerâmica italiana agora quebrado e de ponta-cabeça.

– Droga! Seamus! – gritei e fui pegá-lo pela coleira para puxá-lo para fora da bagunça, mas ele engoliu tudo e sumiu de perto de mim. Eu peguei as duas peças de cerâmica e, conforme eu me levantei para jogá-las fora, Seamus passou voando e engoliu mais dois pedaços de queijo.

– Seamus, para! – gritei ainda mais, como se um beagle nunca tivesse sido ordenado para ficar longe da comida. Eu sabia, mas eu havia esquecido as regras básicas do treinamento de cães. Já fazia muito tempo desde a última vez que eu tive um cachorro novo. Decidi juntar o máximo de comida que eu pudesse, colocando tudo no maior pedaço quebrado de cerâmica enquanto eu manobrava o meu corpo entre o Seamus e a comida esparramada. Quando me levantei, pude ver que Chris havia entrado em casa pela porta da frente.

– Eu bati, mas acho que você não me escutou – ele falou.

O Seamus, finalmente, parou com sua imitação de aspirador e se virou para o barulho na porta.

Antes que eu pudesse dizer oi, o Seamus rosnou. Um baixo e lento rosnado que eu não havia escutado na nossa semana juntos.

– Seamus, não. Está tudo bem. Não tem problema, garoto – tentei soar relaxada, com controle.

Chris deu um passo para trás.

– Ele vai me morder?

– Eu não acho que... – nem consegui terminar.

Seamus uivou alto, olhando para mim, para o Chris e de volta para mim, aumentando o volume e o ritmo do seu uivo. Chris ficou paralisado na porta da frente, cinco degraus acima da sala arruinada onde Seamus e eu estávamos. Quando Seamus saiu em disparada na direção do Chris, derrubei o que eu estava segurando – a *bruschetta* e os restos de queijo mais uma vez se esparramaram no chão – e corri para agarrar a coleira dele. Eu o peguei no terceiro degrau. O Chris tinha voltado de costas até a porta. Seamus puxava pela coleira, uivando em direção ao Chris.

– Desculpa. Talvez essa não tenha sido a melhor forma de apresentação – gritei por cima do forte uivo.

Puxei Seamus para fora da escada e me abaixei, segurando-o pela coleira, levei-o até o outro cômodo onde sua cama e brinquedos estavam. Eu o coloquei na cama.

– Seamus, senta – apontei um dedo para o seu rosto, que sempre significa "Eu estou falando sério". Qualquer cachorro sabe disso. Exceto um beagle.

Seamus olhou para o lado. Ele olhou ao meu redor, atento a uma outra aparição do Chris, mas não saiu de sua cama. Eu abri os dedos da minha mão direita, virei a palma para ele, na frente do seu rosto.

– Fica – ele foi pra trás e tirou seus olhos brilhantes de mim. – Fica – eu repeti, como medida de ação e para verbalizar a minha esperança.

– Está bem, Chris, vamos tentar de novo. Venha para cá.

– Você está brincando, não é? – Chris disse, continuando grudado às escadas.

– Ele não vai atacá-lo. Ele é um beagle.

– Você continua falando isso. Mas tudo que eu escuto é "cachorro". Ele é um cachorro.

– Está bem – isso foi apenas minha esperança. Eu não tinha ideia.

Chris entrou no cômodo e, enquanto Seamus rosnava mais uma vez, ele não saía da sua cama e parou quando eu o repreendi. Quando eu e o Chris nos sentamos no sofá, Seamus veio até nós, quieto e com um pouco mais de calma, cheirando a calça do Chris e sem prestar atenção em mim. Chris fez carinho na cabeça do cachorro, e notei que ele parecia quase tão confortável quanto eu quando pessoas me forçavam a segurar e falar com voz boba com seus bebês. Mas, bem, não havia rosnadas nem briga. E nenhum dos dois parecia que iria morder o outro por algum tempo.

– Ele não é fofo? – eu me aventurei.

Chris esbugalhou os olhos olhando para mim.

– Você ouviu ele rosnar para mim, não ouviu?

– Bom, ele não conhecia você, e você entrou em casa. Eu acho bom que ele tenha rosnado.

– Talvez, mas ainda vou levar um tempo para chamá-lo de "fofo".

– Bom, vocês dois fiquem aí se conhecendo, e eu vou pegar um vinho para nós.

Eu levantei e fui até a cozinha. O Seamus me seguiu.

– Ele não está tão interessado em me conhecer. Meio mal-educado, você não acha? – Chris falou.

Eu ri.

– Cachorro sem educação.

Abri uma garrafa de vinho e enchi duas taças juntas.

– Por mais um grande final de semana de decadência – eu disse.

– De fato.

Nós demos um gole, sorrimos e nos beijamos. Nosso final de semana havia começado.

Depois de alguns minutos, Chris colocou seu vinho na mesa.

– Eu estou suficientemente corajoso agora. Onde está esse cachorro mau?

Eu olhei em volta. E onde estava o Seamus? Ele estava sempre no mesmo lugar, exceto quando...

– Seamus!

Tarde demais, eu me lembrei da bagunça na sala de estar. Pulei do sofá e corri até a sala. O Seamus estava agachado, com seu focinho e uma pata tentando alcançar embaixo do sofá. Ele também estava deitado na mistura de tomate e alho da antiga *bruschetta*.

– Ah, não! Seamus.

Eu bati as mãos.

– Para!

Ele parou a busca e se sentou, balançando para frente e para trás, da direita para a esquerda, choramingando e olhando fixamente através de mim para debaixo do sofá, para mim, e de novo para o sofá.

Eu me ajoelhei ao lado dele.

– Ah, claro, e eu tenho de pegar aquilo para você?

Ele rosnou em resposta e balançou sua cauda, espalhando os tomates ainda mais pelo tapete.

Eu não pude evitar; eu ri. Ele estava tão cego para qualquer problema, para qualquer coisa errada. Ele estava somente focado no seu objetivo. Coloquei minha mão embaixo do sofá e agarrei o pedaço da baguete tostada, com restos de *bruschetta*, delicadamente temperados com o seu pelo de cachorro. Eu entreguei tudo ao Seamus.

– Eu não acredito que você acabou de fazer isso – veio a voz do Chris pelas minhas costas.

– Hum... é. Bom... – eu apontei meu braço em direção ao prato quebrado e às manchas de tomate.

– Eu tenho certeza de que isso ele não vai comer.

– Mesmo assim. O cachorro não deveria ser recompensado.

– É o que diz quem "não é chegado a cachorro".

Ele provavelmente tinha razão, mas eu não reconheceria. Não na minha posição de joelhos no meu tapete manchado, molhado e com pedaços de cerâmica italiana e tomates ao meu redor. Não mesmo. Eu tinha a minha dignidade.

– Não é como se eu nunca tivesse estado perto de um cachorro. Meus pais tinham um cachorro. E ela não ganhava restos de comida.

Eu tive vontade de falar "ela não ganhava restos de comida" com aquela voz de criança que normalmente diz "ti ti foi?", com aquela carinha de cachorro molhado, o que seria provavelmente uma indicação de que eu sabia que havia sido pega fazendo algo errado. Naturalmente, virei-me para o meu parceiro no crime para apoio, que eu tenho certeza de que Seamus teria me dado se não estivesse tão ocupado lambendo o carpete.

– Está bem, vai, você pode só segurar o cachorro enquanto eu limpo aqui? – eu disse.

– Hum, não. Você segura o cachorro. Eu vou limpar esse desastre.

Ah! Então, está bem. Eu preferia segurar o cachorro a limpar a casa. Havia algo bom na aversão do Chris por cachorros.

Seamus parou de uivar e rosnar para o Chris depois que a bagunça foi arrumada e não havia comida à vista. Nós brincamos que talvez ele simplesmente tivesse pensado que Chris era um ladrão de comida e uma vez que não havia comida alguma em risco, o seu dever estava cumprido. Ele dormiu.

Bom, deixe-me corrigir isso: Seamus dormiu até Chris levantar no meio da noite e pisar nele no caminho para o banheiro.

GRRR! GRRR! AU! AU! GRRR! AU-AUUUUUUUUUUUU! Isso foi facilmente traduzido da língua dos beagles para *Idiota! Você quase me matou de susto!* Porque Seamus saltou para cima da minha cama, correu para o lado da minha cabeça e virou-se para olhar para Chris. Seamus podia estar tremendo de susto, mas ainda assim ele estava ali dedurando o transgressor de modo nada duvidoso.

Eu me sentei, embalei o cachorro e procurei por ossos quebrados, mesmo com o fato de o cachorro ter pulado quase um metro até a cama.

– O que aconteceu? – disse acendendo a luz do quarto.

Chris estava em pé, nu, no corredor, com cara de preocupado e mais assustado que o cachorro.

– Eu não o vi no caminho do banheiro. O cachorro tem uma cama no andar de cima, uma no andar de baixo, dois sofás e uma poltrona onde ele poderia dormir e ele dorme no meio do corredor?

– Você pisou nele?

– Não. Eu quase caí de cara no chão tentando não pisar nele.

– Ele está assustado.

Eu envolvi meus dois braços ao redor de Seamus, e ele se apoiou em mim, mas continuou olhando para Chris.

– Ele é um hipocondríaco.

– O cachorro é um hipocondríaco?

– Eu não o machuquei.

– Eu não acho que você tenha machucado. Ele vai ficar bem – eu disse, esfregando a barriga do Seamus, agora exposta, enquanto ele rolava de costas e se esticava pela cama até o lado onde Chris estava dormindo.

–Vá ao banheiro e volte para a cama.

Quando o Chris voltou para a cama, o Seamus não ligou e não fez esforço algum de renunciar qualquer espaço.

– Me ajuda aqui? – Chris falou. – Eu sei que você está se divertindo com isso.

– Desculpa. Mas é engraçadinho. Ele normalmente não dorme na cama, mas parece estar comunicando alguma coisa aqui.

– Ah, como o quê?

Eles não tinham tido uma boa impressão um do outro. Ainda assim, poderia ter sido pior, eu tentei me convencer. Eu me perguntava, no entanto, se eu havia passado ao cachorro alguma ideia de que o Chris era temporário, enquanto o cachorro mesmo pretendia ser uma parte permanente da minha vida. Eu já havia criado um cúmplice na minha charada?

Enquanto eu e o Seamus havíamos estabelecido uma rotina para dois durante a semana – caminhadas, carinhos, comer juntos (bom, eu comia minha comida enquanto o deixava ter a ração dele só para si), eu e o Chris continuávamos com a nossa tradição de sexta à noite – vinho ou champanhe gelado, lareira acesa e música tocando. E o Seamus continuava a arruinar tudo uivando e rosnando para Chris quando ele chegava, protegendo a comida. Coquetel de camarão, queijo, bolacha salgada, morangos, pizza, cogumelos recheados, *quesadillas* e bolos, tudo isso havia se tornado uma regularidade de sexta à noite para Seamus.

Ainda que eu nunca mais tenha deixado um prato de comida sem proteção, o beagle aprendia rápido. Ele facilmente percebeu que havia momentos nos quais eu e Chris, enquanto fisicamente presentes no ambiente com aperitivos, incontestavelmente não estávamos prestando atenção alguma à comida. Se nós fossemos um em direção ao outro para dar um beijo, Seamus também se movia, habilmente engolindo qualquer coisa que estivesse no prato. Eu perdia a batalha tão frequentemente que comecei a planejar o menu para que ele não tivesse uma comida perigosa para um cachorro. Até um cão que tivesse estômago de triturador de comida poderia ser envenenado por chocolate, nozes, uvas, cebola ou alho.

Quando Chris eventualmente começou a cozinhar a maior parte das refeições no final de semana, ele chegava com as sacolas de compras ou saía no sábado de manhã, retornando com elas. Quando a minha regra de "um final de semana sim, um final de semana não" começou a falhar e Chris me visitava com mais frequência, Seamus eventualmente concluiu que Chris era o mesmo que comida. Ele parou de rosnar e começou a ficar esperando pela sua chegada tanto quanto eu, ansiosamente andando em círculos ao anoitecer de sexta-feira e olhando para mim com aquela cara de "o moço da comida já chegou?". Quando Chris estava mais atrasado que o normal, Seamus esperava no quintal, na frente do portão.

Eu sabia que o cachorro não estava esperando verdadeiramente por Chris, mas ele parecia lisonjeado por ter sido capaz de conquistar o cachorro. Até que Seamus deixou óbvio no que ele estava interessado.

Em uma noite de sábado, quando Chris começou a fazer o jantar, ele percebeu que algum ingrediente estava faltando.

– Querida, você colocou o pão em algum lugar?

– Não, eu nem vi o pão.

Nós abrimos os armários da cozinha e procuramos na pia, e Chris checou mais uma vez o porta-malas do carro, pensando que talvez tivesse deixado uma sacola de compras lá. Nada.

Ele andou em volta do balcão da cozinha até o outro lado, na sala de jantar.

O pacote do pão e alguns – não muitos – pedacinhos estavam no chão. Marcas de patas denunciadoras estavam na parede do balcão.

–Você não vai acreditar – Chris falou.

– Ah, não. O Seamus pegou?

– E lá se vai o pão do jantar.

– Não tem como ele comer todo aquele pão – falei. Olhei em volta mas não encontrei o beagle em nenhum dos lugares onde ele normalmente ficava. – Seamus? Seamus?

Seamus se recusou a responder. Fui para o andar de cima. Ele não estava na minha cama. Ele não estava na poltrona da sala de estudos – outro dos seus lugares favoritos, especialmente quando o Chris estava com a gente. Eu me voltei para o canto do meu quarto onde a cama do andar de cima do Seamus estava.

Ele estava lá, de lado, parecendo um pouco com aquelas serpentes em filmes de natureza com a barriga no exato formato de um rato ou de um ovo gigante recentemente digerido por inteiro. A barriga do Seamus estava na forma de um pão inteiro.

Esfreguei a barriga dele. Ela pareceu apertada – esticada ao limite. Eu me preocupei com o que aconteceria se ele bebesse água. Eu deveria tirar a água dele? Isso faria a digestão do pão inteiro ser mais difícil? Eu também estava certa de que ele havia comido o pão em três segundos. Será que eu deveria levá-lo ao pronto-socorro?

Chris estava mais calmo.

– Ele só parece desconfortável, mas não com dores. Ele não sufocou, então vamos só esperar.

E então ele riu.

– Isso não é engraçado!

– Você jura? Olha pro cachorro! – Chris apontou, e Seamus levantou a cabeça.

E sim, era engraçado, pois a barriga do cachorro estava protuberante. Então eu ri. Talvez o Seamus aprendesse alguma coisa com essa experiência. Além de quão delicioso pode ser um pão.

Nós terminamos o jantar, sem o pão roubado, e subimos para o nosso banheiro. Nossa hora do banho de banheira estava rapidamente se tornando uma tradição para nós. Era assim que começávamos nossos finais de semana, e onde nós havíamos recentemente começado, vagarosamente, uma tentativa de investigar que talvez tudo fosse mais do que sexo e um bom momento. Talvez, só talvez, nós tivéssemos algo ali. Nós dois contávamos os minutos para nossas conversas na banheira e para nosso tempo bebericando.

Seamus odiava esse momento.

Qualquer coisa que não o envolvesse era odiosa para Seamus. Frequentemente ele aparecia só com a cabeça na porta do banheiro ou ia até a banheira, uivava e saía correndo. Se comêssemos as nossas besteirinhas de sexta-feira com champanhe na banheira, Seamus colocaria suas duas patas dianteiras no lugar e ficaria olhando fixamente para nós. Se o abano rápido de sua cauda não gerasse a apropriada divisão de comida para ele (leia-se: toda a comida), ele uivaria. Alto. E nada romântico.

Na noite do roubo do pão, Seamus não fez nada disso. Ele nos deu uma pausa de suas travessuras, dormindo para melhorar a sua ressaca de farinha. Nós mergulhamos silenciosamente na água quente e nas bolhas, rodeados de silêncio, vapor e luz de velas.

Depois de trinta minutos relaxantes, eu escutei um barulho. Um som de arranhado do outro lado da parede. Ratos?

–Você está ouvindo isso?

Chris escutou.

– Sim. É como um barulho de alguém cavando. Parece que está vindo da parede.

–Você acha que é um rato?

Enquanto a gente falava, o barulho ficava mais alto. Mais agressivo. E então, mais rápido. Eu pulei para fora da banheira já agarrando a toalha.

Quando a banheira gigante foi instalada na casa, os antigos donos tiraram um dos closets e incorporaram o espaço ao banheiro. O restante do banheiro extra tornou-se um closet cavernoso. Não que eu estivesse reclamando.

Eu corri ao closet, de onde o barulho parecia vir. Acendi a luz e fui confrontada com a parte traseira de um beagle no ar, sua cabeça abaixada, enterrada em uma pilha de sapatos meus. Cavando mais fundo e mais rapidamente, Seamus colocou seu troféu na boca e virou-se para mim. Com olhos bem abertos, ele passou por mim em arrancada e foi em direção ao quarto.

– Pega ele! – eu gritei para Chris, que também havia saído da banheira, mas não tinha agarrado uma toalha.

Chris me encontrou no corredor.

– O que aconteceu?

– Eu não sei. Eu espero que ele não tenha pego um rato.

Nós fomos até a porta do banheiro e acendemos a luz. O Seamus estava em sua cama enrolado em volta de metade do pão com a outra metade ainda protuberante em sua barriga. Aparentemente ele tinha um dever a cumprir. Enquanto andávamos em sua direção, ele fazia ainda mais barulho comendo o pão, tentando engoli-lo de uma única vez. Chris andou mais rápido. Seamus rosnou e engoliu a seco ao mesmo tempo. *Pare aí, moço da comida, isso aqui é meu!* Chris encurralou

Seamus e foi em direção ao pedaço de pão. Seamus prendeu seus dentes no pão com mais força e esticou os lábios, deixando mais expostos o pão e seus dentes. Chris parou seu movimento e olhou para trás, para mim, com olhos bem abertos.

Está bem. Ele não é muito de cachorro. Ele estava sem roupa; o cachorro estava rosnando. Eu podia entender sua hesitação. Eu já estava impressionada de ele ter ido até o cachorro.

Chris virou de costas para o Seamus e calma e firmemente disse:

– Seamus, não.

Conforme Seamus ficou quieto, eu me calei, assistindo à cena em estado de alerta e com respeito ao mesmo tempo, não diferente do próprio Seamus. Chris deu um passo em direção ao cachorro mais uma vez e foi em direção ao pão. Milagrosamente, ele removeu o restante do pão dos dentes de um beagle seriamente irritado. O Seamus não rosnou, uivou, ou mordeu o Chris, e ele estava muito estufado para correr atrás de alguém.

– Nossa. Eu estou impressionada. Você pode até ser chegado a cachorro agora – eu disse.

– Eu não tenho certeza se ele é um cachorro. Ele é mais como uma reencarnação de algum ditador do terceiro mundo.

– Ahh! Mas veja o quão fofo ele é.

Seamus abanou o rabo e olhou para nós enquanto estava de bruços na caminha em cima do seu cobertor, com olhos castanhos emotivos mostrando que ele já nos tinha perdoado por nossas transgressões.

– Esse é o problema. Ele é diabolicamente fofo. Pode ser a hora de outro golpe.

Na manhã seguinte, Seamus acordou com fome, como sempre. No entanto, nós diminuímos sua porção de comida, e foi Chris quem deu a ração depois de fazê-lo sentar educadamente e com calma enquanto eu assistia a tudo boquiaberta. Não havia regras na nossa casa, e todos nós estávamos aprendendo quais seriam elas. Nós estávamos, contra todas as possibilidades, tornando-nos uma casa de três pessoas.

Capítulo 3

Um passeio em família

Eu odeio o Natal.

Eu odeio todo o mês de dezembro. (Deixe-me já esclarecer isso: eu também não gosto de chocolate nem de tratamentos no spa, o que certa vez fez uma amiga minha comentar com Chris: "É como se você estivesse namorando um unicórnio".) Eu só consigo me lembrar de um único Natal que tenha sido aproveitável: eu tinha seis anos, e meus pais me deram um cockapoo[3] preto de presente. Eu lhe dei o nome de Tippit (que logo diminuiu para Tippy) após vê-lo correr pela casa derrubando as taças que meus pais e seus amigos deixaram no chão perto das cadeiras. Depois disso, no entanto, o Natal se tornou uma série de discussões enquanto o casamento dos meus pais ia por água abaixo e, em seguida, um pesadelo logístico sobre com qual dos dois as crianças ficariam e em que datas. Quando meus pais casaram-se novamente, nós tínhamos problemas em juntar as famílias e tradições, e a logística se multiplicava para incluir madrasta, padrasto e meios-irmãos e irmãs. Meus irmãos e eu passávamos a maioria dos Natais dirigindo de uma casa à outra. Eu jantei fast-food no Natal diversas vezes. Uma vez que eu finalmente cresci e passei daquele estágio, nossa sorte mudou – para pior.

Eu estava estudando direito quando Tippy morreu – em dezembro. Alguns anos depois, meu irmão Jay teve um acidente de moto no dia primeiro de dezembro e acabou na UTI, sem esperança de vida. Ele passou uma semana em coma e várias semanas em tratamento intensivo e crítico e, então, foi para a clínica de reabilitação. A família passou o Natal ao lado dele na UTI do Hospital Geral. Ele sobreviveu, com uma cicatriz de trinta centímetros no peito, alguns pinos pelo corpo e nenhuma memória de dezembro. Alguns anos depois, a mulher do meu pai, Faye, morreu de um aneurisma cerebral enquanto estava de pé na cozinha fazendo biscoitos para o Natal, no dia 23 de dezembro. O funeral dela foi em seu aniversário, dia 29 de dezembro. No ano

3 Um cockapoo é uma mistura de poodle com cocker spaniel. (N.T.)

seguinte, a minha meia-irmã, Jennifer, perdeu a sua mãe para o câncer em 14 de dezembro. O funeral foi em 23 de dezembro. Um ano depois, o meu padrasto perdeu os seus dois pais entre o Dia de Ação de Graças e o Natal.

Então, sim, eu odeio não somente o Natal, mas o mês de dezembro inteiro.

Chris, por outro lado, amava o Natal e toda a época de festas. Ele me contava como sua mãe decorava a casa toda, começando todo o processo no meio de novembro. Ele adorava as árvores que ela montava (notei o plural com desânimo), as decorações (ela colecionava quebra-nozes), as festas (eram muitas tradições), a comida (eu não consigo imaginar receitas de família que não estão impressas em um menu de delivery), e, é claro, os presentes. Muitos e muitos presentes. Ele até amava assistir aos especiais de fim de ano na televisão. Ele aproveitava as festas e queria celebrar comigo. E com sua família.

Nós só estávamos juntos há seis meses – e "juntos" era um termo muito vago. Eu não estava pronta para conhecer os pais dele. Inicialmente, nós mantínhamos as coisas somente entre a gente. Nem mesmo o nosso grupo de escritores sabia que nós estávamos saindo. Na maioria das vezes, nós passávamos nossos finais de semana juntos na minha casa tendo somente o beagle como testemunha, e isso funcionava bem. É claro que eu sabia que a parte secreta do nosso relacionamento fazia isso ser mais interessante. E "isso" era como eu me referia a seja lá o que fosse "isso" que eu estava fazendo com Chris. Se nós encontrássemos um a família do outro, então teríamos um relacionamento? E se eu usasse a palavra *relacionamento* para isso, *isso* simplesmente azedaria, certo? Nós ficaríamos imediatamente desapontados um com o outro, não? O sexo acabaria, e as brigas começariam? (Eu estava fazendo terapia; coisas tinham de ser mudadas.) Mas, quanto mais a gente saía, mais difícil ficava para manter o segredo. Nós começamos a contar para as pessoas só "quando não tinha mais jeito".

Os pais do Chris, eu tinha certeza, eram os últimos que precisavam saber. Senti muito forte que eles não aprovariam. Ou, indo mais ao ponto, eles não me aprovariam. Eu estava muito confiante de que uma mulher divorciada duas vezes e doze anos mais velha que o bebê deles não seria uma novidade bem-vinda. Eu era mais do que esses rótulos e sabia disso, mas ainda trazia marcas comigo e não tinha confiança de que alguém, menos ainda os pais dele, veria além delas. Não havia razão para chateá-los. Quando nós tivéssemos algo para dizer a eles – se nós tivéssemos algo para dizer – nós diríamos, mas não antes disso. Nós concordamos com esse fato na banheira, é claro, então era um pacto sólido, jurado em bolhas e selado com champanhe.

Nós nos comprometemos com as festas fazendo uma celebração não natalina na semana anterior. Chris fez *paella*. Nós dividimos uma garrafa de Tempranillo e trocamos alguns pequenos presentes em frente à lareira. Nomeamos a ocasião como "más Chris" ("mais Chris," em espanhol). Era muito menos complicado que o Natal, para o meu deleite.

Para o Natal propriamente dito, eu mais uma vez sumi de cena. Deixei o Seamus com minha mãe e meu padrasto enquanto voei para Missouri para estar com meu irmão e a família dele. Os filhos dele eram pequenos o suficiente para ainda acreditar no Papai Noel, então pensei que eles pudessem ser uma distração (considerando que o meu avião não caísse). Uma vez lá, fiquei acordada até mais tarde todas as noites para ligar para o Chris em particular e mandei e-mails para ele regularmente.

Tendo evitado qualquer desastre de Natal, também fui com cuidado para o Ano Novo, sozinha em casa com o Seamus. Chris passou essa data com sua família na Flórida assistindo ao Orange Bowl[4]. Ele também deu uma fugidinha para me ligar à noite sem seus pais ou suas irmãs, Kaiti e Courtney, saberem. Ou foi o que ele pensou.

Enquanto o inverno virava primavera[5], a minha regra de somente "semana sim, semana não" foi por água abaixo. Nós passávamos a maioria dos finais de semana juntos, mas mantivemos firme o pacto de só falar do nosso relacionamento "quando não tinha mais jeito". Infelizmente, a mãe dele não era parte do pacto. Ela tinha um plano dela e foi outro feriado que me causou problemas dessa vez. Pouco depois da Páscoa, ela ligou para Chris.

–Você não apareceu para o almoço de Páscoa – ela disse.

–Vocês não estavam aqui; eu iria para quê? – ele desviou.

– Eu falei que tinha uma reserva no clube para você e para suas irmãs. Você não apareceu. E sua cesta de Páscoa ainda está aqui.

---

4 O Orange Bowl é um jogo de futebol americano jogado no dia 1° de janeiro, desde 1935, em Miami. (N.T.)

5 No Hemisfério Norte, o Natal acontece no inverno. (N.T.)

– Eu posso pegá-la depois.

– Isso não é o suficiente, mocinho. Qual o seu problema ultimamente? Você não tem estado presente. Você não tem ligado. Nós nunca o vemos. É como se você não tivesse mais família. E a Kaiti disse que você estava fugindo para ligar para alguém todas as noites quando nós estávamos na Flórida. Então, eu só vou perguntar: você é gay?

Chris me garantiu que ele riu.

Eu estava horrivelmente impressionada com a ingenuidade dela. Ela sabia, é claro, que ele não era gay.

Nada ingenuamente coagido, Chris contou sobre mim. Muito para o meu desgosto e horror, ele contou tudo sobre mim para ela – incluindo minha idade, meus divórcios e o fato de eu morar em Riverside. Riverside! Para o povo de Newport Beach, morar em Riverside é como morar em Hicksville e no alto da Cidade do Crime. O que ele estava pensando? Três mancadas. Eu certamente estava fora.

– Você não podia ter mentido para ela? Ou simplesmente inventado alguma coisa? Concordado que era gay? Ou, sei lá, não ter dito nada além de "Eu tenho quase trinta anos, estou saindo com alguém, e isso não é problema seu?" ou "Eu lhe contarei quando eu estiver pronto para contar?" – eu disse.

– Eu não consegui pensar tão rápido. Ela me pegou de surpresa. Sei lá. Eu não tenho o hábito de mentir para os meus pais.

Bom, tem isso. Ainda que eu preferisse pensar nessa questão como "gerenciar" os pais.

– Mas ela não tem o direito de bisbilhotar sua vida pessoal. Nem a minha.

– Sim. Eu sei. Mas não foi tão mal. Não é tão ruim quanto você imagina.

– Ah, eu lhe garanto! É tão ruim quanto eu imagino – nós estávamos no telefone, então eu não podia ver o rosto dele para saber se a reação dela tinha sido ruim e ele estava apenas me protegendo, ou se ele honestamente sentiu que sua mãe estava aceitando. Eu não teria acreditado na segunda opção, de qualquer forma. – E, diga-se de passagem, sua mãe ainda lhe dá uma cesta de Páscoa?

– Eu estava imaginando quanto tempo demoraria para você mencionar essa parte.

– É muita coisa para processar. Mas, como, doces? Ovos de chocolate? Ovos de galinha coloridos?

– Eu amo ovos de chocolate. E minha mãe jamais usaria ovos falsos de galinha.

– Então isso é uma exceção ao amor de Newport Beach por plástico?

Chris deve ter se entusiasmado com a nossa risada.

– Eles querem conhecer você.

– Isso é hilário. E tão errado.

– Eu sugeri um café.

– O quê?

O pequeno paraíso feliz que vínhamos construindo estava sendo atacado. As paredes – nossos finais de semana – estavam desmoronando. Eu afaguei o lençol no sofá ao meu lado, e Seamus pulou nele, aninhando-se na dobra do meu braço. Somos você e eu, cachorro. Olá, alfabeto da vida.

– Eu honestamente acho que eles vão gostar de você. Como não gostariam? Você é bonita, é uma advogada de sucesso, tem uma casa linda. E nós estamos saindo há quase um ano. Meus pais sabem que isso é o dobro do tempo que eu já saí com alguém antes. Eu não posso escondê-la para sempre.

Eu fiquei quieta, acariciando Seamus e tentando fazer minha mente funcionar. Estava pensando em uma desculpa válida para não encontrar com os pais dele ao mesmo tempo em que também tentava não me sentir lisonjeada com a descrição dele.

– E eu não quero esconder você – ele disse.

Droga.

Na semana antes do café, eu fiquei obcecada com o quê vestir e o que dizer sem nunca decidir nada sobre nenhum dos dois. Na manhã do café, eu vesti uma calça preta, salto alto de couro e um suéter de algodão preto. Então eu arranquei tudo isso do meu corpo. *Não é um funeral. Tente ser menos evidente a respeito dos seus sentimentos.*

Eu mudei de uma calça preta para uma saia preta com barra de babados. *Ah sim, uma viúva negra em um funeral. Isso os fará confortáveis. Por que não colocar simplesmente um grande chapéu de tela preto e óculos de sol escuros?* Eu tirei a saia e o suéter e joguei-os em um canto do meu quarto.

Eu coloquei um vestido branco com ilhós. E eu também o tirei, jogando-o na pilha de roupas. *Quem você quer enganar? Branco virgem? Hilário!*

Um vestido na cor fúcsia foi o próximo. *E esse decote de prostituta?*

Passei outros vinte minutos determinando que todos os itens no meu armário ou gritavam "perdedora de meia-idade" ou "garimpeira puta" ainda que eu não tivesse qualquer lembrança de ter ido às compras com algum desses temas na cabeça. Eu estava toda distraída com minha decadência interior quando olhei no espelho e vi que o meu cabelo havia sido alisado sem vida – exceto em lugares onde ele estava voando atropeladamente por estática. Eu teria derrubado a minha cabeça nas minhas mãos em desespero se eu não estivesse tão preocupada em tirar a máscara, que eu temia ter aplicado em uma quantidade exagerada.

Faltando dois minutos, eu decidi por um look quase branco – calça de linho e uma blusa caída no ombro, os dois da Ann Taylor. Eu escovei o meu cabelo loiro, mas não tão loiro de volta à vida, deixando-o liso e comprido mas coloquei para trás das orelhas, que eu enfeitei com brincos de pérola irrepreensíveis.

Eu me forcei a parar de surtar com pequenos detalhes e desci para o andar de baixo onde Chris estava esperando.

–Você está bonita – ele disse.

– Eu não me sinto assim.

–Você está bonita. De verdade. Bonita.

– Obrigada.

–Você está realmente bonita.

– Bom saber que você está tão nervoso quanto eu.

– Pois é.

Nós dirigimos até o Mission Inn, um lindo hotel no centro de Riverside com arquitetura espanhola incluindo uma pérgula, arcos, fontes azulejadas e uma quantidade enorme de paus-de-roseiras remanescentes de uma missão na Califórnia. Convenientemente localizado no meio do caminho entre Los Angeles e Palm Spring, em algum momento foi um lugar frequentado por celebridades. O café deles é um acontecimento festivo e normalmente o lugar fica cheio. Pensei que ele seria um lugar que causaria uma impressão enquanto ainda me protegeria da multidão.

Agarrei a mão do Chris enquanto nós cruzávamos o lobby em direção à minha condenação.

Estávamos no horário, mas os pais dele já estavam nos esperando com a recepcionista. Chris me guiou em direção a eles e cumprimentou o seu pai com um aperto de mão e sua mãe com um abraço.

– Mãe, pai, essa é Teresa – Chris falou.

E lá estava eu. Encontrando os pais dele. Algo que eu jurei que jamais faria novamente.

Inalei ar e estiquei a minha mão.

– Muito prazer em conhecê-los – eu disse, tentando sentir isso de verdade.

– Eu sou a Trudy. É bom conhecê-la depois de todo esse tempo.

A mãe dele me deu um aperto de mão. Notei que Chris parecia muito com a mãe dele. Seus olhos azuis e sobrancelhas longas vieram da mãe; cabelo escuro, grosso e ondulado; e nariz em formato perfeito. O cabelo dela, no entanto, não era grisalho como o de Chris, mas perfeitamente colorido e estilizado. Ela vestia turquesa e branco e, exatamente como Chris havia dito, tinha acessórios perfeitos, incluindo uma bolsa de mão turquesa. Eu estava imediatamente consciente de que a bolsa de mão dela tinha um décimo do tamanho da bolsa que pesava no meu ombro esquerdo. Gostei do seu estilo, ainda que eu estivesse simultaneamente intimidada por ele.

Eu me virei para o pai de Chris e também o cumprimentei com um aperto de mãos.

Ele estava sorrindo.

– Jim. É bom finalmente conhecê-la, Teresa.

Eu fui pega de surpresa pelo tamanho do pai de Chris e pela sua cor de pele – ele era mais baixo que Chris, tinha uma formação muito menos robusta e seu cabelo era castanho claro. Ele não era o que eu esperava.

– É um prazer também – eu disse. E voltei a sorrir. Com pais eu posso lidar. Minhas duas sogras tinham me desaprovado, ainda que elas tivessem lidado com isso de formas diferentes (uma passivamente, outra agressivamente). Mas eu havia me dado bem com meus dois sogros. Havia muitas mães na bagagem da minha vida, precisaria de carregadores de malas para segurá-las, mas não muitos pais. Ao que as mães se opunham (minha lógica, minha falta de sentimentos, minha carreira, minha independência, minha falta de interesse em crianças, minha completa falta de habilidades domésticas e, o mais importante de tudo, minha inabilidade de ver o mundo girar em torno do filho delas), os pais normalmente encaravam numa boa, ou simplesmente não ligavam. Eu não me preocupava em conhecer pais. Então, apesar da voz grossa de Jim e do comportamento austero, eu não me preocupava com ele. Só com ela. Só com Trudi.

Nós discutimos as gentilezas usuais enquanto comíamos ovos beneditinos e tomávamos suco de laranja – o clima, como Chris e eu nos conhecemos, como Riverside era muito melhor do que era no passado. Estava começando a pensar que eu podia passar por isso. Passaria como normal, apresentável. Até, aceitável. E então...

– Então, Teresa, o Chris já conheceu sua família? – Trudi disse.

Eu sabia, pelo jeito que ela se inclinou na minha direção, olhou para mim e para o Chris, e então focou novamente em mim, que a resposta importava. Minha mente funcionou muito rápido e parou bruscamente. Meu instinto tomou conta de mim. O que era isso que ela queria saber? Ela quer saber se ela e Jim me conheceram primeiro ou se de alguma forma os meus pais eram mais importantes e haviam encontrado Chris primeiro? Ou ela queria saber de qual tipo de família eu venho? Ou ela estava sondando o quão sério estava nosso relacionamento? O quê? O que ela quer?

Minha cabeça lutou para se controlar. Ela simplesmente fez uma pergunta educada. *Responda.*

Meu instinto gritou novamente. *Mas com o quê? O que eu posso dizer?*

Minha família é complicada, até para os padrões do sul da Califórnia. Eu nunca estou habilitada a responder perguntas sobre ela. Mesmo as perguntas mais simples como quantos irmãos e irmãs eu tinha me faziam gelar enquanto eu me perguntava com quanta informação a pessoa que perguntou conseguiria lidar ou queria.

Eu não havia crescido em uma família unida ou perfeita. Meus pais haviam se casado diversas vezes, e no total eu tinha nove meios-irmãos e irmãs. Tive dois pares de pais por boa parte da minha vida. Mas esses pares mudaram com as décadas, trazendo novos personagens para a história. Eu normalmente dizia que nós não tínhamos uma árvore genealógica, mas sim um gramado familiar: nós nos espalhamos e nossas raízes não eram fundas.

Então, Chris tinha conhecido minha família? Bom, sim... mais ou menos. Alguns deles. Eu tinha certeza de que meu rosto agora combinava com minha roupa. Branco pálido. Meus pais haviam se encaixado na categoria "precisam saber" nos últimos meses.

Chris veio ao meu resgate.

– Eu conheci os pais dela. Eles são pessoas muito legais.

– E o que os seus pais acharam? – Trudi perguntou, estabilizada e bem educada. O que eu escutei foi "Seus pais também acham isso ridículo, certo?".

O que os meus pais acharam? Eu tinha 42 anos. Se meus pais tivessem se preocupado com quem eu saía como adolescente (uma vez que eles mesmos tinham somente seus trinta anos naquela época e estavam ocupados com seus próprios encontros, não há evidências disso), eles teriam passado dessa fase quando eu me tornei uma adulta. E eles não tinham moral no quesito de ser contra relacionamentos. Eu estava começando a apreciar esse aspecto da minha família de não julgar.

A verdade era que, quando o Chris conheceu meus pais, foi muito simples. Casual.

Com relação ao meu pai, meu irmão causou uma situação de "precisa saber" fazendo uma visita surpresa algumas semanas antes. Eu e Chris tivemos um aviso com uma hora de antecedência para que pudéssemos levantar, tomar banho e ficar apresentáveis antes de meu irmão e meu pai chegarem à porta de casa. Uma surpresa, de fato. Eu acho que a minha surpresa foi maior, ainda que Jay (meu irmão mais novo, mas ainda dez anos mais velho que Chris) e meu pai tivessem se recuperado rápido o suficiente de piadinhas sobre o horário de voltar para casa, ou eu ter de cortar a comida do Chris e estar servindo álcool para um menor. Meu pai ligou depois para perguntar "qual a idade dele?" e "ele parece um bom rapaz e você parece feliz". Isso foi seguido de uma risada rápida e um "só não vá presa".

Com relação à minha mãe, foi o Seamus que criou a necessidade de ela saber sobre o Chris.

Depois de muitos meses do Chris e eu dividindo nossos finais de semana somente com Seamus, nós tivemos a ideia de que era hora de passar um final de semana longe, somente nós dois, ainda que isso parecesse uma heresia para um certo beagle.

Seamus, no entanto, apresentou-se como um problema para nós. Eu odiei a ideia de deixá-lo em um hotel para cachorros. Ele era um cão que precisava e tinha muita companhia. Eu não achava que ele se daria bem em uma pequena jaula e somente de dois a dez minutos de exercício por dia. A solução requeria uma confissão.

Eu tomei conta do cachorro da minha mãe e do meu padrasto, a Barbee, tanto na minha vida anterior como pessoa casada que tinha um grande jardim e três (e então dois) beagles, como uma ou duas vezes na minha nova vida em uma casa alugada com um beagle necessitado e um namorado secreto. Ocasionalmente, minha mãe tinha retornado o favor cuidando de Seamus, como quando eu fui para Missouri no Natal. Mas minha mãe não era burra. Se eu começasse a deixar o Seamus com ela nos finais de semana, ela iria querer saber onde eu estava indo. E quantas vezes uma mulher de quarenta e poucos anos saía para ter "um final de semana com as amigas" antes que alguém tivesse uma conversa séria com ela?

Eu confessei a situação para minha mãe e pedi para ela tomar conta do Seamus para mim quando eu e Chris fomos a San Diego para o infame final de semana de Páscoa que eventualmente provocaria a saída de Trudi do nosso relacionamento. Eu disse à minha mãe que nós passaríamos lá na noite de domingo para pegar o Seamus e comer no jantar de Páscoa. E sim, ela conheceria Chris. Eu estava esperando que esse acerto de cuidar do cachorro desse certo. Chris e eu tínhamos começado a planejar uma viagem de verão para Barcelona.

Minha mãe e meu padrasto, Ted, moravam em uma cidade chamada Yucaipa, no pé das montanhas onde o clima é mais frio que em Riverside, a 35 quilômetros de distância da minha casa. Seamus foi para lá numa sexta-feira à tarde antes de Chris e eu irmos para San Diego na mesma noite.

Seamus e o cachorro deles, Barbee, uma mistura de pastor australiano, deram-se bem o suficiente, mas eram cachorros muito diferentes. Barbee era calma e séria. Ela estava constantemente patrulhando o perímetro do quintal deles, o que o Seamus achou muito divertido no começo. Ele quase não corria atrás dela, uivando e latindo seu entusiasmo para toda a vizinhança escutar. Repetidamente. Pastores cuidam do rebanho. Beagles uivam. Minha mãe descobriu que aquela não era uma combinação muito boa.

Eventualmente, Seamus estava cansado da brincadeira e queria apenas estar seguro e quente dentro de casa. Na cozinha, para ser mais precisa. Eu tinha esquecido de avisar a minha mãe que Seamus tinha aprendido a abrir o armário. Na minha casa, Chris tinha instalado três tipos diferentes de travas de segurança para crianças no armário abaixo da pia da cozinha (onde a lata de lixo ficava) antes de a gente encontrar uma que fosse à prova de beagles. O Seamus podia levantar a trava, apertar e soltar, e até virar a trava se tivesse comida na lata de lixo atrás da porta do armário. Ele não podia, como nós eventualmente descobrimos, aprender como deslizar uma barra para a direita (e muitos dos humanos visitas também não). A sua especialidade parecia ser o furto do lixo depois do acúmulo de pelo menos o pó de café de três manhãs, cascas de ovos e qualquer coisa cheia de óleo. Nós descíamos para a cozinha de manhã para encontrar o café da manhã do dia anterior espalhado pelo chão da cozinha, com uma trilha de pó de café levando até a cama de Seamus.

Berbee, por outro lado, era um cachorro desses que alguém podia deixar uma tigela com comida o dia todo para que eventualmente ela comesse quando tivesse fome. A menos que Seamus chegasse na tigela antes. E ele sempre chegava. Ele também chegou à lata de lixo da minha mãe que, pelo ponto de vista dele, tinha uma placa dizendo "o Seamus come aqui". Com seu bocal aberto sem tampa, seus pedaços de frango e seu posicionamento no fundo da despensa, sem proteção, destrancada, ela estava obviamente disponível. Minha mãe jura que ele engoliu os ossos de galinha inteiros.

Minha mãe e Ted também aprenderam que Seamus, como Chris e eu, prefere noites longas e quentes, desdenhando manhãs e frio. Eles tinham dificuldade e aguentaram um período nada curto de um beagle resmungando quando tentavam acordá-lo para uma caminhada às seis da manhã. Mas, quando minha mãe e Barbee saíram sem Seamus, elas voltaram para descobrir que o cão visitante havia acordado a tempo suficiente para usar a sala de jantar de banheiro. Então, ela instituiu que a caminhada matinal fosse regra obrigatória.

Quando Chris e eu chegamos para pegar Seamus depois do nosso final de semana fora, as travessuras do cachorro pareceram ter tirado toda a pressão daquele momento "conhecer os pais". Minha mãe disse olá para mim e para Chris rapidamente antes de dizer, mordendo os lábios e olhando na direção do Seamus:

– Que cachorrinho.

Meu padrasto rolou os olhos. Seamus estava sentado no sofá deles – no sofá branco da sala de estar formal deles – olhando fixamente com os olhos bem abertos e balançando a cauda.

O jantar de Páscoa foi deixado mais fácil (e mais rápido) pelas histórias do Seamus. Parecia que Chris podia competir com as piadas da minha mãe de mau comportamento de beagles. Eu acho que minha mãe e padrasto decidiram que se Chris estava de acordo a aguentar Seamus, ele era provavelmente um bom rapaz, ainda que depois eles também tenham me ligado para perguntar:

– Qual a idade dele?

Então, sim, Chris havia conhecido os meus pais. E sim, eles gostaram dele. Por que eu não podia simplesmente dizer isso à mãe dele? Por que eu tinha de estar lendo tantas coisas no que poderiam ser apenas perguntas perfeitamente inocente e amigáveis?

Ah, de jeito nenhum elas eram amigáveis. Essas perguntas estavam cheias de intenções de farejar o inimigo. E eu era o inimigo. Meu instinto estava feroz em sua opinião.

Mas minha mente estava desesperada. *Espere. Pare. Você está sendo paranoica. Eles são pessoas muito legais. Olha, ela está sorrindo para você. Ele está enchendo sua taça de champanhe. Eles podem ver que o filho está feliz. Isso é tudo que pais podem querem, não é? Não é?*

Chris havia crescido em um mundo privilegiado, e seus pais estavam acostumados a saber e controlar cada aspecto da vida dos seus três filhos. Ênfase pesada nas crianças. Funcionou muito bem até então – Chris era muito educado, tinha boas maneiras, estudou em escola particular, fez faculdade em Princeton, era o filho mais velho de uma família muito unida. Chris e eu tínhamos passado muito tempo imersos em bolhas falando sobre nossas famílias, então eu sabia que na sua família as decisões eram tomadas no alto e seguidas abaixo. Sempre havia sido assim. Mas ele tinha quase trinta anos agora. Ele podia tomar suas próprias decisões. Tudo que deveria importar é o fato dele estar feliz. Respirei fundo.

– Meus pais o amaram. É claro. Como não amar?

Abri um sorriso brilhante, mas abaixo da mesa minha mão alcançava a coxa do Chris, tanto como um sinal de afeição como também para me estabilizar. Ou talvez eu estivesse chamando a atenção dele.

– Bem, que bom. Nós gostamos de pensar que criamos um bom filho.

Trudi sorriu de volta. Eu não acho que ela podia chamar a atenção do Chris do outro lado da mesa. Pelo menos não fisicamente.

Exceto pelo meu próprio monólogo externo, eu estava ilesa no final do café. Eu admiti isso ao Chris. Seus pais eram educados e civilizados. Ainda que eu soubesse que estava sendo checada, eu não me senti julgada friamente. Ou, mais ao ponto, eu senti ter passado em seja lá qual teste que estavam aplicando em mim. Eu não parecia embaraçosamente mais velha que Chris nem mesmo simplesmente envergonhada. (Suspeitei que eles estivessem esperando alguém mais como uma garçonete de restaurante de meio de estrada ou uma stripper.) Eu sabia qual talher usar e quando; eu não babei ou mastiguei de boca aberta; e eu acho que me lembrei de dizer "por favor" e "obrigada". Falei sobre minha carreira bem-sucedida na esperança de que os pais do Chris vissem que eu não queria garimpar o ouro dele. Ainda que eu e Chris tivéssemos dado risada sobre esse conceito (ele não tinha nenhum ouro próprio e eu não tinha habilidades de garimpeira discerníveis uma vez que foi ele quem correu atrás de mim e fui eu quem resistiu ao relacionamento por tanto tempo), nós suspeitamos que isso estivesse na cabeça deles. Pensei que havia aliviado esse conceito.

No fim do café, conforme nós saímos do restaurante, Trudi falou para mim:

– Eu não sei por que ele a manteve em segredo por tanto tempo.

Eu não tinha palavras para responder de uma forma socialmente aceitável. "Bem, porque nós realmente pensamos que só estávamos fazendo um sexo incrível, e não entrando em um relacionamento" não parecia apropriado para ser dito à mãe dele; "mães me dão o maior medo do mundo e por isso eu queria evitar pelo máximo de tempo possível" também parecia, bem, não muito certo. Finalmente murmurei algo como, "bem, nós nos conhecemos agora". Porque, no caso de eu não ter mencionado antes, eu sou um gênio da conversação sob pressão.

Capítulo 4

Estranhos invasores

Em seguida, eu vi os pais de Chris em junho, quando eles fizeram um jantar de aniversário de trinta anos para ele em um restaurante em Santa Mônica. Nós saímos da festa às dez da noite para pegar o voo noturno para Puerto Vallarta, onde ficaríamos por quatro dias – meu presente para Chris. Embora eles soubessem da viagem com antecedência, quando saímos, eu me senti um pouco como se estivesse sequestrando o filho deles.

– Ainda há comida. As pessoas ainda estão aqui – a mãe dele disse.

– O avião não vai esperar a gente. Além do que, esses palhaços vão ficar aqui eternamente se houver bebida – Chris falou, referindo-se aos seus amigos.

Eu lutei contra a vontade de explicar que independentemente do que eles pudessem estar pensando, não é, de fato, ilegal cruzar a fronteira internacional com um homem de trinta anos. Mas eu decidi que estava sendo paranoica. Eles provavelmente só queriam passar mais tempo com o filho. Ainda assim, apesar da noite agradável, o meu nível de conforto com os pais dele, que nunca foi alto para começo de conversa, afundava a cada passo que eu dava para fora do restaurante, de braços dados com Chris. Eu não os vi novamente nesse verão.

No início do outono, eu me mudei para minha casa própria. Eu havia comprado uma casa no mesmo condomínio onde eu estava alugando, porém essa havia sido reformada e melhorada em pontos que eu jamais haveria pensado. O piso e os armários da cozinha eram de madeira, móveis de aço escovado, iluminação moderna que valorizava as decorações, um bar e uma adega, e um sistema de som por toda a casa. Não tinha uma banheira gigante, mas tinha um *ofurô* no quintal dos fundos com uma vista estonteante da cidade. Quando vi a casa, antes de fazer a oferta, Chris a nomeou de "antro lustroso e elegante da loba" (em referência às várias piadas de "papa-anjo" que eu aguentava), e foi assim que nos referimos a ela dali em diante. Era perfeita para mim. Eu a comprei mobiliada. Tudo que eu precisava adicionar eram meus livros, minha decoração e, claro, meu cachorro.

Dia de mudança era típico das complicações que existiam na minha vida. Não somente meu pai e minha mãe vieram para ajudar, mas o meu ex-marido também se ofereceu uma vez que eu estava devolvendo alguns dos "nossos" móveis que eu não precisaria mais. Minha mãe passou quase o dia inteiro controlando Seamus (tarefa nada fácil) e evitando o meu pai (uma tarefa bem mais fácil já que ele também a estava evitando). Meu ex-marido passou o dia evitando Chris, limpando a minha nova casa já limpa na mesma rua da minha casa alugada onde Chris estava encaixotando livros e carregando o caminhão do meu cunhado. Um meio-irmão apareceu para pegar alguns móveis que eu não precisava mais e que meu ex não queria, mover alguns livros em troca dos móveis e desaparecer em seguida. Minha madrasta chegou com o almoço e alguns amigos do meu pai, que eram velhos demais para carregar caixas, também vieram, mas não atrapalharam.

E eu estava feliz com tudo isso.

Bom, até que fui ao andar de cima para procurar meu pai e um amigo havia movido meu colchão e estrado, tirando os últimos itens do meu quarto na casa alugada. Chris estava logo atrás de mim.

Eu parei quando entrei no quarto, chocada e horrorizada.

– Você acha que eles viram? – eu perguntei.

– A embalagem da camisinha roxa e brilhante que estava no meio do chão vazio? Não, imagina! – Chris falou. E riu. Eu não ri.

– Que humilhante.

– Bom, ao menos eles sabem que a gente faz sexo seguro.

– Eu tenho certeza de que é exatamente isso que eles estão pensando.

– Poderia ter sido pior. Poderia ter sido o seu ex ajudando o seu pai a mover o colchão.

Chris era melhor do que eu esperava em reconhecer as pequenas coisas da vida.

Depois que todos foram embora, nós estávamos sozinhos no antro lustroso e elegante da loba, sorrindo feito crianças. Nós celebramos e relaxamos nossos músculos cansados no *ofurô*, é claro.

O Seamus estava igualmente contente com a nossa nova casa. Já que o quintal dos fundos se abria às montanhas frequentadas por coiotes, ele não estava autorizado a ficar lá. Por sorte, tinha acesso livre ao quintal da frente, cortesia de uma porta de cachorro instalada pelo antigo dono, no tamanho exato. O quintal tinha um portão para a rua, mantendo

Seamus seguro do lado de dentro, mas também permitindo que fosse o primeiro a encontrar as visitas. Ele imediatamente começou a correr de dentro para fora da casa por sua própria porta com extravagância, às vezes se esticando nas espreguiçadeiras do quintal e nos olhando pela porta-balcão enquanto assistíamos a filmes na nova TV de tela plana com som *surround*. O lugar era perfeito para nós três, e nós nos acostumamos rapidamente. Chris começou a passar ainda mais tempo na minha casa, já que o trabalho dele passou a ser feito por meio de projetos temporários.

Eu desfiz as caixas durante as noites nos dias da semana, sem pressa e deixando os finais de semana reservados para Chris. Minha vida estava se ajeitando. Não havia necessidade de apressar qualquer coisa. Algumas vezes foram necessários dias para esvaziar uma caixa de livros e colocá-los no lugar.

Seamus já tinha dois anos e ainda agia como um filhote. Ele ia me receber, uivava, pulava e girava todas as noites quando eu chegava em casa depois do trabalho, e fazia praticamente o mesmo quando eu saía de manhã. Seamus respondia ao Chris da mesma forma – uivando, pulando e exigindo carinho quando ele chegava.

Havia somente um pequeno ajuste à nova casa que não caiu muito bem ao Seamus.

Em uma noite na qual Chris e eu estávamos lendo em frente à lareira, descansando no sofá da sala, Seamus uivou baixo. Um uivado que não se escutava desde a vez que ele viu Chris pela primeira vez. Seamus ficou no meio da sala, de costas para nós, olhando para a sala de jantar.

– O que foi, garoto?

Ele inclinou sua cabeça para a esquerda, deu um passo para também a esquerda e uivou mais uma vez.

– O que você está vendo?

Eu levantei, mas não conseguia ver nada na sala de jantar.

Seamus deu um passo para a direita. E, então, um passo para trás. Seu uivo ficou mais alto.

– Talvez tenha um rato ali – Chris falou.

– Arghnnn! Você pode dar uma olhada?

Chris levantou, e Seamus rosnou. Mas, quando Chris entrou na sala de jantar, Seamus ficou quieto.

– Eu não vejo nada.

Ele virou e olhou para Seamus e abaixou para fazer carinho nele. Seamus saiu de perto e olhou ao redor do Chris, de novo para a sala de jantar.

AUUUUUUUUUUUUUUUUUUUUUUUUUUUU!

– Bom, aí há alguma coisa.

Eu andei até o Seamus e me ajoelhei ao lado dele, tentando olhar como ele.

E então eu vi o que o Seamus viu. Conforme se movia devagar para a esquerda, um passo para trás e para a direta, e então para frente de novo, seu pescoço esticado e olhos bem abertos, eu comecei a rir.

– Ele está se vendo no espelho.

– Você está brincando, não é? – Chris riu também. Ele se juntou a mim no chão atrás de Seamus, de um ponto que deixava claro que ele estava olhando fixamente para a parede espelhada da sala de jantar.

– Quem é aquele estranho bonitão, Seamus? – Chris falou. – Quem é?

O Seamus latia para sua imagem. E nós ríamos.

Durante a meia hora seguinte, Seamus ficou trabalhando a sua coragem para se aproximar do estranho bonitão. Quando ele finalmente fez isso, encostando seu nariz no espelho, deve ter decidido que a falta de cheiro do estranho bonitão significava que ele não era perigoso. Ele foi para longe. E nunca de novo se aproximou ou latiu para o espelho.

No começo de novembro, a auxiliar do veterinário do Seamus, Nancy, chegou em seu trailer customizado para a consulta regular dele. Ainda que ele não ligasse muito em ser levantado, Seamus amava a Nancy e a atenção que vinha com um banho – contanto que o rosto dele não ficasse molhado e o tempo do secador fosse mínimo. Eu dei a coleira dele para Nancy e voltei para dentro da casa.

Meia hora depois, Nancy estava no portão da frente com o Seamus.

– Eu queria lhe mostrar uma coisa – ela falou.

Eu abri o portão do quintal. Seamus correu em minha direção, cheirando fresco e parecendo satisfeito com um laço laranja estampado com comida preso à sua coleira. A Nancy abaixou e virou o Seamus de forma que sua traseira ficasse de frente para mim.

– Você consegue ver essa saliência no lado direito do ânus dele?

Não era exatamente um lugar onde eu olhava, mas eu olhei. Eu consegui ver uma saliência do tamanho de uma mordida de mosquito.

– Sim, acho que sim. Parece uma mordida de inseto?

– Sim, parece. Mas estava aí da última vez que eu dei banho nele e não sumiu.

– E está aí há dez semanas. Então não é uma mordida?

– Não. É alguma outra coisa.

Ela soltou Seamus e largou a coleira. Ele correu para casa latindo, passou pela porta de cachorro, e desapareceu.

– Como o quê?

– Eu não sei se é alguma coisa. Mas saliências incomuns em um cachorro devem ser checadas como em pessoas – Nancy disse. Ela se levantou e colocou no bolso os quarenta dólares que eu a entreguei. – Eu o levaria ao veterinário.

Levei Seamus para um exame no dia seguinte.

O Dr. Davis pegou Seamus e o imobilizou na mesa metálica de exames. Seamus virou sua cabeça para mim com aqueles grandes e caramelizados olhos de beagle. *Jura? Você vai deixá-lo me cutucar lá?* Ele moveu seu traseiro para longe do doutor. Eu o movi de volta à sua posição. Ele se sentou. Eu o cutuquei para que ele se levantasse de novo. Ele virou e olhou para mim de novo com olhos bem abertos. *Jura mesmo?*

– Provavelmente não é nada – o Dr. Davis disse. – Eu sei que você está preocupada, com tudo que já passou com cachorros, mas eu realmente não acho que seja alguma coisa. Eu vou remover e fazer uma biopsia para ter certeza.

– Biopsia? Você acha que é um câncer? – por alguma razão a palavra *biopsia* dizia "câncer" para mim. As biopsias eram feitas para procurar qualquer outra doença?

– Não. Calma. Eu não acho que seja. Ele é jovem e robusto. Isso pode ser apenas uma verruga. Mas eu quero estar seguro e checar mesmo assim.

Eu marquei a cirurgia para remover o que parecia uma verruga no ânus de um beagle assim que possível. No fim das contas, a primeira data disponível de cirurgia era justamente antes da viagem que eu e Chris faríamos para Cabo San Lucas. Havíamos sido convidados por clientes meus. Ainda que eu não soubesse como me referir ao Chris ("namorado" era muito jovem, "amante" muito pessoal), eu já havia aceitado sermos um casal a ponto de expor o relacionamento até mesmo aos clientes, então aceitei a oferta generosa deles. Com Seamus agora precisando de cirurgia, considerei cancelar a viagem.

– Não seja ridícula. Vai. Aproveita. Ele é um cachorro jovem e robusto, e eu realmente duvido que isso seja qualquer coisa. Você pode deixá-lo aqui comigo – o Dr. Davis falou.

– Tem certeza?

– Absoluta.

Eu liguei para o Chris para pedir a opinião dele também.

– Se ele pode ficar com o Dr. Davis, ele estará em melhores mãos do que ficando em casa, não é?

– Bom, talvez. Mas ele não ficará tão confortável.

– São só quatro dias no total. Dois dias a mais do que ele ficaria no hospital por isso.

– Verdade. E eu sei que eles cuidarão bem dele.

Após a cirurgia, Seamus precisaria ficar confinado em um espaço pequeno e usando um daqueles grandes colares de plástico para impedi-lo de mascar os pontos delicados. Eu sabia que isso seria mais facilmente bem-sucedido se eu o deixasse com o Dr. Davis. O veterinário e seus funcionários eram bem mais imunes aos olhos suplicantes de um beagle do que eu poderia esperar ser. Eles deixariam o colar, e ele melhoraria mais rápido. E eram somente quatro dias, eu repetia para mim.

Chris e eu fomos para Cabo San Lucas, onde tivemos quatro dias de lazer em um chalé na praia. Batatas e guacamole, cervejas e margaritas, e tudo que a gente queria, servido prontamente no chalé, ajudaram a dissipar minhas preocupações. Dr. Davis me mandou um e-mail dizendo que a cirurgia de Seamus havia corrido bem, e eu relaxei nas minhas férias. Li dois livros, me bronzeei em novembro e fiz um trabalho decente em não me preocupar muito com meu cachorro.

Nós voltamos tarde em uma noite de domingo, felizes e descansados. Fui pegar o Seamus assim que terminei meu trabalho na segunda. Eu cheguei ao balcão, sorrindo.

– Eu estou aqui para pegar o Seamus. E obviamente ele está se sentindo bem. Consegui ouvir o seu uivo no momento em que saí do carro.

– O doutor gostaria de vê-lo antes que você vá embora.

A voz da recepcionista era suave e simpática, e ela virou a cabeça para o lado e virou os olhos de leve, bem de leve. O suficiente para que eu me preocupasse que talvez Seamus não estivesse se recuperando bem da cirurgia. Ou que não tivesse se comportado bem, já que essa era sempre uma possibilidade. Isso teria sido melhor – somente uma reclamação de seus latidos, não um problema médico. Mas eu sabia que esse não seria o caso. Eu sabia, porque já tinha visto essa expressão antes, nessa clínica. "O doutor gostaria de vê-lo" é uma daquelas frases como "Nós precisamos conversar" que não prediz coisas boas. E tendo voltado de viagem com o Chris de quatro dias relaxantes e totalmente proveitosos em uma praia mexicana, eu não estava preparada para nenhuma dessas duas frases.

Segui a recepcionista até a sala de exames onde ela me deixou sozinha, sentada, olhando para a mesa de exames e tentando não olhar para as fotos fofas de filhotinhos provavelmente deixadas ali com o intuito de me alegrar, mas que causavam o efeito contrário. Olhei fixo para o chão, evitando não somente as fotos, mas os gráficos, os vidros, os frascos e até as bolinhas de algodão no balcão. Eu evitava, em especial, a mesa metálica de exames. Já havia passado muito tempo ali com os meus cachorros doentes e que estavam envelhecendo. Nós colocamos um lençol e deitamos Richelieu naquela mesa metálica de exames onde eu o segurava e fazia carinho enquanto a injeção que acabaria com sua vida era preparada. Eu havia pensado que o meu tempo nessa sala havia acabado por pelo menos mais alguns anos.

Eles primeiro trouxeram Seamus. Dr. Davis não estava muito atrás. Ele tinha sido o veterinário dos meus últimos quatro beagles e também dos dois pastores alemães e de um doce dobermann do meu primeiro casamento. Ele estava comigo quando o Richelieu teve de ser colocado para dormir, e ele tratou o coração da Roxy. Ele havia feito o check-up inicial do Seamus quando eu o adotei há um ano. O Dr. Davis e eu havíamos atuado juntos na comissão do centro de adoção de animais nos últimos quinze anos. Ele era alguém a quem eu confiava meus animais completamente – alguém que eu sabia ter compaixão para com humanos e animais igualmente. A voz dele era ainda mais suave, mais simpática, e mais paciente que a da recepcionista.

– Me desculpe – ele balançou a cabeça e se inclinou em minha direção. – A biopsia chegou, e é um câncer. É o que chamamos de mastocitose cutânea canina. Eu sinto muito. Nós realmente não esperávamos isso.

Não, nós realmente não esperávamos.

Eu sentei no chão. Seamus imediatamente subiu no meu colo e cheirou meu rosto. Segurei o cachorro e fiz carinho enquanto o Dr. Davis explicava sobre outra doença atacando outro cachorro meu. Eu não ouvi muito do que ele me disse. Fiz carinho em Seamus e segurei o rosto dele no meu enquanto eu segurava lágrimas. Queria chegar à segurança do meu carro e ir para casa, onde eu podia desabar em um lugar privativo. O Dr. Davis me deu uns papéis – o encaminhamento a um cirurgião, medicação, talvez uma conta. Eu enfiei tudo na minha bolsa.

Eu segurei a coleira e saí da sala de exame. O Seamus me seguiu, latindo: *Nós estamos indo para casa! É hora de ir para casa! Me leve para casa, mamãe! Vamos para casa! Eu quero ir pra casa. A casa é legal. Ah, me dê comida. Ah, meu Deus, me dê comida!! Estou com fome! Vamos, mamãe, vamos para casa agora! Aqui está nosso carro! Nós estamos indo para casa! Eu amo a nossa casa. A comida está em casa! AUUUUUUUUUUUUUUUUUUUU!!!*

Voltei para casa dirigindo, uma mão no volante e a outra na bolsa procurando por lenços de papel. Lágrimas caíam dos meus olhos, e eu as limpei várias vezes antes de desistir. Funguei e tentei inalar o ar bem fundo quando parei no semáforo. Eu me virei para o Seamus que estava em sua caixa de transporte no banco de trás e fiz carinho nele através da grade até que o motorista atrás de mim buzinou. Xinguei, mentalmente, o motorista de trás. *Foda-se você que não se preocupa com nada além de para onde está indo! Vá se foder! Meu cachorro tem câncer!* Eu bati minhas mãos com força no volante.

Quando chegamos em casa, Seamus imediatamente começou o trabalho duro de tirar seus pontos com a boca. Começando o que seria um padrão na minha vida, eu me senti tão mal por ele que eu não podia repreendê-lo nem na menor das coisas. Eu não podia dizer "não" ou aumentar o tom da minha voz com ele. Ao contrário, tentava simplesmente explicar para ele que se ele continuasse a fazer aquilo eu teria de colocar aquele colar de plástico horrível na sua cabeça, e isso seria estranho e incômodo. Se isso falhasse, eu continuaria explicando, me debulhando em lágrimas, que eu tinha fraldas de cachorro prontas para impedi-lo de mascar seu traseiro, e nenhum de nós gostaríamos que chegasse a esse ponto. Ele parou momentaneamente de mascar seus pontos e com a cabeça erguida me olhou com expectativa. Eu só queria segurá-lo e chorar em seu pelo sedoso e fofo e me sentir a vítima por nós dois. Ele só queria jantar, mastigar alguns brinquedos que faziam barulho e mascar seu traseiro. Foi Chris quem teve de aguentar o meu choro, meus lamentos e meus discursos confusos e nervosos pelo telefone. Eu acho que disse "injusto" pelo menos uma dúzia de vezes, seguido de alguns "foda-se".

Eu tentei fazer Seamus dormir na minha cama naquela noite, mas ele não queria. Ele preferiu o conforto de sua própria cama e brinquedos, onde havia muito menos drama. Dormiu barulhento, roncando alto. Eu sei disso porque eu estava acordada ouvindo durante toda a noite.

Eu não podia ligar para o veterinário oncologista e cirurgião até o horário comercial do dia seguinte. Eu liguei para ele às oito da manhã. Eles não abririam até as nove. Eu liguei exatamente às nove e ouvi a secretária eletrônica. Liguei mais uma vez, do trabalho, e mais uma, até que finalmente consegui falar com alguém. Esse alguém me disse que a primeira consulta disponível era em seis semanas. Seis semanas! O cachorro poderia morrer até lá.

Eu expliquei que o meu cachorro havia sido diagnosticado com câncer. Câncer! Eu chorei. Como já era de se esperar, a clínica veterinária oncologista não passou o meu cachorro na frente da fila dos outros cachorros que tinham... claro, câncer. Mas ela sugeriu que talvez houvesse menos fila na clínica deles em Los Angeles. Aquela clínica ficava a cem quilômetros de distância da minha casa, mas só a dezesseis da casa do Chris. Eu liguei lá. Eles tinham espaço para uma consulta em duas semanas. Eu aceitei. Eu dirigiria cento e cinquenta quilômetros. Quinhentos quilômetros. Eu só precisava que meu cachorro fosse tratado. Eu precisava que o câncer fosse embora.

Seamus tinha mais duas semanas para se recuperar da sua primeira operação antes que a gente encontrasse o veterinário cirurgião para discutir a possibilidade de uma segunda cirurgia. Eu tinha mais duas semanas para colocar a cabeça no lugar e aceitar que o meu engraçadinho e adorável beagle tinha CÂNCER.

Saí do trabalho depois das cinco. Eu havia sido inútil o dia inteiro, de qualquer forma. Tudo que conseguia pensar era CÂNCER. A palavra era forte na minha cabeça. Meu cachorrinho tinha CÂNCER. E eu o havia deixado em casa, medicado, usando o colar, com pontos no seu traseiro. Voltei para casa com pressa, coloquei o carro rapidamente na garagem, pulei para fora dele e corri para o quintal da frente a caminho da porta.

Imediatamente, fui abordada por um latido pelas minhas costas. E não um latido de beagle. Eu me virei.

– Teresa! O seu cachorro latiu o dia inteiro. O dia inteiro. Está me deixando louca! Como você pode deixá-lo desse jeito? É ridículo. Ele late o dia inteiro, todo dia. Eu não aguento. Eu. Definitivamente. Não. Aguento. Mais. Chega!

Minha vizinha do outro lado da rua, uma mulher setentona, loira de água oxigenada que eu só havia encontrado uma vez na vida, estava no meu portão e realmente parecia que meu cachorro, ou alguma coisa, a tinha deixado louca. Eu acho que vi espuma saindo da boca dela.

O Seamus estava aos meus pés naquele instante. E ainda latindo. *Nossa, mamãe! Onde você esteve! É assustador aqui! Eu senti saudade! Entra em casa! Entra em casa agora! E me dê comida também! Nossa, me dê comida! Fome! Ah, e me faz carinho, sim, sim, sim, carinho! Agoooooora! Tem que me fazer carinho agooooooooooooooooooooora!*

Eu tentei acalmar e controlar meu beagle elétrico, enquanto falava com minha vizinha raivosa e engolia minhas próprias lágrimas.

– Eu sinto muito. Não sabia disso. Nunca tive problemas com ele antes. Ele está se recuperando de uma cirurgia. E eu acabei de ficar sabendo que ele tem câncer. Então ele está uma bagunça agora.

Enquanto eu sabia que o cachorro não tinha ideia do seu diagnóstico, algo parecia fora do seu estado emocional, mais do que o normal.

– Sinto muito, mas nada disso é recente. Ele uiva o tempo todo. Todos os dias. O dia inteiro. Todo o tempo. Eu não aguento mais. Não aguento.

Eu já não estava chorando. Eu estava consternada. Ele uiva o dia todo? O quê? Vizinha, você não tem noção.

– Me desculpe. Eu não sabia disso. Eu nunca tive problemas com ele antes. E normalmente o Chris está em casa com ele durante o dia, então eu não entendo como isso poderia acontecer todos os dias.

– Ah, Chris está fora de casa mais do que você imagina – ela disse, e levantou as sobrancelhas querendo dizer alguma coisa.

Ótimo. Então meu cachorro tem câncer e meu namorado está por aí prestando serviço para todas as mulheres da cidade. Bom, talvez seja por isso que o cachorro estava uivando.

– Eu vou ver o que posso fazer – eu disse.

Eu me virei e fui em direção à porta da frente. Só de olhar para o cachorro eu pude ver qual era o problema.

O colar estava no quintal, em frente à porta de cachorro, onde ele sem dúvida havia caído quando Seamus e a cabeça de abajur dele ficaram presos. A abertura da porta não era grande o suficiente para caber o colar. Ele deve ter latido por algum tempo antes de eventualmente conseguir sair do colar. Ele não estava mais usando nem o colar nem a coleira (que estava presa no cone de plástico). Eu pensei em ir até a casa da vizinha explicar o que tinha acontecido, mas escolhi focar no cachorro e nos seus pontos.

Fraldas de cachorro. Ainda que fosse um plano B, as fraldas de cachorro pareciam falhas. Beagles não são cachorros para ser restritos ou contidos ou... colocados em fraldas. Beagles são astutos, cachorros espertos com uma motivação intensa para conseguirem o que querem (normalmente comida). Beagles são cachorros muito, muito inteligentes.

E sem surpresa, as fraldas não eram uma escolha para um beagle. Complicando ainda mais, eu havia comprado o tamanho errado – e eu ainda argumento que aquele beagle poderia ser tamanho "grande", mas eu não sei onde argumentar sobre as fraldas de um beagle. Quando eu coloquei a fralda no Seamus, eu só conseguia fechar um lado. O outro ficou pendurado, aberto, com a parte da fita adesiva virtualmente o convidando para mordê-la e arrancar a fralda do seu traseiro, sendo lançada para o meio da sala de estar. Ou da cozinha. Ou do meu prato de cereal. Depois de diversas tentativas falhas com a fralda, o colar e a coleira retornaram ao serviço. Mas eu não podia arriscar que ele ficasse preso na porta de cachorro novamente.

Trabalhei em casa por alguns dias. Alternei entre criar fundos para famílias preocupadas com o legado que elas deixariam às suas crianças e gritar "Seamus, NÃO!" ou "Seamus, para!". Seamus alternou entre arranhar o colar, bater com ele (e parte da sua cabeça) na esquadria da porta e deitar aos meus pés olhando para cima com seus olhos bem abertos e tristes implorando por uma pausa ou pelo menos por um biscoito. Minha decisão se enfraquecia a cada minuto. Chris veio no meio da semana e se responsabilizou por cuidar de Seamus, ainda que eu suspeite que ele sabia que eu precisava ser cuidada tanto quanto ele.

Finalmente, os pontos se dissolveram e eu podia sair de casa novamente. Eu podia voltar ao escritório, fazer compras e reingressar à raça humana. Seamus podia usar sua porta de cachorro livremente, sentar confortável e continuar seu dever de cuidar da casa. Ele havia sobrevivido à cirurgia, mas ainda havia a consulta no Centro Veterinário de Câncer. O quão difícil a vergonha do colar tinha sido não era nada comparada ao que estava por vir. Eu sabia que ele tinha pelo menos mais uma cirurgia, ou eu esperava que ele tivesse. Tinha a esperança de que eles seriam capazes de tirar o câncer.

Eu me vi olhando fixamente para o cachorro – o cachorro super-saudável, hiperativo e feliz – me perguntando como, de que forma, ele poderia ter câncer. Com o colar banido, ele estava bem. Voltou aos seus feitos usuais e já não era sujeito a nenhuma humilhação, a não ser a dona dele eventualmente se afogar em lágrimas, xingar os deuses e abraçá-lo de modo vergonhoso, apertando-o demais.

Minhas humilhações, no entanto, continuavam. Alguns dias antes de eu ter de levar o Seamus para Los Angeles para encontrar com o especialista, uma nota anônima apareceu na minha caixa de correio.

Vizinhos,

O seu cachorro tem pieira e latiu por horas nesta noite e essa não é a primeira vez!!!!

Minha pergunta para vocês é:

Qual o problema de "pessoas" que não conseguem cuidar do cachorro? Por que o seu cachorro tem de chorar e chorar a noite inteira sem vocês prestarem atenção nisso?

Que vergonha!!!!!!

Por submeter o seu cachorro a um sofrimento infinito e submeter os seus vizinhos aos latidos infinitos do cachorro.

Claro, eu fiquei um pouco louca depois do diagnóstico, mas eu não pensei que meu status como "pessoa" realmente precisasse ser questionado. E o cachorro não havia sido deixado sozinho sem nenhuma atenção. Muito provavelmente o cachorro estava lá fora, tendo chegado por vontade própria através da sua porta, em uma tentativa de sair de perto do seu humano pegajoso, enjoativo e chorão.

O que estava errado comigo? O que estava errado com meu cachorro? Bom, o câncer é o que está errado, pessoas! Câncer! Mas como explicar isso a um vizinho que talvez nem gostasse de cachorros? O Seamus latia o dia todo? Chris e eu suspeitamos que a carta tinha vindo da mesma vizinha que havia me encontrado no portão com raiva. Então o cachorro estava incomodando a vizinhança inteira ou ele estava latindo somente para o carteiro, talvez para os jardineiros, ou até para um pedestre passante, e essa vizinha não tinha nenhuma tolerância com cães?

Eu sabia que Seamus latia quando eu saia, mas ele parecia parar em alguns minutos. E ele latia quando eu chegava em casa, mas de um jeito animado de me receber. Não havia me passado pela cabeça que ele latia o tempo todo entre esses dois momentos. Isso era possível? Aquilo havia começado por conta da cirurgia e do estresse sob o qual ele estava? Quando eu morava na casa alugada, aqueles vizinhos nunca disseram nada sobre um problema de latido.

Ainda assim, existiam sinais. Seamus tinha um nível de ansiedade mais alto que o comum. Eu sabia disso. Ele odiava ser deixado sozinho. Ele era vocal sobre minhas idas e vindas, seu café da manhã e jantar, e tudo no meio disso. Eu não gostei da forma como a vizinha estava lidando com suas reclamações, mas por mais que eu quisesse, eu sabia que eu também não podia ignorá-las.

Capítulo 5

Margens de erro

Com a minha situação de loba não sendo mais um segredo, com meus vizinhos reclamando no meu ouvido e com as festas de fim de ano se aproximando, estava claro que minha maldição continuava. Eu levaria Seamus para sua consulta no oncologista e para outra cirurgia e eu passaria o dia de Ação de Graças com toda a família do Chris na casa da avó dele. Eu tinha esperança de que os números estariam ao meu lado – cirurgia número dois acabaria com todo o câncer, e o grande número de irmãos, tias, tios e primos na Ação de Graças da família do Chris produziria pelo menos um aliado – ou talvez somente alguém mais condenável do que eu.

Coloquei a caixa de transporte do Seamus no banco de trás do meu carro e abri a porta dela. Seamus agilmente subiu no banco, entrou na caixa, virou-se, sentou-se e esperou que eu a fechasse. Umas vez que fechei a porta de trás do carro, ele latiu até que eu estivesse no carro com ele e que o carro estivesse ligado. Então ele ficou quieto e tranquilamente sentado olhando para frente, para a estrada, através das grades da caixa de transporte, durante todo o caminho. Mas, quando o carro parou, o latido começou. *Eu estou aqui atrás! Me leva com você! Há comida por aqui? Que tal um hambúrguer? Eu sinto cheiro de hambúrguer! Ou praia? Aquilo é a praia? Me leva com você! Me pega aqui! Me pega! Me deixa sair!! Agoooooooooooooora!!!*

Nós estávamos na clínica veterinária oncologista, mas Seamus não sabia disso. Ele só sabia que queria sair do carro comigo.

O Centro Veterinário de Câncer fica em uma clínica moderna em uma área nobre do subúrbio de Los Angeles. O prédio tem um quê de galpão aberto, industrial e com cores vivas – laranja, magenta e verde-limão – e um chão de cimento esverdeado. A decoração é particularmente atrativa, incluindo grandes fotografias em preto e branco de doutores e seus animais. É tão agradável quanto pode ser um lugar onde você nunca quer estar.

A clínica também não ficava longe do apartamento de Chris, o que facilitou para que ele me acompanhasse na consulta. Nós três nos sentamos na sala de espera, Seamus fungando, eu fungando, e Chris fazendo um trabalho admirável em entreter e distrair nós dois.

– É quase como uma galeria de arte aqui, você não acha? – ele disse.

– Eu gosto das fotografias.

– E aquele quadro? – ele apontou para uma grande pintura a óleo de três mulheres tomando coquetéis na mesa de um bistrô, com três cachorros aos seus pés.

– Me faz pensar que isso vai custar uma fortuna.

– Eu estava pensando nisso também.

Chris levantou e pegou um biscoito de cachorro da travessa no balcão da recepção, que Seamus estava se esforçando para alcançar. Ele deu o biscoito para o Seamus, que praticamente o engoliu inteiro e latiu pedindo mais um.

– Vai fazer o dinheiro valer a pena – Chris falou enquanto pegava um segundo biscoito.

Uma técnica veterinária em um jaleco roxo veio em nossa direção.

– Si-mus?

– Se pronuncia Chey-mus – eu disse enquanto me levantava para cumprimentá-la.

A técnica escreveu no topo da ficha do Seamus em letras garrafais CHEY-MUS. (Depois disso, quando erroneamente se referiu ao Seamus como "ela" e eu a corrigi, ela cumpriu seu dever e escreveu "MENINO" no topo da ficha.)

Na sala de exame, só deu tempo de observar mais decoração tematizada de animais e cadeiras com tecido do designer William Wegman antes que a oncologista chegasse. A Dra. Gilbert tinha provavelmente uns trinta anos, com um corte de cabelo chanel e uma boca enorme com grandes dentes brancos que eu pude ver mesmo sem ela ter sorrido.

– Eu sou a Dra. Gilbert – ela disse, aparentemente para a pasta de arquivos, já que era para onde estava olhando.

– Olá. Teresa – eu disse, estendendo minha mão em sua direção. Ela não me cumprimentou e virou o olhar para Chris.

– Eu sou o Chris – ele disse. – E esse é o Seamus.

– Está bem. Eu revisei o laudo da biopsia e eu suponho que vocês já saibam que não é nada bom.

Ela começou um longo monólogo de coisas que eu não podia entender, enquanto a minha mente se fixava em "não é nada bom."

"A biopsia demonstra um tumor de células mastro, e as margens não estão limpas. Blá, blá, blá... agressivo... blá, blá, mais blá... cirurgia... blá, blá... difícil. Blá, blá, blá, blá... qualidade de vida... blá, blá, blá... quimioterapia... Blá, blá, blá... O prognóstico é de provavelmente um ano."

Eu me apeguei a uma das poucas palavras que tinha entendido.

– Quimioterapia para cachorro?

– Sim, é um câncer; nós tratamos como trataríamos em um humano. Cachorros toleram a quimioterapia até que bem, na verdade.

Eu me perguntava se o cachorro também achava isso.

A quimioterapia parecia quase tão assustadora quanto o próprio câncer. Eu me lembrava do meu pai, de quando ele trabalhava em um hospital, e mesmo depois, comentando com frequência que o tratamento era pior que a doença. No meu escritório, nós tínhamos uma cliente diagnosticada com câncer de mama estágio IV mais ou menos um ano atrás. Ela continuou trabalhando durante a quimioterapia, não importando o quão cansada ou pálida estivesse. Eu me lembro de me perguntar por que raios ela continuaria trabalhando. Pensei que provavelmente pararia tudo se fosse comigo. E provavelmente me negaria à quimio também. Era tudo tão horrível. Mas essa doutora estava me dizendo que os cachorros toleravam a quimioterapia melhor do que os humanos. Quão melhor?

– O que eu preciso fazer?

Meu cérebro estava lutando para processar a informação, e os maneirismos dela não estavam ajudando. Ela continuava escrevendo coisas na ficha e não fazendo contato visual. Ela nem tinha olhado para Seamus. Eu achava que ela nem sabia se ele era um beagle ou um rottweiler ou até mesmo um gato.

– Você pode fazer a consulta da cirurgia hoje com a Dra. Tracey. Nós lhe daremos um custo estimado do tratamento recomendado. Se ele for aceitável para você, nós podemos marcar a cirurgia aqui ou na clínica de Tustin.

– Se for aceitável para mim? Está bem. Bom, quais são as outras opções?

– Bem, não é todo mundo que pode pagar pela cirurgia, então nós tentamos dar outras opções. No caso dele, sem cirurgia e tratamento, nós estaríamos discutindo como deixá-lo mais confortável pelo tempo que resta de sua vida, qualquer que seja esse tempo. Seria uma questão de manter a qualidade de vida pelo tempo que nós pudermos.

Ela não tinha simpatia alguma por mim ou por meu cachorro. Talvez seja por isso que ela nem tenha olhado para o Seamus, menos ainda feito carinho nele como todas as outras pessoas. Talvez seja como ela sobrevive dia após dia – regra número 1: sem simpatia.

Meu cachorro vai morrer. Ele tem dois anos e vai morrer. Eu queria chorar, mas eu estava lutando contra isso. Alguma coisa me disse para não chorar na frente dessa mulher. A regra número 2 provavelmente era "sem choro". Rapidamente substituí a vontade de chorar pela vontade de bater nela. De culpá-la. Eu não podia bater, é claro, então eu estava sem opções. Sem choro, sem tapas... e eu também não estava entendendo muita coisa. Olhei para Chris.

– Você recomenda a cirurgia? – Chris falou.

– Sim. Sem dúvida. Nós temos de fazer pelo menos isso – a Dra. Gilbert disse ao Chris.

Para mim ela disse:

– Se você não puder pagar, nós entendemos. Não é todo mundo que pode bancar o cuidado necessário. Você só precisa me deixar saber o que você quer fazer.

Nós estávamos com ela na sala havia cinco minutos, e ela parecia achar que eu estava desperdiçando o tempo dela. Eu deveria ter assinado papéis, dado a anestesia ao meu cachorro no caminho e levado ele à cirurgia? Eu não tinha permissão para considerar as opções? Havia opções?

– Eu quero fazer o que for que eu tenha de fazer por ele – eu disse. – Só me fale qual é a melhor coisa a se fazer. O custo não é um problema – o custo era um problema, mas não o problema.

– Eu vou marcar a consulta para cirurgia – ela disse. E ela saiu, sem nem olhar para o Seamus. Eu dei outro biscoito para ele para compensar pela negligência dela.

Chris, Seamus e eu esperamos sozinhos na sala de exames para encontrar com a cirurgiã para a consulta.

– Odeio aquela médica – eu disse.

– Ela não é muito simpática, isso é verdade. Mas é um trabalho difícil. Talvez ela esteja tendo um dia ruim. De qualquer forma, ela não fará a cirurgia.

– Graças a Deus. Ela é como uma dessas patricinhas nojentas e frescas. Como se elas estivessem com pressa e ninguém mais pudesse estar. Como se alguém quisesse apressar esse tipo de pessoa – eu imitei o discurso "se você não puder pagar", mas fui interrompida quando outra doutora entrou na sala.

A cirurgiã, Dra. Tracey, era uma mulher alta e magra com cabelo castanho claro, curto e enrolado e um comportamento que passava confiança e compaixão em medidas iguais. Assim que ela entrou na sala, ela se sentou no chão, chamando o Seamus até ela e pronunciando o nome dele corretamente. Ele foi até ela alegremente e colocou seu rosto para cima, cheirando e balançando o rabo. Ela mexeu nas suas orelhas, fez carinho na cabeça dele, e só depois de haver ganhado a confiança do cachorro, ela falou comigo e com Chris, continuando a fazer carinho no Seamus enquanto falava.

– O Seamus é um amorzinho. Ele me lembra de um cachorro que eu tinha. Ótimo, ótimo cachorro.

O Seamus subiu no colo dela e virou o rosto para mim, sentando calmamente. Ele a aprovou.

Eu exalei o ar, relaxando um pouco. Isso era bom. Ela era boa – um bom contraste à Dra. Patricinha Fresca. Se alguém vai operar o meu cachorro, eu a queria pensando em um cachorro que ela amava. Eu a queria fazendo tudo que ela faria pelo seu próprio e amado cachorro. Eu queria que ela nos salvasse.

A Dra. Tracey explicou o câncer, a cirurgia e a necessidade de margens limpas. O tumor de células mastro é como um câncer de pele e é comum somente em algumas raças, como boxers, mas não em beagles. Tumores de células mastro podem ter um alto índice de sobreviventes, mas também podem ser agressivos e terminais, particularmente quando o tumor está em uma área muito vascular, como onde o de Seamus estava, o que aumenta o risco de ter ocorrido metástase. Quando o tumor fosse retirado, a patologista checaria para ver se havia células cancerígenas nas margens do tumor – se sim, isso significaria que as células cancerígenas ainda estariam no corpo. Se as margens estivessem limpas, isso significaria que não havia sinais de câncer, pelo menos naquele ponto.

Sem câncer. Isso seria bom, eu pensei. Ele poderia não estar em estado terminal.

– Isso não significa necessariamente que nós tiramos tudo. As células cancerígenas são extremamente pequenas e difíceis de detectar até que exista uma quantidade em massa delas. Mas, se nós não estamos vendo nenhum câncer nas bordas do tumor, nós pelo menos temos esperança de que o câncer foi removido.

Está bem. Esperança. Eu aceitaria esperança.

– E se não for assim? Se as margens não estiverem limpas, você faz outra cirurgia? – eu disse.

A Dra. Tracey, ainda sentada no chão, fez carinho no Seamus e deu a ele um biscoito verde no formato de um osso de cachorro, que ela pegou no bolso do jaleco, que ele estava cheirando.

– Não nesse caso. Eu vou cortar o máximo que eu posso, mas existe um limite do quanto nós podemos excisar por conta de onde o tumor está. Se fizer um corte muito grande, ele perderá algumas funções corporais e isso se tornará uma questão de qualidade de vida. Essa é uma área altamente vascular. É muito delicada.

Ela olhou diretamente para mim.

– Eu farei tudo que puder por ele.

Eu olhava para ela fazendo carinho no Seamus gentilmente. Podia ver que ela se importava, e naquele momento eu acreditava nela. Eu acreditava nela, e eu confiaria o meu cachorro a ela.

– Obrigada – eu disse. – Quando nós podemos fazer a cirurgia?

Com a paciente assistência da Dra. Tracey, nós arrumamos as coisas para a cirurgia. Para mim, isso significou uma papelada e uma discussão com Chris sobre a possibilidade de eu não estar presente na Ação de Graças em família se a recuperação do Seamus necessitasse disso. Para Seamus, isso significava ser sedado, fazer um ultrassom, tirar o sangue, aspiração de medula óssea e alguns outros procedimentos pré-operatórios e testes que não estavam muito claros para mim. A conta do dia: US$2.035,68. E isso era antes da cirurgia.

Chris e eu saímos para almoçar e esperamos juntos, quietos na maior parte do tempo, enquanto Seamus era testado. Peguei lenços de papel e enxuguei os meus olhos e assoei o nariz, enquanto Chris esfregou as minhas costas. Liguei para a minha mãe para ver se ela poderia cuidar do Seamus no dia de Ação de Graças enquanto ele se recuperasse da cirurgia, se fosse preciso.

Mais tarde, no caminho de volta para casa, com Seamus dormindo barulhento no banco de trás do meu carro, perguntei ao Chris o que tive medo de perguntar à Dra. Patricinha Fresca.

– Ela falou que o Seamus tem um ano de vida mesmo se a gente fizer a cirurgia e a quimio? Ou um ano se não fizermos nada?

– Eu acho que é um ano mesmo com a cirurgia e com a quimio. Mas nós podemos fazer dele um ano muito bom para Seamus – ele colocou a mão na minha perna e a deixou descansando ali.

Eu chorei pelo restante dos cem quilômetros de volta para casa.

Naquela noite, Chris e eu nos sentamos no *ofurô* do quintal dos fundos observando a cidade. Esse era o local da nossa nova "conversa de banheira", condizente com um antro lustroso e elegante de loba.

– Eu preciso fazer isso. Eu sei que é estupidamente caro, mas eu não posso deixá-lo morrer – eu disse.

– Eu sei. Está bem. Eu acho que você deveria fazer isso.

–Você não acha que eu sou louca por gastar todo esse dinheiro com um cachorro?

– Não. Eu sei o quanto esse cachorro significa pra você. E você pode pagar, certo?

Eu não tinha certeza se podia. Ninguém se divorcia, ainda mais duas vezes, e não vê suas finanças levarem um baque. Ainda mais com todas as viagens que eu fazia e que não eram baratas. E eu estava faltando no trabalho enquanto levava o cachorro às consultas. Minha sociedade no escritório funcionava em um sistema que eu amavelmente chamava de "coma o que você pode matar". Em outras palavras, se eu não estivesse trabalhando, eu não estava ganhando. Mas eu ainda não discutia as minhas finanças com Chris.

– Eu acho que posso pagar. Não sei bem. Eu simplesmente tenho de tentar.

– Eu sei. Ele é o seu bebê. Você sabe que eu apoio vocês dois.

– Obrigada.

Nós ficamos quietos por um momento, nossas pernas se entrelaçaram debaixo d'água quente, cada um de nós deitou para trás relaxando na corrente de bolhas dos jatos de água.

– É engraçado. Você faria qualquer coisa por esse cachorro e você toma conta muito bem dele. Mas... – ele pausou e se sentou, movendo-

-se em minha direção, sua mão chegando ao meu joelho. – ... você nunca quis ter filhos?

Eu me sentei. Nós já havíamos tido essa conversa antes. Ela foi provavelmente a maior barreira na discussão "isso é um relacionamento sério?". Eu talvez estivesse tecnicamente ainda em uma idade possível para se ter um bebê, mas eu nunca tive essa mentalidade. Eu havia sido clara sobre isso desde o começo do meu relacionamento com Chris, assim como com o meu segundo marido. (Eu havia sido menos clara com o meu primeiro marido; ele, na verdade, provavelmente cristalizou a decisão "sem filhos" em mim com seu comportamento infantil.) Eu não tinha e não queria filhos. Havia uma série de razões para isso, incluindo uma longa linha de ancestrais que não pareciam ter qualquer instinto maternal. Eu tinha certeza de que possuía esse DNA. Além disso, alguém nunca deveria procurar razões ou ser convencida a ter filhos. Meu relógio biológico nunca pediu isso. Eu duvido até que isso exista, menos ainda que ele apitaria.

– Não. Eu nunca quis. Eu sempre me dei bem com cachorros e nunca com crianças. Não é a mesma coisa. Eu tenho sentimentos incrivelmente diferentes por cachorros e crianças. Eu não seria uma boa mãe.

– Ah, eu acho que você seria. Mas eu entendo.

Ficamos quietos de novo e nos inclinamos para trás. No entanto, eu prestei atenção em Chris. Pude ver que ele estava pensando muito, e eu sabia que eu não queria saber mais naquele momento. Eu tinha um cachorro para pensar.

Chris e eu ficamos no apartamento dele em Brentwood na noite anterior à cirurgia para que pudéssemos levar Seamus de manhã cedo. Nós demos um jeito de entrar com Seamus em um apartamento onde animais eram proibidos e torcemos para que ele não latisse com cada novo ruído ou cheiro. Ele não latiu. Ele dormiu tranquilamente e contente na poltrona do quarto conosco, usando minhas roupas como travesseiro. Ele só uivou quando nós saímos do apartamento sem dar comida para ele. Não era permitido dar comida nem água doze horas antes da cirurgia.

Chegamos ao Centro Veterinário de Câncer pouco antes das nove da manhã e fomos levados à sala de exames imediatamente. Eles certamente eram eficientes.

Mesmo que eu tivesse escutado isso antes e Chris tivesse confirmado isso para mim, eu ainda precisava ouvir o prognóstico mais uma vez. Eu ainda tinha esperança de ter entendido mal. Quando a Dra. Tracey entrou na sala, eu perguntei:

– Eu entendi corretamente que mesmo com a cirurgia e com a quimio e talvez até com radiação, é provável que ele só tenha um ano de vida? Isso é verdade mesmo se as margens estiverem limpas?

– Infelizmente, tumores nessa área são normalmente muito agressivos. Mesmo com margens limpas, e mais uma vez, isso é somente o que nós podemos ver com a tecnologia de hoje – então talvez elas não estejam limpas – as chances ainda são altas de que o câncer ainda esteja lá. A quimio pode pegá-lo. Ou não. É o complicado em relação a isso. Nós faremos o melhor que pudermos.

Mais uma vez uma funcionária me trouxe o valor estimado dos serviços, o que era uma lista detalhada de todas as coisas possíveis na cirurgia. O custo estimado incluía um FedEx de US$45 para que eles pudessem enviar os resultados dos testes para um laboratório em Nova York. Assinei e dei meu cartão de crédito. Eu havia começado a pensar nesse cartão como o cartão do Seamus. Com uma série de milhas de viagens. A estimativa deu um valor entre US$2.023,00 e US$2.193,00. A diferença estava nas doses de anestesia, antibióticos e injeções para alívio de dor. Eu não sabia se esperava pela estimativa mais baixa ou mais alta. Também assinei por "esforços avançados de ressuscitação (principalmente aplicados a pacientes que pesavam mais de 22 kg; incluindo suporte cirúrgico e de máquinas; custo potencial adicional de US$150 a US$400). O Seamus não estava nem perto de 22 kg, mas eu não queria arriscar. Nós estamos dando tudo o que temos.

Eu abracei, fiz carinho e beijei Seamus até que a Dra. Tracey o levou da sala de exames para a área do hospital. Seamus a seguiu disposto e feliz, cheirando por mais biscoitos no caminho, com suas unhas fazendo click-click-click no piso de cimento colorido enquanto ele trotava pelo corredor, sua cauda para cima balançando para frente e para trás. Chris me guiou até o outro lado do corredor.

Dirigi sozinha e solitária para casa, deixando Seamus no centro cirúrgico e Chris no seu apartamento. Em casa, eu me sentei no sofá, olhando para a parede, balançando a taça, mas sem tomar o vinho. Eu esperei.

A Dra. Tracey me ligou às seis horas, naquela mesma noite, para me dizer que a cirurgia havia ocorrido bem e que ela estava com esperança de margens limpas. Seamus estava descansando confortavelmente, ela me garantiu. Isso me trouxe um pequeno conforto. Continuei ouvindo "agressivo... um ano... quimioterapia" ecoando nos meus pensamentos.

No dia seguinte, o centro de oncologia ligou para meu escritório um pouco depois do meio-dia. Seamus estava bem, ele estava alerta e comendo, e eu podia pegá-lo a qualquer hora. Olhei para o meu relógio. Mesmo que eu saísse naquele momento, o que eu estava disposta a fazer, não havia forma de chegar a Los Angeles e voltar sem pegar um trânsito parado. Calculei o tempo que isso provavelmente iria levar. Talvez uma hora e meia para chegar lá, com sorte. Meia hora na clínica... seria lá pelas três ou um pouco depois que eu sairia. A pior hora possível para estar na estrada em Los Angeles. Eu seria sortuda se chegasse em casa às seis da tarde. E Seamus, com pontos no traseiro e sob efeito do medicamento para dor, estaria confinado à sua caixa de transporte o tempo todo.

Liguei para Chris esperando que ele soubesse algum caminho mágico que me ajudaria a evitar o que eu também sabia ser inevitável. Não havia muitas pessoas na minha vida em quem eu confiava o suficiente para pedir conselhos e menos ainda pessoas das quais eu gostaria de seguir os conselhos. Apesar das minhas preocupações e hesitações pelo Chris ser jovem, eu havia começado a aproveitar e contar com a inteligência dele.

– Você sabe, eu posso pegá-lo para você e levá-lo à noite para sua casa – ele disse.

Eu não havia pensando nisso. Ele já estava em Los Angeles, o que cortaria algumas horas de direção. Mas esse era o meu cachorro.

– Não, eu preciso vê-lo. Eu vou pegá-lo.

– Sério? Eu não sei se faz sentido você dirigir até aqui, fazer a volta e dirigir de volta para casa quando eu estou indo até aí de qualquer forma. Eles falaram que ele estava bem, certo?

Sim, eles falaram que ele estava bem. Mas ele era meu cachorro. Eu precisava vê-lo. E não era eu quem devia pegá-lo? Isso não era minha obrigação? É claro, era também minha obrigação pagar pela cirurgia, então mais algumas horas de trabalho seria definitivamente algo bom.

Se Chris saísse agora, ele provavelmente estaria apto a levar Seamus para casa muitas horas antes do que eu levaria.

– Você tem certeza? – eu estava me perguntando tanto quanto perguntando ao Chris.

– Sim. Eles podem passar a conta no seu cartão de crédito. Eu vou pegá-lo. Além do que, o Mousse e eu até que nos demos bem. Eu quero vê-lo também.

E isso era verdade. Eles haviam se dado bem, e talvez nem fosse mais só pela comida. Quanto mais tempo Chris passava em casa, mais Seamus parecia preferir se aninhar perto dele, algumas vezes até escolhendo ele em vez de mim. "O Mousse" (derivado do apelido "Chey-mousse") era o favorito entre os muitos apelidos que Chris havia dado ao cachorro. E as músicas temáticas dele incluíam "Scara-mousse, scara-mousse, can you do the fandango" (cantada como "Bohemian Rhapsody" do Queen) e "Meu cãozinho amarelinho, cabe aqui na minha mão, na minha mão" (cantada, é claro, como "Meu pintinho amarelinho"), esta última foi criada por ele ser um cão pequeno e com cores diferentes de um beagle normal.

Liguei para a clínica e avisei que podiam passar a conta no meu cartão de crédito e entregar o cachorro para Chris. Eles conheciam meu namorado, uma vez que ele foi às consultas comigo. Eles provavelmente pensaram que Seamus era "nosso" cachorro, mesmo que eu não pensasse assim, então, naturalmente a recepcionista não tinha problemas em liberar o cachorro para ele.

– É ótimo que ele possa chegar aqui tão rápido. Nós estaremos prontos para recebê-lo – a recepcionista falou. Ele não tinha ideia do quão grande isso era para mim. Eu deixaria Chris responsável pelo meu cachorro. Eu estava confiando a ele o meu cachorro. Meu cachorro doente e em recuperação.

Quando cheguei em casa naquela noite, Seamus estava no sofá, aninhado ao lado de Chris exatamente como ele fazia quase todas as noites comigo. Seamus havia até deixado sua pata esquerda na coxa de Chris. Todos pareciam bem – cachorro e homem, os dois relaxados e felizes e parecendo tão por fora da situação quanto a recepcionista de que eu tinha permitido que o meu relacionamento com Chris ficasse mais sério. Eu tinha tido um crescimento emocional de proporções monumentais e ninguém parecia ter notado.

O Seamus pulou do sofá e veio me encontrar. Eu podia ver que o seu traseiro estava tosado, e havia pontos também, mas ele estava bem acordado e não parecia sentir dor. Sua perna esquerda dianteira estava enfaixada com uma faixa verde.

– Eles enviaram alguns medicamentos para dor e antibióticos. Eu dei a ele as pílulas de hoje à noite, e os potinhos estão no balcão. Eu estava pensando que a gente podia pedir pizza. O Mousse quer pizza também – Chris falou.

– Aposto que ele quer. E isso me soa bem. Eu vou pedir.

– O Seamus quer pepperoni. E calabresa.

– Provavelmente também frango. E recheio extra.

Nós três subimos para a cama às dez da noite, o que foi muito mais cedo que o normal. Nós três éramos corujas da noite, mas essas 24 horas haviam sido longas e exaustivas, e estávamos cansados.

Seamus subiu na sua cama, virou-se e virou novamente, moveu o lençol pra frente e para trás até que ele estivesse embolado perfeitamente e então deitou e pigarreou. Ele suspirou fundo, deixando sua boca abrir no vento que ele criou. Nós não colocamos o colar na cabeça dele.

Eu estava feliz por estarmos todos juntos e aliviada de que a cirurgia havia passado, mas ainda assim, não adormeci. Deitei na cama pensando no jantar de Ação de Graças e em pegar o laudo de patologia. Eu tentei focar no fato de Seamus ter passado pela cirurgia e da Dra. Tracey pensar que ela havia sido bem-sucedida, mas eu não podia manter o positivismo. Pelo contrário, passei uma noite em claro preocupada sobre as margens limpas e julgamentos familiares, enquanto Seamus roncava alto e Chris dormia fazendo barulhos.

Capítulo 6

Garota uniformizada

Seamus me traiu se recuperando da cirurgia rapidamente e sem drama, de forma que eu não tinha desculpa alguma para evitar o jantar de Ação de Graças com a família do Chris. Como se conhecer as tias, tios, primos e primas não fosse difícil o suficiente, nós iríamos nos encontrar na casa da recém-falecida vó dele em Pacific Palisades – um lugar que faz até Newport Beach parecer como o Haiti. Como se isso não fosse difícil o suficiente, uma das tias (a que aparentemente estava responsável pelo código de vestimenta) havia decidido que todos nós precisávamos vestir camisas dos nossos times favoritos – porque a Vovó Dugi teria adorado isso. Agora eu tinha de me vestir de um modo aceitável para encontrar a família, mas também devia vestir, de alguma forma, uma camisa de esporte do meu não existente time favorito e fazer isso de uma forma fashion o suficiente para que eu fosse permitida por além das forças magnéticas que mantinham a ralé fora de Pacific Palisades. Se o decreto fosse "vista uma camisa representando sua raça de cachorro favorita" eu teria tido uma ampla seleção de camisas e suéteres com estampas de beagles para escolher; eu poderia até chegar à ocasião do "vista uma camisa com sua bebida alcoólica favorita", e esses pareceriam temas não menos ridículos para mim. Eu peguei emprestada uma das camisas vintage do Chris do San Diego Charger, não porque era o meu time favorito, mas porque ela era azul-claro e dourada e eu podia ficar bonita naquelas cores. Aquela também era uma das menores camisas dele – só G e não GG. Chris vestiu uma camisa do Barcelona, que só por acaso era uma das camisas favoritas dele. Eu parecia estar em uma fantasia; ele parecia estar saindo para tomar café da manhã em um dia normal.

Nem mesmo o trânsito me ajudou. Não havia trânsito algum (como uma ironia: quando não tem trânsito em Los Angeles durante um feriado? Quando eu queria que tivesse!).

Nós chegamos cedo, e Chris ignorou meus apelos de dirigir ao redor do quarteirão por algumas horas – ou dias.

A casa da avó dele era classicamente bonita – tijolos e colunas altas e brancas – e em um lote de esquina que, Chris me explicou, era um dos maiores lotes de Palisades, o restante sendo subdividido e povoado pelas modernas supermansões de muitos multimilionários da indústria dos esportes e entretenimento que haviam chegado à área nos últimos anos. A casa da Vovó Dugi, em contraste, foi de Mary Astor e estava na famosa San Remo Drive (Ah! Viver em uma rua que era a estrela de um romance!). O jardim da frente era gigante, com imponentes árvores de magnólia, arbustos bem cuidados e rosas brancas por todo o lado, mesmo em novembro. A casa e o jardim pareciam terem sido tirados de Atlanta em uma era passada e colocados no meio do oeste moderno de Los Angeles. A propriedade era suntuosa e serena. Eu estava com a camiseta velha de futebol americano de um homem e funcionando com quatro horas de sono por noite durante uma semana corrida.

Nós estacionamos na frente, mas Chris me levou pela vastidão do jardim ao redor da casa para os fundos onde nós passamos a piscina e a garagem e entramos na cozinha (como família ou servos? Ou um de cada?). Eu esperava que nós fôssemos os únicos vestindo camisas, que de alguma forma isso fosse uma pegadinha e, quando nós chegássemos, eles estariam todos em vestimenta formal (na minha cabeça perturbada e moderadamente paranoica, pérolas e chapéus estavam envolvidos), e eles nos apontariam e ririam de nós.

Bom, ririam de mim.

Eu conheci a tia do Chris, Peggy, primeiro. Peggy estava vestindo uma camisa do USC, o que me deu algum alívio, mas não me surpreendeu – ela era, além de uma antiga campeã de duplas de tênis de Wimbledon, uma ávida fã de esportes e, quase tão relevante quanto isso, a tia que havia decretado o código de vestimenta. Mas aí eu encontrei o tio John e sua esposa Tina, também com camisas de time, então eu comecei a relaxar. A tia Bárbara e o tio Ed e suas três filhas – com nomes que começavam com "M" e cabelo chanel loiro, com maridos polidos, e crianças limpas, brilhantes e comportadas – vestiam camisas do USC idênticas. Eu sorri, acenei com a cabeça, tentei me lembrar dos nomes o máximo que eu pude e coloquei rostos nas histórias que o Chris havia me contado. Ver as camisas de times, ainda que vestidas por cima de roupas que indicavam que as camisas eram temporárias, me deu certo alívio. Isso é, até que eu me dei conta de que eles estavam todos em camisas douradas e escarlate – todos eles. E lá estava eu em azul e dourado – a cor do rival, UCLA.

– Por que você não me disse que eu deveria ter usado uma camisa do USC? – eu cochichei para o Chris.

– Porque você foi para o UC de Santa Bárbara. Por que você deveria vestir uma camisa do USC?

– Porque todas as outras pessoas estão vestindo! Eu tinha esquecido que toda a sua família é fã do USC!

– Nem todos eles.Você está bem. Minha avó foi ao UCLA. Na verdade, ela foi a primeira estudante mulher presidente do UCLA.

Nossa. Isso calou a minha boca. Eu estava bem. Eu estava nas cores da escola de Dugi! Claro, é uma camisa dos Chargers, mas as cores estavam próximas. Talvez alguém notasse e eu ganhasse pontos extras (porque eu certamente estava contando pontos).

– Então qual é a do escarlate e dourado? Por que eles não estariam nas cores escolares da sua avó?

A avó dele havia falecido havia alguns meses, e a propriedade estava à venda. Essa era a última Ação de Graças que a família passaria junta no lar onde Trudi e seus irmãos e irmãs haviam crescido. Então por que eles não estariam honrando a avó?

– O meu avô foi para USC. E também o Ed. E a Bárbara. E...

Eu parei de escutar. Os pais de Chris e as irmãs dele haviam chegado. Quando vi as irmãs dele, minha cabeça finalmente funcionou e então eu registrei o pensamento juntamente à entonação do Chris:

– É claro, minha irmã Courtney está lá agora, e a Kati está fazendo o mestrado dela lá.

Eu deveria ter me lembrado disso. Eu deveria saber disso. Eu deveria ter planejado. Eu podia voltar para casa com meu cachorro agora? Por favor?

Mas a mãe dele, o pai e as irmãs não estavam em camisas do USC. Eles não estavam nem com camisas de time. As irmãs dele estavam em vestidos e saltos impossivelmente altos (e na moda). Sua mãe estava com uma calça preta e uma blusa preta de seda com listras brancas, com um grande colar de pérolas. Seu pai estava vestido estilo genérico masculino "indo passear" – calça social bege e uma camisa desabotoada com sapato de couro. Eu comecei a rodar novamente. Eu havia entendido tudo errado. Eu estava ridícula! Quem veste calça e salto alto com uma camisa de time amarrada com um nó lateral sobre um top de algodão simples? Quem faz isso? Na Ação de Graças! Eu sou uma idiota. Eu queria pôr para fora meu próprio uivado do Seamus. *Me leve para casa! Agooooora! Filhos da puta! Me levem para casaaaaaaaaa!!!* Mas eu não sou um beagle. Eu não podia chorar, uivar ou escapar pela porta do cachorro. Eu me sentei. E fiquei.

Fui socorrida pelas primas "M" dele, cada uma delas levou um tempo para se apresentar, apresentar seus maridos e suas crianças e para se sentar e conversar comigo por um longo período.

Ainda bem, os pais do Chris e as irmãs dele vestiram suas camisas para o jantar (e as tiraram em seguida), e ainda que as irmãs dele e a mãe vestissem camisas da USC, o pai dele vestia a camisa da Academia Naval dos Estados Unidos.

A Trudi veio até mim para completar minha taça de vinho. (Eu devia aceitar? Eu seria julgada como alcoólatra se eu aceitasse? Seria uma afronta se eu recusasse?)

– Então o que você acha disso tudo? Loucura, não é? – ela disse.

– É certamente memorável. Eu não posso dizer que já passei uma Ação de Graças como essa. Eu não sabia que a família era tão fã de esportes.

– Bem, nós somos, mas não assim – ela gesticulou com a taça de vinho na mão, para as irmãs dela, na sala, cobertas pela camisa. – Isso faria a minha mãe rolar na cova.

– Ah! Então isso não é uma tradição?

– Ah! Pelo amor de Deus, não. Eu não sei o que a Peggy estava pensando. Nós nunca fizemos isso.

Chris se juntou a nós, mantendo a promessa de que ele não me deixaria sozinha com nenhum dos seus pais por mais de dois minutos.

– Nunca fizemos o quê?

– Nos vestimos assim para a Ação de Graças. Chris, fala para a Teresa que nós não usamos fantasia normalmente. Você não a quer pensando que sua família é louca.

– Ah, eu não sei, mãe, lembra quando a vovó Dugi nos fez usar chapéus para o Natal? – o Chris falou.

– Você quer dizer, chapéus de papel? Aqueles chapéus? – eu disse.

– Ah! Não. Chapéus. Os chapéus da Dugi. Chapéus grandes, chapéus de beisebol, de palha, de pesca... qualquer um que fosse, minha avó os trouxe e nos fez usá-los. Insistentemente.

Eu olhei para Trudi, esperando que ela estivesse horrorizada com essa divulgação. Mas ela estava rindo.

– Ah! É verdade. Eu tinha esquecido isso. Mas, Chris, eu acho que a demência já existia nessa época, nós só não sabíamos.

– Os chapéus eram uma grande dica. Ou deveriam ter sido.

Eu não sei o que teria sido mais difícil para mim, o chapéu de Natal ou a camisa de time na Ação de Graças. Eu tenho chapéus, então eu teria uma seleção deles, mas aí eu teria de ter cabelo de chapéu também. Não importava mesmo. Eu estava lá, seguindo adiante na minha camisa do Charger.

– Bom, está bem – eu disse. – Só estou feliz que todos estejam realmente com camisas de times.

–Você pensou que eles estavam fazendo uma brincadeira com você?

– Pensei. Um pouco.

– Ah! Não. Sem brincadeira. Isso é real.

– Bem, ao menos eu não tenho de me preocupar em derramar qualquer coisa na minha blusa.

Eu ajudei a carregar as louças da cozinha para a sala de jantar e uma vez que estávamos todos sentados, joguei conversa fora e me lembrei, eu acho, de qual talher usar e quando, tudo isso mantendo meus cotovelos fora da mesa. Eu sobrevivi ao jantar e comecei a relaxar.

Depois do café e da sobremesa, Chris perguntou como eu estava.

– Eu estou bem. Surpreendentemente bem.

Ele sorriu:

– Eu lhe falei. E todos gostam de você.

Talvez, eu pensei. Talvez.

Nós ficamos até tarde jogando baralho e um jogo de dado na mesa do jantar que confortavelmente tinha dezoito lugares. Cheguei perto de ganhar uma rodada do jogo, e felizmente notei vários membros da família torcendo por mim. Eu não me importei quando uma prima de seis anos ganhou, eu até fiz um "toca aqui". Nós estávamos entre os primeiros que chegaram e fomos quase os últimos a sair. Ninguém estava mais surpresa do que eu.

– Essa talvez tenha sido uma das melhores Ação de Graças para mim nos últimos tempos – eu disse para Chris no caminho para casa. – É legal que vocês possam se reunir em um único lugar. Na minha família nós teríamos feito três diferentes paradas até agora.

–Viu? Eu lhe falei. Nada para se preocupar. Eles amaram você.

– Bom, eu não sei sobre amar, mas eles não estavam me evitando. Suas primas e primos fizeram muito esforço para me conhecer, e Ed estava principalmente interessado no fato de eu ter estudado Direito. Então eu entendi que eu era o suficiente para ele. Eu gosto de um padrão baixo.

– Os padrões do Ed não são baixos, mas, sim, ele se importa muito com educação. Minha mãe passou um tempo razoável conversando com você também.

– Sim, ela passou. Isso foi legal. Ela queria ter certeza de que eu estava confortável e havia encontrado todo mundo. Então isso foi bom, eu imagino. Ela não estava me escondendo ou dizendo que eu era a empregada.

– Muito engraçado. Mas acabou. Você se deu bem.

– Obrigada. Ainda assim, eu estou ansiosa para nós estarmos em casa com o beagle.

No carro, a caminho de casa, eu até consegui dar uma cochilada.

No dia seguinte, a Dra. Gilbert ligou. A cirurgia tinha sido um sucesso. As margens estavam limpas – de acordo com os dois cirurgiões e agora com o patologista. Agora Seamus só precisava se curar o suficiente para começar a quimioterapia.

Na casa da minha mãe, Seamus foi submetido ao colar novamente, uma vez que ele voltou a morder seus pontos. De volta à nossa casa, comigo e com o Chris, com seu esforço de tirar os pontos, ele começou a deslizar o seu traseiro no carpete, às vezes deixando uma trilha de sangue. Mas eu estava delirantemente feliz com os resultados da cirurgia e então mais uma vez segui o Seamus pela casa gritando repetidamente: – Seamus, não! – e passando spray removedor de manchas.

No sábado, Chris foi para a casa dos seus pais para a foto familiar de Natal. Eu fiquei em casa com Seamus. Eu ri quando ele me contou que ele tinha instruções sobre como se vestir (ele tinha trinta anos!) e que eles faziam isso todos os anos, pelo que ele se lembra. Eu não conseguia entender isso. Eu duvido que minha família tenha tirado alguma foto junta, menos ainda todos os anos. Parte de mim queria ir junto, só para assistir. Uma parte maior de mim queria estar em casa com o cachorro, a lareira e um bom livro – e esta foi a parte que ganhou. Era um argumento fácil para a parte que ganhou, uma vez que eu não havia sido convidada para o dia da foto.

Eu estava dormindo no sofá – lareira acesa, livro na minha barriga, Seamus dormindo ao meu lado – quando Chris voltou para casa mais cedo do que eu esperava.

Eu me sentei e ele se sentou de forma nada sutil no sofá, entre eu e Seamus, fazendo com que Seamus se levantasse e se movesse, de abajur e tudo, para cima de Chris, ficando entre nós. O Seamus sempre precisava estar no centro.

Eu me manobrei ao redor do colar para dar um beijo em Chris, mas acabei beijando a bochecha dele enquanto ele olhava fixamente para frente.

–Você chegou mais cedo – eu disse depois de alguns minutos.

– Então, você estava certa – ele disse, levantando-se. Ele foi em direção ao bar e pegou sua garrafa de whisky Maker's Mark.

Eu tinha certeza de que não era nada que eu tinha dito recentemente em que eu gostaria de estar certa. E havia uma intensidade e uma tensão no rosto do Chris que eu nunca tinha visto antes.

– Nós deveríamos ter vestido camisas do USC?

– Isso não teria ajudado.

Ele se sentou de volta, com o copo na mão. Moveu o copo em minha direção para fazer um brinde falso.

– Eu fui instruído a terminar com você. Aparentemente meus pais acham que me educaram melhor.

Ele estendeu o braço, passando-o pela vista expansiva do meu elegante antro de loba.

– Eles acham que me educaram melhor do que você.

Meu estômago gelou. Minha boca ficou simplesmente aberta.

– Eu pensei que eles tivessem gostado de mim.

– Agora, eu não acho nem que eles gostem de mim, porra.

Mas a Ação de Graças tinha ido bem! Não tinha? Como eu poderia ter estado tão errada? Como eu pude ter abaixado a guarda e me aberto para essa apunhalada nas costas? Como eu pude ser tão estúpida de novo?

– O que aconteceu?

Eu não conseguia imaginar – eu não queria imaginar – tal conversa.

– Não importa.

– Meio que importa.

– Não. Não importa. Eles estão loucos. Eu não vou escutá-los.

Era minha vez de ir ao bar. Eu me levantei, mas só cheguei até o meio do caminho quando me virei para Chris.

– Eu sabia que isso iria acontecer. Eu sabia que essa merda iria acontecer. Todas. As. Vezes. Isso acontece comigo.

O rosto de Chris relaxou. E em seguida ficou tenso.

– Você sabe que isso não tem a ver com você.

– Como isso não tem a ver comigo? Nós estamos juntos por um ano e meio. Eles devem ter pensado que você cairia fora. Que, de alguma forma, eu iria embora, e no meio tempo eles fingiriam ser legais comigo. Todo o tempo eles estavam pensando que você é melhor do que eu? Que eles são melhores do que eu?

– Acredite em mim. Não tem a ver com você. Tem a ver comigo e com os meus pais. Você poderia ser qualquer uma e eles estariam contra.

– Eles não seriam contra se você estivesse saindo com alguém do seu tipo.

Chris passou seus dedos por seu cabelo e então se inclinou em minha direção.

– Aí é que está... você é o meu tipo. Você é a única que é o meu tipo. Eles não entendem isso porque eles não me entendem. Eu não vou terminar com você. Você precisa saber disso.

Capítulo 7

Tóxico

Eu me ocupei comprando novos brinquedos para Seamus, oferecendo a ele tudo que quisesse comer, dividindo toda a minha comida e depois limpando o carpete e ignorando, tanto quanto era possível, a época de festas e um certo problema iminente. Eu estava também rapidamente me tornando uma especialista em tumor de célula mastro e tratamentos cancerígenos enquanto pesquisava e preparava Seamus para a quimioterapia. O tratamento me assustava de uma maneira absurda, mas ainda era mais fácil pensar nele do que na rejeição indiscriminada dos pais do Chris com relação a mim – nisso eu me esforçava para não pensar.

Na Clínica Veterinária de Câncer eu havia me certificado de que Seamus não perderia o pelo e de que o medicamento poderia controlar boa parte das náuseas. O efeito colateral mais provável seria a perda de apetite e uma diminuição de energia. Isso era difícil de imaginar. Seamus poderia perder três quartos do seu apetite e ainda consumir a quantidade diária de comida de um elefante. Como eu saberia se ele perdesse o apetite?

Durante os primeiros meses de Seamus comigo, minha cunhada Jennifer enviou um pacote para mim, que o carteiro entregou jogando no jardim por cima da cerca. Quando cheguei em casa, tudo o que havia sobrado eram pedaços de confetes azuis, verdes e amarelos e embrulhos plásticos denunciadores. Encontrei um único embrulho que tinha algo: quatro biscoitos com o logotipo do Grupo de Meninas Escoteiras. Jennifer havia me enviado as caixas de biscoitos do Grupo de Meninas Escoteiras que eu havia encomendado da minha sobrinha de Missouri. Seamus havia comido duas caixas e meia deles e estava no processo de enterrar o restante quando eu o interrompi. Ainda bem que eu não como chocolate, o que fez com que nenhum dos biscoitos consumidos fossem perigoso para ele. Tive de ligar para a Jennifer para descobrir quantas caixas ela havia enviado para saber o quanto eu precisaria cavar para achar os biscoitos escondidos do Seamus. Jennifer estava incrédula (ela havia enviado cinco caixas), mas minha sobrinha McKinzee achou hilário e prometeu enviar biscoitos para Seamus todos os anos.

Também não foi há muito tempo que Seamus subiu nas costas do sofá, pulou de lá até o banquinho do bar, andou em direção ao balcão da cozinha e foi tranquilamente até o fogão para lamber a gordura de bacon seca que tinha ficado na frigideira do café da manhã.

E agora a oncologista estava me dizendo que o apetite do Seamus diminuiria com a quimioterapia? Eu não tinha certeza se seria capaz de identificar esse efeito colateral. Ele agora comeria somente uma caixa e meia dos biscoitos do Grupo de Meninas Escoteiras? Só uma caixa? Os biscoitos de manteiga de amendoim, mas não os outros biscoitos? E eu imagino que a falta de energia faria o sabor bacon estar fora de cogitação.

Li a documentação que a clínica havia me dado. A informação para pacientes continha as seguintes notas: "A quimioterapia para gatos e cachorros causa poucos dos sintomas vistos em pessoas. Se Seamus se recusar a comer depois do tratamento, tente comidas brandas, mas de que ele goste, como arroz branco ou macarrão, aromatizados com frango cozido, hambúrguer de carne magra, queijo cottage ou *sour cream*, ambos com baixo teor de gordura... Se ocorrer diarreia, adicione arroz branco à comida regular de Seamus. Em caso de vômito, remova todas as comidas e água por quatro horas e, então, ofereça pequenas quantidades de água ou cubos de gelo. Depois, troque para as comidas listadas acima". Considerando o apetite usual de Seamus, isso era difícil de imaginar, mas, de qualquer forma, eu memorizei a informação. Então, estudei o laudo patológico dele. Algumas das coisas eram muito para mim. Tive dificuldade para entender qualquer informação do laudo.

Do laudo imunoistoquímico do Seamus:

"O valor AgNOR neste caso (2.1) é intermediário. Em um estudo... nenhum cachorro foi levado à eutanásia por conta de doença na célula mastro com a contagem de AgNOR menor que 1.7. Em outro estudo... tumores na célula mastro que não sofreram a metástase tiveram uma contagem de AgNOR de 2.3, e aqueles que sofreram a metástase tiveram uma contagem de 2.8."

Isso parecia bom: 2.1 é menor que 2.3, então significa que a chance é de que não sofra metástase, certo? Continuei lendo.

"Esse padrão de expressão C-KIT (padrão II) foi associado à taxa de 14% de recorrência local, 31% de metástase distante e 25,6% de mortalidade por conta da doença na célula mastro."

Tentei encontrar conforto nessas estatísticas. Para mim, essas chances estavam a favor dele. Não boas, mas a favor. Então a quimioterapia era necessária. A quimio seria boa, eu disse a mim mesma. A quimio vai dar a ele a melhor chance de sobreviver. Essas eram somente as chances. Nada era certo. Nós ainda podíamos vencer isso.

Então, recorri à internet.

Li que o recheio de uma torta de moranga pode constipar um cachorro facilmente, o que também é um efeito colateral possível dos esteroides dados para prevenir as náuseas da quimio. Então, vi que tumores na célula mastro como o de Seamus podiam ser alimentados de carboidratos e era melhor limitar a dieta do cachorro para principalmente proteínas. Isso me fez cambalear. Seamus e eu havíamos estabelecido uma rotina matinal no nosso último ano. Acordávamos e andávamos, ele comia pela manhã, eu tomava café e então nós dividíamos torradas. A comida favorita dele era torrada. No momento em que ele escutava a alavanca da torradeira abaixar, ele começava a dança da torrada nos meus pés. E, quando a torrada pulava para cima, ele uivava e latia continuamente e me cobrava para que eu me apressasse, sentasse e começasse a distribuição de cascas. Eu não gosto das cascas (culpa da minha avó e de seus saborosos sanduíches sem casca durante a minha infância), então era uma boa parceria; eu arrancava as cascas e as dava para Seamus comer, aproveitando minha torrada sem casca sem precisar limpar o prato. Eu havia assistido a *O encantador de cães* o suficiente para saber que eu provavelmente havia ensinado a Seamus a matemática da torrada ser igual a cascas garantidas para o cão. Por isso, na visão de Seamus, a torrada havia se tornado a garota fácil da escola. Poderia não ser a sua favorita, mas a torrada era uma coisa certa.

Eu vinha alimentando Seamus com cascas de pão todas as manhãs. E isso estava alimentando o tumor dele? E os biscoitos do Grupo de Meninas Escoteiras? A morte em caixas de papelão brilhantes! O pedaço de pão? Câncer feito no forno! Eu tinha dado câncer ao meu cachorro! Minha espiral de culpa estava lançada, sugando-me para o vórtice. Voltei para a internet e fiz mais pesquisas para encontrar uma ração toda de proteínas e alimentá-lo com ela, ainda que custasse mais que o dobro do que eu estava gastando. Parei de dar torrada para ele. Então, quando eu não podia mais aguentar os apelos chorosos, eu mesma parei de comer torrada.

Eu podia pesquisar tratamentos de câncer canino na internet. Eu não podia pesquisar "o que fazer quando os pais do seu namorado são contra você" ou "como se tornar uma não divorciada e ficar mais nova" ou "como provar que você não é um lixo". Eu foquei no que eu pensei que pudesse controlar – o câncer que atacava o meu cachorro, em vez do ataque ao meu relacionamento. De alguma forma, as chances contra Seamus pareciam mais favoráveis. Mas eu tinha pouco controle sobre o tratamento dele. Enquanto eu sabia que ele estava para começar a quimioterapia, e que ele havia se recuperado bem da cirurgia, eu ainda tinha de ser capaz de marcar a quimio. Deixei várias mensagens para a Dra. Patricinha Fresca e finalmente recebi uma ligação de volta.

– Nós estamos esperando pelo laudo patológico – ela disse.

– Nós temos o laudo patológico. Nós o recebemos dois dias depois da cirurgia. Ele dizia que as margens estavam limpas.

– Eu sei disso. Eu não estou falando sobre esse laudo. Esse laudo é preliminar. Eu preciso do laudo que vem de Nova York.

Ela disse isso como se nós estivéssemos esperando pelas novidades da moda e é claro que isso só poderia vir de Nova York. Como se a Califórnia não tivesse patologistas (ou moda) e todos soubessem que nós deveríamos contar com Nova York. Todos, menos eu.

– Preliminar? O que é preliminar sobre ele? A cirurgiã disse que as margens estavam limpas. A patologista disse que as margens estavam limpas. Por que isso é preliminar?

Ouvi uma expiração exasperada. Não acho que ela estava tentando esconder.

– Nós precisamos do laudo que vem de Nova York. O laboratório de lá é o melhor. Esse laudo nos dirá tudo de que precisamos saber.

Ela não ia se mexer sem o laudo de Nova York. Desisti de pressioná-la.

– Mais quanto tempo?

– Alguns dias.

Três dias se passaram sem eu ouvir uma palavra da Dra. Patricinha Fresca. Eu parei a minha brincadeira de pega-pega por telefone com ela, saindo vitoriosa quando ela ligou, não no meu celular como eu havia instruído, mas no meu escritório às 18h40 (sem dúvida esperando cair na caixa postal) e eu atendi.

– Houve um atraso inesperado – ela disse.

– Sim, eu sei disso. Já passou mais de uma semana e nós nem sequer marcamos a primeira sessão de quimioterapia dele.

– Eu quis dizer com o laboratório de Nova York. O correio está demorando mais do que o normal então nós não teremos os resultados até o começo da semana que vem.

– Semana que vem? Vai ser Natal quando nós começarmos o tratamento dele! Isso é ridículo. Nós estamos perdendo tempo aqui, certo? O tratamento do cachorro não deveria começar o mais cedo possível? Eu lhe disse que eu queria dar a ele a melhor chance possível, e parece que só estamos perdendo tempo esperando por algum patologista mítico de Nova York.

Admito que zombei do jeito que ela falou "Nova York" com tanta pompa.

– Ele não é mítico, e uma semana não vai fazer qualquer diferença.

Ela cuspiu de volta em mim o *mito* em *mítico*.

– Esse é o melhor laboratório do país. Esse laudo vai nos dizer tudo de que nós precisamos saber.

– Sim. Eu sei. Você já disse isso. Repetidamente. Mas o que mais, exatamente, nós precisamos saber?

Não é que eu estivesse ansiosa para a quimioterapia para o pobre Seamus. É só que a ansiedade de esperar por algo tão horrível, tão assustador como a quimioterapia era quase incontrolável. O desconhecido, eu esperava, era mais assustador que o conhecido. Eu também não conseguia deixar de imaginar essas grandes e más células cancerígenas passando pelo corpo dele, atacando-o e tentando matá-lo enquanto a Dra. Patricinha Fresca ficava sentada esperando pela edição de outono da revista *Vogue*.

– A patologista de Los Angeles disse margens limpas. De tudo que eu li, de tudo que você disse, o protocolo é a quimio. Por que nós não podemos somente marcar a sessão? Qual é o lado ruim?

– Se o laudo chegasse e dissesse que ele sofreu metástase e que a quimio era contraindicada, você ainda ia querer proceder? – ela disse isso com o mesmo tom de uma criança de oito anos quando acha que ganhou uma batalha importante. O tom de "mi-mi-mi". Não o tom que uma doutora deveria usar quando está sugerindo que um paciente pode morrer.

Eu recorri ao mesmo tom para responder:

– Se isso desse a ele a chance de sobreviver, sim, eu faria isso. Foi você quem disse que cachorros toleram a quimioterapia muito bem.

Em casa, repeti a conversa para Chris e então fiquei indo de um lado ao outro, batendo portas e gritando, "Ela é a pior merda de médica! Que vagabunda".

Chris era compreensivo, mas também estava indo de um lado ao outro na casa gritando sobre seus pais. "Fodam-se eles. Sério, fodam-se. Quem eles pensam que são? Filhos da puta!"

E, não tentando piorar, mas Seamus estava regularmente uivando, *Comiiiiiiiiiiiida! Filhos da puta! Me deem comiiiiiiiiiiiiida! Torraaaaaaaaaaaaaada! Onde está a porra da minha torraaaaaaaaaaaaaada?*

Esse era, é claro, o pior momento para Chris e eu discutirmos o que os pais dele haviam dito. Mas não pude me controlar.

Antes de sua mãe colocá-lo contra a parede, nós conversávamos sobre isso e contemplamos inúmeros cenários de como os pais dele reagiriam. Eu certamente podia entender que uma mulher de quarenta e tantos anos, divorciada duas vezes, que morava a cem quilômetros de distância na cidade-deselegante não era a primeira escolha de nenhum pai e de nenhuma mãe para o filho mais velho, educado em escola particular em Newport Beach e graduado em Princeton. Eu assumi que esse seria o foco. E que as coisas não iriam bem. Geralmente sou um tipo de pessoa "copo meio vazio".

Chris, ao menos inicialmente, pensou que a mãe dele fosse apreciar o meu senso de estilo, minha educação e minhas extensivas credenciais de voluntariado para a comunidade. Ele pensou, ou ao menos esperou, que o seu pai fosse apreciar que eu era uma advogada e uma mulher de negócios. Chris é normalmente uma pessoa do "copo meio cheio". Nenhum de nós antecipou que os pais dele iriam fazer um decreto. Nós havíamos, de forma divertida o suficiente, pensado que a escolha era dele. Não sendo pais, nós havíamos subestimado o instinto maternal de proteção do seu menor. E é claro, nós falhamos em entender que um homem de trinta anos ainda podia ser considerado "jovem" para seus pais.

Mas, quando eles encenaram o que eu chamei de "a intervenção" depois do dia Ação de Graças, isso pesou muito no Chris. E em mim. Eu não tinha fé de que ele ia enfrentar os pais dele. Eu havia perdido para as minhas duas sogras em grandes e pequenas batalhas e tinha expectativas extremamente baixas como resultado. Chris precisava que eu acreditasse nele para que ele pudesse acreditar em si. Gosto de pensar que se a intervenção tivesse acontecido em algum outro momento, em um momento no qual o meu cachorro não tivesse câncer, quando a quimio não estivesse iminente no horizonte, quando eu tivesse mais controle da minha sanidade, nós haveríamos lidado com ela melhor. Mas não foi esse o caso.

Nós discutimos.

E discutimos.

– Olha, sua mãe diz que ela nunca, NUNCA, vai passar por cima dos meus dois divórcios. Então, é isso. Não tem nada que eu possa fazer a respeito disso. Eu nem tenho de lutar. Não existe nada que eu possa fazer para apagar meus dois divórcios, então não há nada que eu possa fazer para mudar a cabeça dela.

–Você está desviando do ponto. Eu disse a eles que não ia terminar com você. Eu só preciso saber que você vai me dar suporte. Que nós vamos enfrentá-los juntos.

– Eu não vou me envolver com eles!

– Bem, você não pode ter essa posição. Eles são meus pais.

– O que aconteceu com "fodam-se eles"?

E então nós repetiríamos variações do mesmo script.

Eu redirecionei a minha raiva à clínica veterinária. Quando liguei novamente para saber do laudo do laboratório de Nova York, eu nem me preocupei em perguntar para a doutora. Falei com a recepcionista.

–Já se passaram duas semanas. Nós estamos esperando pelos resultados do laboratório de Nova York. Eles já chegaram?

– Duas semanas? Não demora duas semanas – ela disse. – Deixe-me checar.

Depois de um curto período ela voltou para a linha.

– Os slides não foram enviados até alguns dias atrás então nós devemos ter os resultados em um dia mais ou menos.

– Os slides foram enviados há um tempo. Eles aparentemente demoraram muito tempo no correio.

– Eu não sei. Isso é novo. Nós não enviamos muitos desses, mas eu não acho que a gente os envie por correio. Eles são slides e tal, então eu não acho que eles vão por correio regular.

–Você pode checar e ver exatamente quando esses slides foram enviados?

Ela me deixou na espera por alguns minutos novamente.

– Bom, então nós enviamos os slides durante a noite por FedEx. Dessa forma nós podemos acompanhá-los. E os seus foram enviados quatro dias atrás.

Foi aí que eu me lembrei da taxa do FedEx na minha conta. Então a Dra. Patricinha Fresca havia se esquecido até de enviar os slides e então colocou a culpa nos Correios dos Estados Unidos. E isso é algo novo – esse laboratório de Nova York. Eu precisava mesmo dos resultados de Nova York? Eu precisava pagar por isso, ou eles estavam faturando os procedimentos veterinários?

– Por favor, deixe a doutora saber que eu liguei e peça a ela para me ligar imediatamente. Quero falar sobre o pacote do FedEx.

A doutora não ligou por outros dois dias. Ela não mencionou o atraso, o envio tardio dos slides, ou se manifestou de qualquer forma por eu ter ligado. Ela me deu os resultados do laboratório – margens limpas, exatamente o que os outros resultados haviam mostrado – e nada mais. Tentei entender o que essa informação nos disse que nós já não sabíamos e tentei descobrir se isso era um laudo "opcional". Ela desviou de mim novamente. O que, de alguma forma, era a resposta de que eu precisava. Eu esperei que qualquer que fosse a pesquisa na qual Seamus tivesse participado, tivesse valido a pena. Pelo menos nós agora poderíamos marcar o tratamento dele.

Seamus começaria a quimioterapia dia 17 de dezembro. Parecia-me inevitável ter outra época de festas ruim, cheia de médicos e medicações e iminentes corações quebrados. Eu segui as prescrições de Prednisona e Benadryl para cachorros. Enchi minha casa de frango, arroz, queijo cottage, comida de cachorro com proteínas, brinquedos de cachorro e recheio de torta de moranga. Cozinhei e guardei frango para Seamus. Eu o deixei dormir na minha cama, no sofá, no meu colo. Falei incessantemente com Seamus, mas com quase mais ninguém – até que Chris veio à minha casa cinco dias antes de Seamus começar a quimioterapia e nós retornamos à nossa discussão sobre a família dele e os nossos planos para as festas.

– Eu não vou a lugar algum. Meus pais estão fora da cidade durante a semana e eu obviamente não sou bem-vinda na casa dos seus pais – eu disse.

– Eles não falaram isso.

– Ah, eles meio que falaram. Eu não sou bem-vinda na sua vida.

– Está bem. Eu vou lá na noite natalina e depois volto aqui com você e com Mousse para o Natal.

Em retrospectiva, eu vejo que eu queria que os pais dele fossem punidos por ousarem não me aprovar. E eu posso ver que eu estava brava com muitas coisas. Talvez eu estivesse me sentindo um pouco com dó de mim mesma.

– Seamus tem a sua segunda quimioterapia no dia 23, mas claro, você vai passar a noite de Natal com sua família e vai nos deixar aqui sozinhos. Isso com certeza vai mostrar a eles! Nossa, eles vão saber que você não pode ser controlado.

– Isso não é justo.

Justo? Justo? Quando foi que justiça entrou no meio de qualquer coisa? E mais uma vez nós discutimos. Até que concordamos em dar uma pausa nos argumentos.

Chris dormiu de qualquer jeito na minha cama no andar de cima, e eu chorei, silenciosamente e sozinha, no sofá do andar debaixo. Seamus, somente a alguns dias de começar a quimioterapia, moveu-se entre nós durante toda a noite – para cima e para baixo, e para cima de novo. Um pouco antes das seis da manhã, Chris desceu até mim.

– Eu preciso ir – ele disse.

– Você está indo para casa? – olhei fixo para ele.

Ele estava segurando a mala com as roupas de dormir e outra mala cheia, eu sabia, com os itens que ele havia começado a deixar na minha casa.

– Eu preciso pensar nas coisas por mim. Eu preciso estar sozinho para fazer isso. Eu não sei o que eu quero e essa é a coisa mais difícil que eu já fiz. Mas eu só preciso ficar sozinho.

– Você está terminando comigo?

– Eu não sei. Acho que sim. Eu não sei. Você quer que eu fique?

Há muitos dezembros, eu era a passageira da frente em um veículo que saiu da estrada e foi ribanceira abaixo, rolando e parando de ponta-cabeça. É verdade que eventos como esse são vividos em câmera lenta. Meu instinto, enquanto o chão ia vagarosamente se encontrar no canto do teto do carro sob a minha cabeça, foi de mergulhar. Eu me virei para a esquerda para o lado oposto da terra e rolei, dando quase uma meia cambalhota; a parte de trás do meu ombro direito sentiu o peso da batida e aterrissei no teto do carro, agora de ponta cabeça, em direção à parte traseira e não ao assento dianteiro – onde o teto havia batido no assento, rasgando pelo tecido em que eu estava sentada havia um segundo. O paramédico me disse que isso foi um acidente de carro "um em um milhão" onde não usar o cinto de segurança salvou a minha vida. O meu instinto de mergulhar e me cobrir disse o mesmo. Aquele instinto estava retornando agora.

Chris ficou na minha frente esperando pela minha resposta, esperando que eu o ajudasse. Eu queria que ele ficasse. Eu queria esse relacionamento. Eu só não podia pisar na minha própria bagagem para chegar lá. Tudo que eu podia pensar era que o estilo da mãe do Chris colocou as minhas antigas sogras no chinelo em termos de intimidação. Os métodos dela eram ingênuos – uma combinação de agressão pura e agressão passiva que nos deixou balançados e indefesos. Ela havia sido tão simpática comigo na Ação de Graças; ela foi tão polida e educada. Eu não tinha a mínima ideia de que ela era contra mim ou contra o relacionamento. E ainda assim, 48 horas depois ela se sentou com Chris e ordenou que ele terminasse seu relacionamento comigo. Congelada pelo meu medo, eu não pude nem reunir forças para lutar.

– Eu quero que você faça o que quiser fazer. Eu não quero que você fique aqui porque você se sente obrigado. Mas eu também não quero que você vá embora só porque a sua mãe diz para fazer isso.

Mergulhar. Cobrir-se.

O rosto do Chris se apertou.

– Viu, você me dizer isso me mostra que você não entende o que eu estou passando. Eu estou tentando tomar minhas próprias decisões aqui, mas eu preciso saber que você está do meu lado. Não parece que você está. Você nem pode me dizer o que quer.

Ele pausou e deu um passo para trás, para longe de mim.

– Eu acho que tenho que fazer isso sozinho. Eu preciso de um tempo. Eu vou pensar nas coisas e talvez a gente possa fazer funcionar. Talvez depois. Eu não sei. Eu só acho que preciso ir.

Ele pegou suas malas e inclinou-se para me beijar. Eu virei a cara, contorcendo meu rosto para parar as lágrimas. Ele beijou o topo da minha cabeça.

– Desculpe-me – ele disse. – Eu amo você.

Meu rosto inundou-se em lágrimas. Eu não conseguia falar nada em resposta. Como você pode dizer que me ama e então ir embora? Pelas minhas lágrimas, sem dizer uma palavra, sem dizer qualquer uma das coisas que eu queria dizer ou deveria ter dito ou precisava dizer, eu lhe assisti sair pela porta.

Seamus correu para a porta atrás de Chris, uivando. Assisti através das minhas lágrimas e das portas de vidro ao Chris parar e abaixar até Seamus. Seamus ficou quieto, sentou-se e olhou fixamente para Chris, com aqueles grandes olhos marrons suplicantes. Ele se enroscou no Chris e tentou subir no seu colo, tocando-o com a pata. Eu podia ouvir o uivo diminuir e se transformar em gemidos suplicantes.

Eu sabia o que Seamus estava sentindo. Quando tinha mais ou menos seis anos de idade, meus pais se separaram, não era a primeira vez nem a última. Eu fiquei na calçada de casa assistindo a meu pai fazer as malas e colocá-las no seu pequeno conversível. Quando ele voltou para dentro da casa para pegar algum outro item, eu tirei uma mala do banco do passageiro e deixei o espaço para mim. Meu pai saiu novamente e colocou a mala no assento. Eu fui mover a mala mais uma vez, dizendo para ele que eu precisava de um lugar para sentar. Ele colocou sua mão sobre a minha e colocou a mala de volta no assento.

– Eu vou voltar por você – ele disse. – Assim que eu puder.

Semanas depois, ele voltou, mas eu não sabia disso enquanto eu estava sozinha na calçada assistindo ao meu pai chorar e dirigir para longe.

Chris ficou no jardim, fazendo carinho no Seamus e falando com ele por alguns minutos. Eu duvidei que ele estivesse dizendo a ele que voltaria. Ele colocou sua testa na do Seamus por um momento, beijou o topo macio da cabeça do cachorro e saiu pelo portão.

Capítulo 8

Fêmeas alfa

Meus soluços não estavam somente alarmando o cachorro; eles também me alarmavam. Eu não conseguia lembrar-me de ter chorado tanto alguma vez. Acordei no meio da noite, engolindo o ar enquanto soluçava; grandes e dolorosos soluços. Seamus subiu na cama e sentou-se ao meu lado, olhando para mim nervosamente e cheirando meu rosto molhado. Fiz carinho nele até ficar mais calma.

Eu não havia chorado tanto em nenhum dos meus dois divórcios. Chorei muito durante os últimos dias do meu primeiro casamento, mas a tristeza não durou muito e não era a mesma coisa. Aquele marido havia sido um bêbado e um traidor, que fez o casamento muito mais difícil que o divórcio, mesmo que o divórcio tenha durado três anos e tenha me deixado com uma dívida de 50 mil dólares que eu não sabia que "nós" havíamos feito. (O grande estado da Califórnia decretou que a dívida que ele fez para bancar suas namoradas, seu consumo de drogas e álcool e a compra de mais carros do que qualquer um poderia dirigir era um "débito comunitário", que eles quiseram dizer ser meu débito uma vez que eu era a parte empregada e remunerada.) O ódio secou as minhas lágrimas rapidamente.

Eu também chorei durante os últimos anos do meu segundo casamento, mas eu não solucei. Estava triste pelo fim, é claro, mas tinha percebido o meu erro. Eu tinha me recuperado em um casamento com alguém que nunca beberia em excesso, nunca trairia, nunca usaria um *charge card*[6] (especialmente uns que eu nunca soube que existiam); casei-me com alguém que ficaria em um mundo seguro, confortável e compacto. O que funcionou muito bem até que eu me recuperasse o suficiente do meu primeiro casamento e divórcio para querer sair daquele mundo pequeno onde eu havia buscado refúgio e começar a explorar um mundo maior e com mais significado. Deixei meu primeiro casamento pensando sobre o passado – sobre o que eu não queria que se repetisse. Eu deixei o meu segundo casamento pensando no futuro –

---

6 *Charge Card* é uma espécie de um cartão de débito e cartão de crédito, que possui suas próprias regras de pagamento e existe apenas em alguns países. (N.T)

sobre o que eu queria e quais opções estavam disponíveis para mim. Saí pretendendo buscar a vida. Não saí chorando, menos ainda soluçando, o que parecia ser tudo o que eu fazia agora.

No meio da noite, com Seamus ao meu lado, tentei pensar sobre o futuro. Em um momento eu estava pensando que eu voltaria ao meu alfabeto da vida. Que eu estaria sozinha e bem. E então eu pensaria: *não, o problema não era sair com alguém*; era que eu havia mudado muito rápido novamente. Eu nunca deveria ter saído com Chris. Ele era jovem demais. Tudo estava errado. Eu deveria ter sido mais exigente. Ou só ter saído por diversão. É isso – eu vou sair com todos os tipos de caras e realmente analisar o que estou procurando. Não vou sair uma vez e uma semana depois cair em um relacionamento. E a todo o custo, não vou conhecer os pais! De fato, eu só vou sair com órfãos. Somente órfãos. Na minha idade não pode ser muito difícil, pode? Sair com homens cujos pais – bom, ou pelo menos suas mães – já faleceram. Ah! E sem filhos. Ele também não pode ter filhos. No meu estado mental, eu não sabia se eu estava determinando um padrão alto ou baixo.

Desisti de tentar dormir e saí da cama ao nascer do sol. Algumas horas adicionais no dia me fariam bem. Seamus obedientemente me seguiu para o andar de baixo, na cozinha. Entre as coisas pelas quais eu injustamente culpei Chris e roguei praga no universo foi pelo momento desse término de relacionamento. Em cinco dias, eu teria de ser sozinha a anfitriã da festa de Natal do escritório, ir a três festas de fim de ano e levar Seamus para sua primeira sessão de quimioterapia. Na segunda-feira de manhã, o pensamento das festas me moveu para o próximo estágio da minha tristeza: raiva.

Foda-se ele. Eu sou uma mulher. Eu sou uma mulher forte, independente. Foda-se ele. Foda-se a mãe dele. Fodam-se todos eles. Eu posso lidar com isso. Por. Mim. Mesma. Fodam-se todos! Eu vou fazer tudo isso!

Bom, não tudo. Eu chamei meus amigos Tom e Kris, que eram donos de um restaurante italiano em uma cidade vizinha, e consegui que eles fizessem o bufê da festa de Natal do escritório na minha casa, uma vez que Chris não estava mais disponível para cozinhar. Perguntei para a minha colega de trabalho Jane se o marido dela, Francis, que faz um martini fenomenal e é o homem mais charmoso do planeta (essa questão não é um assunto à parte no meu livro), poderia ser o barman, e ela disse que ele adoraria.

Então, eu decidi que usaria a desculpa do "meu cachorro tem câncer" para não ir a duas das festas de fim de ano. Algumas pessoas não chegadas a cachorros, é claro, olhariam estranho para isso, mas eu não ligava. Nossa, eu não ligava nem mesmo se uma pessoa chegada a cachorro soubesse que ele – completamente recuperado da cirurgia e ainda sem ter iniciado a quimioterapia – não estava apresentando sinal algum de que estava doente. Concluí que se aparecesse somente na maior, mais chique e mais cobiçada festa privativa da cidade, eu seria vista por pessoas o suficiente e pareceria ter participado de toda a celebração horrenda das festas. Além disso, haveria álcool. Uma quantidade horrenda de álcool open bar.

Minha amiga Sheryl, uma morena inteligente e bonita, alguns anos mais velha do que eu, que estava solteira havia quinze anos, tinha concordado em ser minha companhia para a festa.

–Você tem certeza de que está pronta para sair? – ela disse.

– Eu tenho de sair. Eu vou ficar bem.

– Bem, eu sempre quis ir a essa festa. Vai ser divertido.

Eu me vesti como uma mulher recentemente largada – salto alto, vestido vermelho curto "ele que perdeu", maquiagem forte nos olhos – e saí ao ataque na festa.

Esperando na fila do bar, notei um homem me olhando desde a outra fila, a alguns metros de distância. Ele sorriu quando nos olhamos. Eu mal me lembrei de sorrir de volta, mas então notei o quão alto ele era. E bonito. Muito bonito.

– Quem é? – Sheryl perguntou.

– Eu não sei e não ligo – eu disse, voltando a minha atenção para o menu de bebidas.

– Eu ligo. E você deveria ligar. Não existem muitos homens solteiros bonitos por esses lados. Ele é lindo. E ele está definitivamente notando-a.

– O único homem com o qual eu me importo agora está atrás desse bar.

– Bom, pelo menos você não está azeda.

Em um esforço de fingir ser festiva, pela Sheryl e por mim, pedi um *candy cane* cosmo[7]. Era isso ou um martíni de *mistletoe*[8]. Ah! Como eu

---

7 Um coquetel alcoólico vermelho com uma bengalinha doce (*candy cane*), típico do Natal nos Estados Unidos. (N.T.)

8 *Mistletoe* é uma erva típica do Natal nos Estados Unidos, o visco branco. Acredita-se que ela está relacionada ao amor entre duas pessoas. (N.T.)

queria estar de brincadeira. Normalmente, eu não consigo aceitar que meus martínis sejam violados por qualquer coisa além de uma azeitona recheada com queijo gorgonzola. Mas todos pareciam estar segurando bebidas vermelhas ou verdes ou bebidas borbulhantes. Um insulto foi adicionado à minha bebida preferida quando o barman de gravata borboleta, o atual homem da minha vida, pendurou um pequeno *candy cane* na minha taça.

A bebida tinha um gosto pior do que sua aparência – o que dizia muito já que algo ácido na bebida estava rapidamente estragando a cobertura de "neve" de chantilly. Conforme eu bebia e ficava de cara feia com minha bebida, mais uma vez notei o olhar do senhor alto, moreno e lindo. Ele estava conversando em um grupo de pessoas não longe de onde eu estava, mas uma vez que nós dois éramos mais altos que a maior parte das pessoas do lugar, facilmente fazíamos contato visual. Ele levantou sua taça em minha direção. Eu estava impressionada em ver que a bebida dele não tinha aqueles adornos de festa espalhafatosos.

Outra amiga se aproximou, com o *mistletoe* pendurado na taça.

– Isso não é ridículo? – Michelle disse, gesticulando em direção a ele.

– Eu não sei qual é pior – eu disse, tocando meu *candy cane* no *mistletoe* dela.

– Mas eu ouvi dizer que há uma adega de vinhos na outra sala.

– Bom saber – ela disse. – Então, como você está? Como vão as coisas com o filhote?

Uma vez que deixei minhas amigas saberem que estava saindo com um homem doze anos mais novo que eu, as piadas de loba eram constantes e rápidas. Chris foi rapidamente apelidado de "o filhote".

– Hum, bem. Não muito bem. Ou, eu não sei. Talvez isso me faça uma boa loba. Ou boa em ser uma loba. Não sei. De qualquer forma, ele terminou comigo.

Eu coloquei minha bebida cremosa na bandeja de um garçom que estava passando.

– Acabou. Mas foi divertido enquanto durou.

Eu não estava me sentindo bem, mas era isso ou me debulhar em lágrimas no meio de uma grande e alegre festa de fim de ano com todos da cidade como minhas testemunhas.

– Ah, não! Estou chocada. Você era minha heroína! Você se divorciou depois de mim, mas já estava em seguida solta no mundo e saindo com um homem mais novo. Eu estava tão impressionada. Eu estou devastada em nome de todas nós! – Michelle disse.

– Desculpe-me por desapontá-la. Alguém quer vinho? – fui em direção à adega de vinhos, e Sheryl veio em seguida. Michelle ficou para trás, sem dúvida preferindo aproveitar a festa com alguém mais festivo.

– Você está bem? – Sheryl disse.

– Provavelmente não. Mas estou tentando.

O meu "tentar" envolvia algumas taças de Chardonnay e choramingar para diversas amigas em uma tentativa patética de simpatia. Foi assim que descobri que muitas das minhas amigas nunca pensaram que Chris fosse bom o suficiente para mim e sempre se perguntaram o que eu via nele. Jane achava que eu havia estragado tudo de novo? Que eu não sabia mesmo escolher homem? Zee e Sue achavam que eu tinha sido avisada meramente porque ele era Republicano? E Karen achava que eu havia me envolvido rápido demais quando, na verdade, precisei de um ano para admitir que estávamos saindo? Essas não eram informações úteis para se descobrir durante as festas por uma mulher de meia-idade bêbada, de coração partido e humilhada! Merda de dezembro!

Mais tarde, naquela mesma noite, Sheryl e eu encontramos novamente o sr. AML em um grupo de quatro ou cinco pessoas que eu conhecia. E como em um replay, nossos olhares se encontraram acima das cabeças das outras pessoas. Olhei para o lado, mas não consegui deixar de sorrir. Ele estava muito, muito bem-apresentado. E eu tinha tomado muito, muito Chardonnay.

– Está bem – eu disse à Sheryl –, ele está falando com a Bárbara. Vamos perguntar ao Doug com quem a mulher dele está falando. Ver o que conseguimos descobrir.

– Então você está interessada? Bravo!

– Eu tenho certeza de que isso é o vinho, mas ué, vamos descobrir.

Doug obviamente sabia quem o sr. AML era. A piada comum em Riverside é que existem somente duzentas pessoas aqui, todos vão às festas de todos. Você não pode ter seis níveis de separação aqui. Dois ou três, no máximo.

– Você ia gostar dele, Teresa. Bom moço. Trabalha com imóveis comerciais há anos. Ele é muito bem-sucedido. Muito.

– Como nunca o vi antes? Parece que eu o teria encontrado em algum momento.

– Bem, ele passa muito tempo no norte da Califórnia, a trabalho e por razões pessoais. Ele é divorciado. Solteiro, mas divorciado. A ex-mulher dele e os filhos se mudaram para o norte da Califórnia, então ele comprou uma segunda casa lá para ficar perto dos filhos. O que mostra o quão bom moço ele é.

Mostra? Filhos? Eu teria desistido ali mesmo, mas eu estava concentrada em ter a mente aberta. E o sr. AML estava muito bonito.

– Então ele tem filhos. Alguma ideia de quantos?

– Eu acho que três. Talvez quatro – Doug estava sorrindo. Eu estava falando com um homem que estava casado com a mesma mulher por quase cinquenta anos, e eles tinham criado, com felicidade, quatro filhos juntos. Do seu ponto de vista, a informação que ele estava me passando era uma análise brilhante.

Senti um pequeno grito dentro de mim. Então o Doug continuou:

– Eu vou lhe dizer o quão bom moço ele é: ele trouxe a mãe dele de oitenta anos como a companhia dele hoje. Isso não é a coisa mais fofa?

– Que merda – o grito escapou. Eu precisava fugir.

– Obrigada, Doug. Não se preocupe em nos apresentar.

Eu fui para longe, quase derrubando minha bebida na pressa. Merda! Merda! Merda! A mãe? Como companhia para festa? Jesus, eu com certeza os escolho. Eu me virei para Sheryl.

– Definitivamente, é hora de eu ir embora.

Sheryl ria e bufava enquanto me seguia de volta à multidão:

– Eu não acredito que você encontrou o único cara que trouxe a mãe!

– Como companhia para a festa! Pelo menos eu já sei como aquele relacionamento é e eu posso evitá-lo de cara. Viu o progresso que eu estou fazendo?

– Talvez a mãe dele não seja tão ruim assim.

Parei e virei-me para Sheryl.

– Claro, não agora. Mas ela será uma vadia abominável no momento em que me conhecer. Eu sou o pior pesadelo de todas as mães, isso eu aprendi. Sem mães daqui pra frente. Eu só vou sair com órfãos.

Quando eu disse isso, vi por cima do ombro da Sheryl que o sr. AML estava vindo em minha direção, parecendo determinado em se apresentar.

Tenho certeza de que ele pensou que eu tivesse visto um fantasma. Meu rosto ficou branco, meus olhos abriram e cada nervo do meu corpo gritou "CORRE!". Eu virei de costas para ele e saí da festa.

Enquanto a Sheryl me levou de carro para casa, nós discutimos planos para sair juntas e buscar encontros casuais. Eu tinha a ideia de que se encontrasse oito ou dez caras em uma noite, eu seria capaz de pelo menos comparar, contrastar e talvez decidir exatamente o que eu estava procurando. Eu poderia escolher melhor, como Jane havia me encorajado. Sheryl me encheu o saco, brincando que a primeira pergunta de "A sua mãe já morreu?" não seria muito bem-recebida. Eu não liguei.

Mais uma vez, não pude dormir. Virei-me na cama, de costas, de lado, de barriga para baixo e então para o outro lado. Pensei sobre esses encontros rápidos, o que pareceu absurdo na minha idade. Eu teria de ligar para a Sheryl de manhã e dizer que essa era uma péssima ideia. Eu nem sabia o que estava procurando. Eu queria um relacionamento? Eu podia escolher melhor?

Tentei pensar em algo que seria melhor do que o que eu tinha com Chris. Tentei completar a frase "Agora eu vou encontrar alguém que..." e tudo me levava de volta ao Chris. Alguém engraçado, é claro. Alguém que entendesse o meu senso de humor (como o Chris). Alguém em quem eu pudesse confiar durante uma crise (como o Chris). Alguém que amasse literatura, arte e viagens (como o Chris). Alguém com uma compatibilidade diária. Alguém como o Chris. Eu me maravilhava com o quão fácil era passar um dia junto dele. Nós dois éramos pessoas noturnas, os dois preferiam o clima quente ao frio, os dois amavam comida e vinho, ler, escrever e jogos de tabuleiro, e podíamos conversar durante todo o dia ou não conversar nem um pouco, podíamos manter uma piada viva – nos divertindo em responder com outra piada um depois do outro – por horas. Eu nunca tinha visto esse tipo de compatibilidade. Eu nunca nem soube que isso existia, então eu não tinha ideia do quão importante ela era. Eu queria esse tipo de compatibilidade de volta. Eu não podia pensar em uma única coisa sequer para buscar em um homem que seria melhor do que o que eu tinha com Chris.

Exceto uma mãe morta.

E então eu me dei conta de que era como deixar o gênio sair da garrafa. Enquanto eu pensasse que relacionamentos eram como casamentos, era fácil pensar que o alfabeto da vida me sustentaria. Mas agora que eu sabia o quão boas as coisas podiam ser, agora que eu conhecia o amor daquela forma... agora eu podia ver o quão incompleto o meu alfabeto era. Eu precisava da letra *L*[9]. Eu precisava de alguém que realmente me entendesse e me amasse de qualquer forma, mesmo se a mãe dele não gostasse de mim.

Eu nunca nem tinha dado ao Chris a chance de ele provar essa última parte.

Nesse momento, meus soluços fizeram com que o Seamus sumisse da minha cama e voltasse para a dele. Levantei-me e escrevi uma carta para Chris. Eu a enviei pelo correio no mesmo dia mais tarde.

As bombas de infusão da quimioterapia do Seamus seriam aplicadas na clínica em Orange County, do Centro Veterinário de Câncer, que ficava somente a cinquenta quilômetros da minha casa. Agora eu estava agradecida por não dirigir até Los Angeles (perto de Chris). E mais, eu também esperei que, ao mudar de localização, uma nova oncologista fosse designada ao tratamento de Seamus.

Primeiro, eu levaria Seamus todas as sextas-feiras, então a cada duas semanas, e depois a cada três. Se eu me programasse bem e não pegasse trânsito, podia estar em casa às duas ou três da tarde e ainda conseguiria trabalhar um pouco (assumindo que o Seamus estivesse bem). Os efeitos da quimio seriam sentidos com mais força no segundo ou no terceiro dia depois da aplicação, então escolhendo a sexta-feira eu poderia estar em casa no sábado e no domingo quando os efeitos colaterais aparecessem. Meu plano estava feito. Meu foco era claro. Era tudo no que eu me permitia pensar.

Tive um sono picado. Seamus regularmente pulava da minha cama depois que eu o empurrava ou me virava, acordando-o muitas vezes. Eu, que raramente estou adiantada para qualquer coisa, cheguei cedo à primeira sessão de quimioterapia.

A clínica de Orange County era mais nova que a de Los Angeles, mas tinha a mesma decoração bonita, pisos coloridos de concreto, e, mais importante, tigelas de biscoitos caninos espalhadas deliberadamente por todo o espaço. Dei entrada com Seamus, e a veterinária técnica me mostrou como checar o peso dele. Uma vez que eu terminei de pesá-lo (14,15 kg) e marquei o número na folha de informações do

9 "L" de "laços de amor". (N.T.)

paciente, eu me sentei. Seamus alternava entre pular no meu colo e me puxar na direção da tigela de biscoitos no balcão.

Observei outras pessoas e animais na sala de espera, chegando e indo embora. Um golden retriever com um quarto do traseiro raspado que estava com muita raiva, um gato malhado choroso em uma caixa de transporte cujo dono estava enxugando os olhos e fungando, um cachorro de raças misturadas com três pernas, mas com muita energia, sentando contente nos pés de um casal formal de meia-idade, um basset hound sem sinais discerníveis de câncer. Mas, eu pensei, isso é uma clínica de câncer. Como Seamus, aquele cachorro estava aqui por causa do câncer.

Câncer. Eu engoli seco e virei minha atenção para a pilha de revistas. Peguei uma revista de iatismo na qual eu não tinha interesse e virei as páginas sem prestar atenção. Deixei a revista de lado e encorajei Seamus a pular no meu colo. Eu o abracei e olhei ao redor da sala de espera mais uma vez, incapaz de pensar em qualquer outra coisa: todos esses animais tinham câncer.

Câncer.

Eu dei mais biscoitos a Seamus. Esperei silenciosamente, sem fazer contato visual algum com qualquer um dos outros humanos. Eu queria fingir que todos aqueles animais ficariam bem, e eu não queria ouvir nada diferente. Falar seria muito perigoso.

– Si-mus? – uma jovem mulher em jaleco turquesa se aproximou de nós.

– Pronuncia -se Chey-mus – eu disse. Seamus pulou do meu colo e, com o rabo balançando, aproximou-se da garota.

– Ah! Chey-mus. Que nome bonito.

Ela escreveu a fonética do nome dele na ficha e deu um biscoito a ele. Parecia que eu havia levado Seamus para a Disneylândia dos cachorros. Até então, ele tinha visto vários outros cachorros sentados no colo das mamães, vários biscoitos e água engarrafada. Ele nem parecia notar que a dona dele, que nos últimos dezoito meses havia se divorciado de um homem e sido largada por outro, havia perdido dois cachorros e gastado milhares de dólares em tratamento clínico veterinário, e que agora tiraria vários dias do trabalho para passar mais tempo no veterinário, quase não estava aguentando tudo isso. Nenhuma quantidade de agrados iria ajudar. Mas isso não era preocupação de Seamus. Suas preocupações não iam além do próximo bolso cheio de biscoitos caninos.

A veterinária técnica nos levou para uma sala de exames. A placa na porta dizia “Seamus” em letras de feltro laranja brilhante. Seamus cheirou imediatamente a jarra de biscoitos em sua nova sala e começou a uivar em direção a ela. A técnica risonha o satisfez com outro biscoito.

– Ele é tão fofo – ela disse, abaixou-se e esfregou as orelhas dele. Seamus virou-se para dar a ela mais partes para serem esfregadas e me olhou com olhos que diziam que aquele era o melhor lugar de todos.

– A doutora estará com você em um momento – a técnica disse, sorrindo enquanto nos deixava sozinhos na sala de exame.

A porta abriu, e minha cara caiu. Era a Dra. Patricinha Fresca, ainda no caso. Ela foi direto ao ponto, imediatamente. Sem biscoitos. Sem contato visual comigo ou com o cachorro. Ela se focou na ficha que tinha em mãos, como sempre.

Os outros veterinários que faziam parte do Centro de Câncer pareciam fazer esforços constantes para se conectarem com Seamus – fazendo carinho ou por meio do método testado e aprovado "convença um beagle pelo seu estômago". E, então, eles eram igualmente atentos comigo e tinham compaixão. Exceto a Dra. Patricinha Fresca, que parecia decidida a sair de qualquer sala na qual eu estivesse o mais rápido que ela pudesse. Quando ela me deu o prognóstico dele, seu tom de voz não foi diferente do que havia sido quando ela me disse que o banheiro era no final do corredor à direita. Nós não parecíamos ser capazes de nos comunicar. E então tinha o fato de que ela tinha mentido sobre o laudo do patologista de Nova York – um fato simples do qual nós duas estávamos cientes. Agora eu precisava tolerar toda a sessão de quimio do meu cachorro com ela?

Ela examinou Seamus sem dizer muito e então falou:

– A técnica virá para buscá-lo e eles vão levá-lo para tirar sangue. Então eles darão a ele a bomba de infusão. Você pode esperar aqui ou na sala de espera na entrada.

Não querendo estar com pessoas e outros animais de estimação doentes com câncer e possivelmente morrendo, eu disse:

– Eu vou esperar aqui. Quanto tempo vai demorar?

– Mais ou menos vinte minutos, dependendo de como ele for.

E ela saiu. *Dependendo de como ele for?*

Um tempo depois, Missy, uma técnica baixinha e loira, veio até a sala e imediatamente se abaixou para fazer carinho em Seamus. E ela deu um biscoito a ele.

– Você quer que eu tire a amostra de sangue aqui? Assim você pode ficar com ele.

Eu odeio agulhas. E ver sangue me faz quase desmaiar.

– Sim. Eu gostaria de estar com ele. Posso ficar com ele durante a quimio?

– Normalmente é melhor fazer a quimio na parte dos fundos do hospital. Nós precisamos mantê-lo calmo e imobilizado, e se ele vir a mamãe, ele pode não querer ficar parado.

Ela aprontou a agulha e posicionou Seamus no chão.

– Aqui, apenas segure a cabeça dele em sua direção e faça carinho nele ou fale com ele. Isso vai ser rápido.

Eu não queria assistir. Eu segurei a cabeça de Seamus para que nenhum de nós dois tivesse de olhar a agulha.

– Tudo bem, dê um beijo nele e eu vou levá-lo. Você vai esperar aqui?

– Sim. Eu vou esperar aqui.

Eu tentei ser corajosa pelo meu cachorro.

– Tchau, Seamus. Você vai ficar bem. Há biscoitos para quando você sair.

Eu tenho certeza de que ele entendeu a parte do biscoito. Também tenho certeza absoluta de que ele era muito mais corajoso do que eu.

Pensei que a quimio levaria horas. Eu não sei por que eu pensei nisso, mas parecia tão sério. No entanto, em mais ou menos meia hora, Seamus voltou à sala saltitante, bamboleando e com a cauda para cima. Ele estava puxando Missy.

– Ele foi bem – falou Missy. – Nós tivemos de raspar a perna dele um pouco para pegar a veia que nós precisávamos. O curativo é de onde o cateter borboleta foi inserido. Você pode tirá-lo amanhã.

O curativo era verde neon. Seamus parecia desenvolto com esse novo acessório. Eu dei a ele um biscoito verde e ele comeu rapidamente.

– Até então, sem perda de apetite.

– Isso pode não começar por alguns dias.

Ela me deu a coleira dele e fez um carinho na cabeça de Seamus.

– Ele é um amorzinho.

Seamus cheirou o rosto dela, como em valorização de sua atitude.

Nós fomos até a recepção, Seamus trotando ao meu lado, parando para cheirar cada porta que pudesse ter uma jarra ou uma lata de lixo com alguns biscoitos. A quimioterapia Vimblastina, a amostra de sangue, a avaliação e todas as prescrições médicas, com as taxas de "coleta de lixo hospitalar" (que soava ameaçador), custaram US$236. E nós tínhamos outros nove tratamentos pela frente.

Eu e Seamus voltamos para casa para aproveitar a noite de sexta sozinhos... esperando, com minhas instruções à mão. Uma vez que boa parte da informação era conflitante – a quimio causava perda de apetite, mas os esteroides que ele estava tomando controlavam a náusea e podiam aumentar o apetite; a quimio podia causar diarreia, mas esteroides causavam prisão de ventre; a quimio o deixaria cansado, mas os esteroides dariam a ele um impulso de energia – eu tinha todos os produtos imagináveis, suplementos e remédios caseiros para cada reação possível. Não havia nada que eu pudesse fazer além de esperar. Era como ver um filme de terror no qual você sabe que o homem mau vai aparecer para aterrorizar a personagem principal, você só não sabe como nem quando. Mas isso era real – Freddy não era um ator; Freddy era a quimio.

Uma vez em casa, Seamus bebeu água (comigo ansiosamente assistindo para ver se ele beberia uma quantidade grande ou não), comeu o seu jantar e se enrolou na sua cama para uma soneca. O que é basicamente o que ele fazia todas as sextas-feiras até que o Moço da Comida chegasse.

Não haveria Moço da Comida naquela noite. Em vez de queijos e bolachas de água e sal e vinho, eu fiz uma boquinha de frango cozido e arroz, especialmente para o Seamus e somente para Seamus. Acendi a lareira e deitei no sofá com um bom livro e um ótimo cachorro e fiquei ali até de manhã.

Chris ligou no sábado à tarde.

– Eu recebi sua carta. E queria falar sobre isso, queria muito. Mas, primeiro, como Seamus está?

– Ele está muito bem até agora – eu disse.

– Bom. Eu fico feliz. E você? Como você está?

– Na verdade, eu não acho que esteja tão bem quanto o cachorro.

– Nem eu. Eu estava esperando que a gente pudesse conversar pessoalmente. Estava esperando que eu pudesse vê-la amanhã.

Fiz carinho em Seamus e deixei lágrimas negras caírem.

– Sim. Acho que isso seria bom.

Foram oito longos dias.

Capítulo 9

Batalhando

Seamus levantou sua cabeça, mantendo os olhos bem abertos. Pulou do sofá, cruzou a lavanderia correndo e escapuliu velozmente pela porta de cachorro em direção ao portão da frente. O uivo frenético dele se acalmou em segundos, e eu o escutei choramingar com prazer.

Chris estava no jardim, abaixou-se para fazer carinho em Seamus, que havia se enrolado todo em seu colo.

– Bem-vindo de volta – eu disse.

– Oi.

Chris parou e nos olhamos por cima de Seamus durante um momento estranho.

– Entra.

Nós nos acomodamos no sofá do antro, olhando um para o outro, mas sem nos tocar.

– Eu fiquei feliz por você ter me enviado a carta.

– Eu também. E fiquei feliz por você me ligar.

Outro silêncio desconfortável.

– Acho que eu deveria começar... – eu disse.

– Talvez.

– Eu devia começar pedindo desculpas. Mais uma vez, eu imagino. Quero dizer, eu espero que você tenha entendido que a minha carta era de desculpas.

– Parte dela era. E parte dela era você me pedindo explicações.

– Sim. É verdade. Desculpe, eu estou confusa. Eu ia começar com a parte em que me desculpo.

– Nós podemos começar com o "você está confusa". Porque eu realmente preciso que você entenda uma coisa. Isso não tem nada a ver com o que os meus pais me disseram. Eu não vim para cá naquela noite com intenção alguma de terminar com você. Eu não estava, e não estou, ouvindo os meus pais ou fazendo o que eles querem. Isso, honestamente, não teve nada a ver com o que eles querem.

– Está bem. O momento só fez isso ser ainda pior de entender. Eu tenho problemas com mães. Eu sei disso. É difícil para mim pensar que eu vou ganhar alguma vez.

– Eu entendo isso. Eu entendo o que parece. Mas, de verdade, tudo só começou a crescer e ficar fora de controle, e antes que eu me desse conta, eu me senti como se não tivesse escolha. Os meus pais exigindo que eu fosse um tipo de pessoa, esse zumbi corporativo com mulher e filhos, que passa os finais de semana com eles no clube,– que eu definitivamente não sou. E você exigindo que eu fosse outra coisa, ou, eu não sei, me acusando de eu ser outra coisa. E me dei conta de que eu não sabia quem eu era ou o que eu queria. Pensei que eu devia ficar sozinho para entender as coisas por mim mesmo, sem ninguém me pressionando.

– Eu não quis pressioná-lo. Eu estava assustada, então fiquei na defensiva.

Eu queria tocá-lo – para segurá-lo –, mas eu não o toquei.

– Eu sei. Isso que eu quero dizer. Você também não acredita em mim. Você está tão presa em toda a merda que aconteceu no seu passado que você não me dá crédito algum. Você assumiu que eu sou como todo mundo. E isso machuca. Eu não aguentava todo mundo me dizendo quem eu sou. E todo mundo está tão errado – ele ajustou sua postura, virando-se para mim e movendo-se para mais longe.

– Mas eu não sei o que é certo.

Nós nos sentamos, olhando um para o outro, ainda afundados na nossa própria miséria. Eu queria consertar isso. Eu queria nosso relacionamento de volta. Eu queria o Chris de volta. Ele ainda estava dizendo que queria estar sozinho? Ele ainda precisava entender as coisas?

– Você está certa. Você está certa. Você não merecia isso. Eu queria poder ter estado aqui para você, e eu reconheço que não estava. Desculpa. De verdade.

– Obrigada.

Mais uma vez, ficamos no sofá em silêncio, a centímetros de distância um do outro que mais pareciam quilômetros.

– Eu sei que não é justo que eu tenha assumido que você seria como todos os outros do meu passado. É realmente difícil para mim. Mas eu aprendi muito desde a semana passada. Eu vi o que eu tinha a perder – disse antes de respirar fundo, puxando o ar e a coragem. – Eu não quero perdê-lo. Eu posso fazer melhor. Se você me deixar tentar de novo.

Uma hora passou. Talvez duas. Ou apenas minutos. Eu não sabia.

– Me desculpa se eu o assustei – Chris falou.

– Assustou e tomou a decisão ruim de terminar comigo? – eu sorri, esperando que ele entendesse que eu estava tentando melhorar o humor, não confirmando minha ditadura. E esperando estar certa.

– Sim. A muito ruim, nada boa e terrível escolha de terminar com a melhor coisa que já tinha me acontecido – ele olhou diretamente para mim.

Tremendo, eu movi a minha mão para a coxa dele.

– Então talvez a gente possa tentar de novo?

Ele colocou a mão dele sobre a minha.

– Eu gostaria muito que sim.

Ele se inclinou e me beijou. Eu nunca soube que algo como lágrimas de alívio existiam até então.

Em seguida, no entanto, Seamus uivou para quebrar o clima. Ao menos ele nos deu dez segundos.

Nós dois rimos, e Seamus entendeu isso como uma brecha para ele se juntar a nós no sofá. Ele veio rapidamente e inclinou-se para trás, expondo sua barriga para um longo e bom carinho.

– Ele parece bem – Chris disse.

– Sim, ele tem estado melhor do que eu.

– Melhor do que eu também, tenho certeza – Chris beijou o topo da cabeça redonda do Seamus.

– Se você precisar falar mais, eu prometo só escutar.

– Talvez mais tarde.

– Na banheira quente – nós dissemos ao mesmo tempo.

Naquela noite, entramos em acordo com algumas regras, começando por melhorias na comunicação e nada de suposições. Nós nos manteríamos firmes como um time nas batalhas que sabíamos ter de enfrentar contra a família dele e contra o câncer de Seamus. Também concordamos que as festas de fim de ano seriam tratadas com cuidado. Eu não era bem-vinda nem estava disposta a ir para a casa dos pais dele. Considerando a melhor das circunstâncias, eu não estava disposta à educação fria e falsa que ocorreria. Concordamos que Chris passaria a noite de Natal com a família dele e eu ficaria em casa cuidando de

Seamus. O dia de Natal seria nosso, mas não tínhamos feito nenhum plano específico. Tudo era experimental.

Nos dias que se seguiram, consegui levar Seamus para passear de manhã, como sempre. Ele ainda corria para a garagem comigo, fazia barulho, uivava e insistia para eu não deixá-lo sozinho. Ele ainda engolia a ração em meros segundos e todas as noites me empurrava, virava-me pelas costas e dava patadas até que eu fizesse vigorosos carinhos em sua barriga por tempo suficiente. Mesmo aparentando ter passado pela sua primeira quimioterapia sem efeitos colaterais, além de um apetite voraz que resultou em um ganho de peso e, consequentemente, em um pequena diarreia, eu estava ansiosa para levá-lo para a próxima sessão do tratamento.

A sessão foi marcada para 23 de dezembro.

Esse dezembro em particular tinha sido um desastre emocional para mim. Dia 23 de dezembro e uma segunda rodada de quimioterapia não podiam ser uma boa combinação. O bom senso me dizia que os efeitos colaterais seriam cumulativos. Simplesmente porque ele estava bem da primeira vez, não significava que a segunda seria fácil.

Quando saí com Seamus para sua consulta, Chris saiu para encontrar a mãe no terapeuta dela para algum tipo de tratamento, algo que ele havia concordado em fazer na semana em que estávamos longe. A mãe dele sentia que isso melhoraria a comunicação entre eles, e Chris achou que devia tentar, ainda que ele estivesse um pouco mais esperto sobre a consulta dele do que eu estava sobre a minha.

No centro veterinário, eu ainda não podia olhar para os outros animais na sala de espera. Tinha certeza de que o basset hound, que eu havia visto antes e que não parecia ter câncer, estava provavelmente como Seamus agora: um paciente de quimioterapia com veneno correndo pelas veias, batalhando por sua vida. Dessa vez, esperei com Seamus do lado de fora, avisando a recepcionista onde estávamos para quando precisassem nos chamar. Andei para cima e para baixo com Seamus no jardim da calçada. Ele alternava entre cheirar a grama e olhar para trás na minha direção com expectativa. Através da porta de vidro, vi a recepcionista fazendo um sinal para que eu entrasse.

A visita melhorou imediatamente quando me disseram que a Dra. Patricinha Fresca estava de férias e a Dra. Roberts, dona da clínica, cuidaria de Seamus. A pesagem mostrou que Seamus agora estava com quinze quilos e quatrocentos gramas – quase dois quilos mais pesado desde que isso tudo começou.

Depois de doses generosas de biscoitos, quinze minutos na área do hospital sem mim, um curativo neon laranja na perna, um biscoito extraverde, uma prescrição para Tagamet e Zotac, e US$190.55 em milhas aéreas, nós tínhamos terminado. Nem sequer havia trânsito no caminho para casa. A segunda rodada de quimio havia terminado, e o caminho era mais longo do que o procedimento. Eu apertei o botão para abrir a porta da garagem e respirei fundo ao entrar. No momento em que estacionei o carro, Seamus começou com seus uivos felizes: *Eu estou aqui atrás! Não me esquece aqui! Eu estou aqui! Me leva com você! Auuuuuuuuuuuuuu! Agoooooooora!*

Quando estávamos de volta em casa, alimentei Seamus adicionando um pequeno hambúrguer de carne magra e queijo cottage à ração de proteínas dele. Juntos, nós nos ajeitamos no sofá e tiramos um cochilo enquanto esperávamos Chris se juntar a nós.

Chris chegou duas horas depois. Mesmo se Seamus não tivesse pulado agilmente para fora do sofá e saído correndo e uivando para encontrá-lo, suspeito que o humor de Chris teria me acordado de qualquer forma. Ele se jogou no sofá ao meu lado, pálido e tenso, enquanto Seamus continuava a uivar e a correr pela casa, jogando seus brinquedos barulhentos no ar e pedindo para brincar.

Chris fez carinho em Seamus para acalmá-lo, mas ele não estava olhando para o cachorro. Ele olhava para o chão. Depois de muitos minutos ele olhou para cima.

– Então, a boa notícia é que eu não vou para a casa dos meus pais na noite de Natal – ele disse, enquanto passava a mão pelo cabelo.

Eu respirei lentamente.

– Eu imagino que sua terapia tenha sido pior que a de Seamus, certo?

– E mais tóxica, aparentemente.

– Isso não é bom.

– Não, eu acho que é. Eu acho que isso tinha que acontecer.

Tentei me focar em ouvir e dar suporte enquanto ele me descrevia como as três horas da maratona de sessão terapêutica haviam dado totalmente errado. O relacionamento dele comigo não era a única decisão que ele tinha tomado que os pais dele haviam determinado modificar por ele. A carreira e o peso dele estavam entre os tópicos nocivos dissecados. As duas coisas, pelo que parecia, eram inaceitáveis (a primeira era muito pequena e a segunda muito grande). Eu consegui não entrar no meio com meus próprios medos como havia feito antes, ainda que isso fosse difícil. Ele tinha enfrentado a família dele e isso era bom o suficiente. Eu estava aprendendo a dar pequenos passos.

– Como terminou?

– Mal. Eu não vou nunca mais falar com eles. Meus pais estão mortos para mim.

Comecei a protestar de cem formas diferentes. Eles não haviam nem me dado uma chance; eles não tinham direito de julgá-lo; por que eles não veem como a gente fica bem juntos? Mas eu me segurei. Ele precisava do meu apoio, não da minha raiva e certamente não da minha bagagem. Eu não queria ser o que estava entre o Chris e a família dele, mas eu havia aprendido: Chris precisava lidar com isso sozinho.

E era preciso ficar lembrando que isso não tinha nada a ver comigo. Isso ia muito além de com quem ele estava saindo.

No fim da noite, ficamos apaixonados pelo fato de que seríamos somente nós três no final de semana. Essas palavras normalmente não se formam na minha cabeça ou saem da minha boca, mas eu estava começando a pensar "talvez essas festas não sejam tão ruins". Eu só precisava fechar os olhos, momentaneamente, para os motivos que nos levaram a esse trio de fim de ano.

Na manhã de Natal, abrimos presentes em frente à lareira. Seamus ganhou um número espetacular de brinquedos que faziam barulho, que ele alegremente começou a mastigar. Nós relaxamos lendo por horas, com constante barulho de brinquedos como música de fundo. Nosso único contato com o mundo exterior foram ligações dos meus pais. O dia passou pacificamente.

Quando Chris começou a preparar o jantar, eu me sentei no balcão da cozinha, com uma taça de vinho, e Seamus se sentou o mais perto que pôde do pé de Chris, para o caso de algum pedaço cair no chão. Ao cair da noite, nós três nos sentamos para uma refeição deliciosa de *chateaubriand*, batatas gratinadas, creme de espinafre e bolinho. E é claro, Seamus teve o seu próprio pratinho com um pouco de tudo, mesmo que nós tenhamos decidido que ele não se sentaria à mesa, porque eu poderia não ser tão rápida quanto ele seria para atacar o meu prato. Não preciso dizer que ninguém teve uma diminuição de apetite.

Eu sobrevivi às festas – não ilesa, mas talvez sem danos. Eu precisava daquele dia para juntar minhas forças.

Na terceira sessão de quimioterapia, em 30 de dezembro, o peso do Seamus havia subido para dezesseis quilos. Não, o apetite dele não era um problema. Depois de três sessões, ainda que eu frequentemente voltasse do trabalho para casa para dar uma olhada nele e tivesse quase eliminado qualquer compromisso à noite para que pudesse ficar em casa, eu estava começando a acreditar que Seamus iria tolerar bem o tratamento. Ele era, como eles haviam dito, não tão duro com cachorros como com humanos. Se era pela dosagem, pelo tipo de quimioterapia ou por alguma razão biológica, eu não ligava. Eu simplesmente estava feliz de saber que ele não estava sofrendo e não tinha náuseas. A quimio, pelo que parecia, era algo com o que nós podíamos lidar.

Chris foi comigo para a quarta sessão. Dessa vez, foi ele quem segurou Seamus enquanto coletavam o sangue. Ele também me segurou enquanto eu esperava pelo tempo da infusão, enquanto Seamus estava na área hospitalar sem mim. Essa era a parte difícil já que não havia o que eu pudesse fazer além de esperar o tempo passar, nervosa, fingindo ler revistas ou folheando as páginas de um livro. Ter Chris comigo facilitou a espera. Sem demora, mais uma vez Seamus veio alegremente se balançando pela sala, movendo sua perna direita traseira com a pata quase não tocando o chão. Chris certa vez me falou que Seamus às vezes corria ou trotava como se ele só tivesse três pernas. A perna direita traseira era como um pneu *step* – estava lá por qualquer emergência, mas não era realmente necessária. Eu sorri quando vi aquela marcha em particular trotando pela sala.

Quando ele se juntou a nós na sala de exames, a Dra. Patricinha Fresca informou que Seamus teria duas semanas de descanso antes que nós tivéssemos de retornar para a próxima medicação da quimioterapia.

– Próxima? Vai ser uma medicação diferente? – perguntei.

– Sim. Essa ele vai tomar oralmente.

Eu não me lembrava de ter escutado que haveria mais de um medicamento. Eu não sabia que existia mais de uma medicação de quimioterapia.

– Mas, se nós sabemos que ele tolera a que já está tomando, porque não terminar o tratamento da mesma forma?

Ela me deu aquele olhar de "eu estou tentando ser paciente com você, mas você não consegue simplesmente deixar que eu faça meu trabalho e não perguntar coisa alguma", que eu estava ficando acostumada a ignorar.

– Nós temos de fazer tudo o que pudermos. Para dar a ele a melhor chance de sobrevivência, nós fazemos diferentes tipos de quimio.

– Então existe uma chance de ele sobreviver?

Eu senti que esse, de alguma forma, poderia ser o caso, mas nunca parecia que ela falava sobre sobrevivência no senso de vencer a doença, mas apenas sobrevivência naquele ano.

– Bem, qualquer que seja o tempo que possamos dar a ele.

E mais uma vez aí estava. A limitação.

Nós demos voltas e voltas com as minhas perguntas de sobrevivência em termos de cura ou se mais tempo de vida era uma possibilidade que ela aparentemente pensava ser uma falsa esperança.

– Sério? Então nenhum cachorro com tumor nas células mastro das glândulas anais já sobreviveu? – eu disse.

– É claro que sim.

– Está bem, então ele tem alguma chance.

– Eu só estou tentando ser realista.

– Sim, e eu também.

Nós nos olhamos por cima da mesa de exames. Eu não sou nem otimista, muito menos uma fantasiadora, e aqui está essa patricinha fresca não podendo me dizer, depois de dois meses e de 5 mil dólares, que Seamus tinha, ah, eu não sei, 10% de chance de sobreviver? Isso, para mim, era ridículo. E frustrante.

A conversa de banheira daquela noite com Chris foi sobre meu relacionamento combativo com essa médica.

– Você pode ser sincero. Você acha que isso é algum tipo de drama feminino em que as duas estão determinadas a estar no controle?

Aparentemente, no que se tratava dessa médica, eu poderia manter minha injúria e indignação mesmo mergulhando em água quente, com vinho na mão e luzes da cidade brilhando no horizonte.

– Bem, pode até ser um pouco disso. Eu acho que os gênios de vocês podem estar colidindo. Ela claramente precisa estar no controle e simplesmente não é uma pessoa muito receptiva ou comunicativa. E você quer muita informação, e hum...

– Eu preciso estar no controle também.

– É. Isso.

– E eu não sou muito receptiva ou comunicativa também?

– Bem, nós estamos trabalhando nisso.

– Está bem, mas eu sou a cliente. Se eu faço uma pergunta e quero entender o tratamento e pelo que estou pagando, eu não tenho esse direito? Por que ela faz como se eu a estivesse incomodando? O que eu devo fazer? Simplesmente dar meu cachorro e meu cartão de crédito para ela e dizer "faça o que você quiser"? Eu não vou fazer isso.

– Bem, eu imagino que algumas pessoas façam isso.

Olhei fixo para ele. Claro, talvez algumas pessoas façam isso. Olhei para Seamus na cadeira do pátio, esticado, com a cabeça descansando nas patas dianteiras cruzadas, e com grandes olhos marrons delineados olhando fixamente para mim.

– Eu acho que não sou qualquer pessoa. Só quero entender as escolhas e estar segura de que estou tomando as decisões certas. Eu não tinha ideia de que nós mudaríamos de quimio e lidaríamos com toda uma nova possibilidade de efeitos colaterais. Eu deveria ter sido avisada disso antes. Eu não pesquisei sobre essa nova quimio.

– Talvez você devesse pedir uma nova médica. Eles têm uma clínica inteira cheia delas. Peça outra médica.

– Acho que vou fazer isso.

Sendo assim, conversei comigo mesma no caminho para a consulta de Seamus do dia 20 de janeiro. Eu ia fazer a Dra. Patricinha Fresca explicar a nova quimio para mim, quais os riscos dela e o que ela faria que a outra não fazia, e juro que, se ela não me respondesse, eu iria exigir uma nova médica.

Quando cheguei, fiquei surpresa ao ver um casal de Riverside que eu conhecia esperando na entrada com a basset hound deles. Eles também eram voluntários no Centro de Adoção de Animais Mary S. Roberts, nós tínhamos o mesmo veterinário e eu os via frequentemente com seus cachorros (eles também tinham dois beagles) em eventos. Sempre pensei neles como um casal feliz, contente e um pouco rebuscado, que parecia sereno para muitas coisas. A basset deles, Molly, tinha o mesmo tipo de câncer que Seamus. E a mesma médica.

– Ela não é ótima? – os dois falaram ao mesmo tempo.

– A Dra. Gilbert? – eu disse, me abstendo de chamá-la de Dra. Patricinha Fresca.

– Sim. Ela tem sido tão maravilhosa com Molly.

– Hum. Bem. Eu diria que ela tem sido menos maravilhosa com Seamus. Ou comigo, tanto faz.

– Jura?

Eles pareciam tão atônitos em ouvir isso quanto eu estava em ouvir "maravilhosa" expressado em um raio de cinco quilômetros da Dra. Patricinha Fresca.

– Bem, basicamente, eu não consigo fazê-la falar comigo sobre qualquer coisa além de Seamus só ter mais um ano de vida.

– Ah, não.

Eles se olharam. Eu não sou muito boa com conversa de pessoas casadas, então não tenho ideia do que aquele olhar expressou. Eu imaginei: "Ah, pobre Teresa – o cachorro dela está morrendo e ela está ficando louca e colocando a culpa na médica".

– E eu sei que ela não quer dar falsas esperanças, mas me parece que alguma esperança não estaria fora de questão, vocês não acham?

Eu provavelmente estava suplicante – estridente e desesperada. Tenho certeza de que eles quiseram mudar as consultas para não terem que me encontrar de novo, e, de fato, nós apenas nos encontramos novamente uma única vez.

– Ah! É claro. Você tem de ter esperança – eles disseram e sorriram de forma encorajadora. Como se estivessem me encorajando a deixá-los felizes e sozinhos em sua bolha alegre.

Quando Seamus e eu fomos chamados para dentro da sala de exames, eu estava totalmente subjugada. É claro que era culpa minha. Eu estava sendo agressiva e exigente demais. Eu devia ser somente mais amigável com a médica e deixá-la fazer o serviço dela sem perguntas. Eu devia ser como o bom casal.

O Seamus estava pesando 16,42 quilogramas (depois eu percebi que o laudo do tratamento dele dizia "Condição Corporal: acima do peso"). Entreguei obedientemente meu cartão de crédito e meu cachorro gordo. Sentei e esperei, sentindo como se eu estivesse com meu rabo entre as patas.

Capítulo 10

Cair e levantar

Tirei três potes de comprimidos – esteroides, medicamentos para dor e a pílula da quimio – da sacola que me deram. Reli a tabela que indicava quando cada pílula deveria ser dada nos próximos vinte dias. Conforme eu lia novamente as instruções de cada pote, eu os colocava em uma fileira, próxima à tabela, que estava no balcão da cozinha. As instruções de como administrar as pílulas diziam que elas não deveriam ser armazenadas próximas a alimentos e bebidas abertas, que a pílula não deveria ser quebradas ou cortada e que se eu estivesse grávida, amamentando ou planejando ficar grávida, eu deveria ter muito, muito cuidado quando fosse administrar os remédios, já que fetos e bebês são particularmente vulneráveis aos efeitos tóxicos que tais remédios têm. E que tal um cachorro de pouco mais de dezesseis quilos?

De dentro da sacola, peguei as luvas de borracha que foram indicadas para serem usadas quando estivesse mexendo com os medicamentos e as coloquei ao lado dos potes de comprimidos. Luvas. Quão mais claro poderia ser que eu estava envenenando o meu cachorro?

Coloquei ração na tigela do Seamus com um pouco de caldo de carne. Depois que ele terminou de comer o seu desjejum, eu o chamei e fiz carinho nele por um bom tempo, esfregando as suas orelhas, coçando as suas costas e me desculpando de todas as maneiras que eu podia. Então eu coloquei as luvas, recheei um quarto de um cachorro-quente com uma pílula, e, com lágrimas nos olhos, entreguei o cachorro-quente ao meu amado beagle. Seamus engoliu tudo em uma só mordida, abanou o rabo e olhou para mim querendo mais. Eu dei outro pedaço com outra pílula escondida. Ele também comeu, assim como o terceiro pedaço. De noite, ele parecia não ter sido afetado pelos remédios. Isso mudaria em breve.

Eu normalmente me pergunto como pessoas que vivem sozinhas, sem animal algum, explicam todos os barulhos estranhos que ouvem em suas casas. Geralmente, Seamus me segue pela casa e fica próximo o suficiente para que eu imagine que qualquer barulho que não seja meu seja dele, e isso me ajuda a dormir de noite. Além disso, eu gosto dos seus barulhinhos – o som das suas placas de identificação de alumínio barato batendo uma na outra quando ele está se movimentando e ainda mais rápido quando ele está coçando a sua orelha com a pata traseira, os pequenos gemidos e barulhos quando ele dorme, a circulação e os arranhões para arrumar todos os cobertores e almofadas antes de deitar, o farejar incessante do ar para qualquer sinal de torradas, suas unhas sapateando pelo chão de madeira conforme ele trota em direção ao lado de fora e, em seguida, o barulho da porta para cachorro. Um cachorro é uma presença em uma casa.

Em casa, Seamus não está sempre ao meu lado, mas, se estou no andar de cima, ele está no andar de cima. Se vou para o andar de baixo, ele vai até o andar de baixo – claro, a cozinha é no andar de baixo, então isso explicaria o porquê. Ele estará em outro cômodo, mas normalmente no meu campo de visão e definitivamente em uma distância audível.

É por isso que eu me preocupei imediatamente onze dias depois que a nova quimio foi administrada, quando Seamus não me seguiu para o andar de baixo para o meu café da manhã. Meu café vem primeiro, mas enquanto a água está fervendo, Seamus ganha seu café da manhã. Coloquei uma xícara de ração de alta proteína em sua tigela. O som da ração caindo na tigela é como um chamado de acasalamento para o beagle. E, mesmo assim, sinal algum de Seamus. Eu fiz torradas e peguei um pouco de café para mim. O barulho da alavanca da torradeira deveria ter sido outro sinal – um barulho que normalmente faz com que Seamus desça um lance inteiro de escadas e corra por dois cômodos no que parece ser uma fração de segundos. Eu era conhecida por abaixar a alavanca da torradeira só para fazer com que Seamus descesse para sair e passear. Não funcionou dessa vez.

Corri de volta para o andar de cima, com o café e uma torrada na mão e encontrei Seamus ainda em sua cama. Ele levantou a cabeça e farejou o ar em direção a minha torrada. Quando segurei a casca para ele, ele cheirou e então a pegou, mas não se sentou. Ele comeu um pouco, mastigou devagar e, quando eu voltei para a minha cama, ele me seguiu, sentando ao meu lado e esperando por mais torrada. Conforme eu terminava de me arrumar para o trabalho, Seamus se enrolou na minha cama e dormiu.

Imaginei que aquele devesse ser o cansaço do qual eles estavam falando. O seu próximo exame de sangue aconteceria três dias depois, sendo que então era de se esperar que sua contagem de glóbulos brancos fosse mais baixa. Pela aparência de Seamus naquela manhã, essa quimio estava tendo mais efeito do que as outras. Se os glóbulos brancos fossem aqueles que dão energia para o corpo, eles estavam abanando bandeiras brancas em sinal de fraqueza. Somei todos os dias ou meios dias de trabalho que eu estive fora do escritório por todo o tratamento dele até agora e mentalmente passei pela pilha de documentos na minha mesa. Eu precisava ir para o escritório. Decidi que iria para casa para um almoço mais cedo e se ele não parecesse melhor até lá, eu iria ligar para o veterinário. Quando Seamus não me seguiu escada abaixo enquanto eu saía para o trabalho, hesitei. Voltei para o andar de cima e fiz carinho nele, dei um beijo na sua testa e prometi que voltaria.

Eu estava de volta depois de três horas. Seamus não me recebeu do lado de fora ou sequer andou até a porta da frente.

Corri para o andar de cima e o encontrei deitado na sua cama, acordado, vivo e olhando para mim, mas sem nem sequer levantar a cabeça. Ele mal conseguia manter as pálpebras abertas.

Liguei para a clínica.

Essa conversa parecia que levava horas. Queria tanto ouvir "isso é perfeitamente normal, dê a ele uma aspirina infantil e tire seu sangue como planejado" ou "traga ele imediatamente". Eu queria que me dissessem o que fazer. Não queria estar no comando.

– Você provavelmente deveria levá-lo para ser examinado – disse a recepcionista da clínica veterinária.

– Eu devo levar ele até vocês agora?

– Bom, você pode trazê-lo ou então levá-lo ao seu veterinário.

– Mas, se isso é relacionado à quimioterapia, eu não deveria levá-lo até vocês?

– Você pode. Ou pode levá-lo até o seu veterinário. Você tinha marcado de tirar sangue com o seu veterinário, não tinha?

– Sim, mas isso é daqui a três dias. Eu devo esperar tudo isso?

– Provavelmente, não.

– Então eu devo levá-lo até vocês agora?

– Você não precisa trazê-lo até aqui. Você pode levá-lo ao seu veterinário.

Eu queria gritar com ela. Parecia claro que eu precisava levar o cachorro, mas a maneira como ela mencionava o meu "veterinário" era confusa. Isso significava que isso não era algo que precisasse de um especialista? Isso não era relacionado à quimio? O que o meu veterinário normal, não emergencial, faria com um beagle sofrendo efeitos colaterais de uma quimioterapia?

– Eu não quero ir ao meu veterinário. Eu quero levá-lo até vocês.

– Se essa é a sua decisão, você pode fazer isso.

– Bom, não é isso que eu devo fazer?

–Você só precisa levá-lo a algum lugar. Eu não esperaria.

–Você está dizendo que eu não tenho tempo para dirigir até vocês? A viagem normalmente demorava por volta de 45 minutos.

– Não. É completamente ao seu critério, não importa onde você queira levá-lo.

A frustração saía pelos meus poros. Por que ela não podia me dar instruções como "traga o seu cachorro imediatamente"? E por que eu não podia apenas dizer "estou levando meu cachorro agora"?

– Isso me parece algo para vocês cuidarem. Por que eu o levaria ao meu veterinário? Ele não é um especialista em câncer.

– Nós apenas não gostamos de interferir no seu relacionamento com o seu veterinário. A escolha é sua.

Eu fui entender isso apenas mais tarde, é claro, como foi meu veterinário quem indicou a clínica especializada em câncer, eles eram cuidadosos para não retribuir o favor roubando todo o cuidado veterinário futuro. Ótimo, isso funcionava para o relacionamento deles, mas e o cuidado de que o Seamus precisa? E precisa agora!

– Eu vou levá-lo até vocês agora. Eu chego em meia hora.

Eu me esqueci de ligar para o escritório para avisar que não voltaria. No caminho, eu xingava cada carro na estrada quando o ultrapassava, bem acima do limite de velocidade, mas cheguei à clínica em meia hora. Peguei Seamus no colo para tirá-lo do carro e o levei para dentro. Ele nem levantou a cabeça ou farejou por biscoitos. Ele apoiou sua cabeça junto ao meu ombro, e eu podia sentir todos os seus dezesseis quilos pesando nos meus braços.

– Oh, Seamus! – a recepcionista saiu de trás da mesa e esfregou a cabeça do meu beagle.

– Deixe que eu o levo para dentro. Nós vamos prepará-lo e então o médico irá vê-lo.

Eu não sabia se a recepcionista era a mesma garota do telefone, mas pelo menos agora alguém estava dando a atenção de que ele precisava. A atenção de que eu precisava que ele tivesse. Ela o pegou dos meus braços, e eles se foram. Eu nem tive tempo de me despedir. Senti um pequeno pânico que eu não sentia desde que me disseram pela primeira vez que ele tinha câncer. No momento em que eu relaxei e pensei que ele ficaria bem – que ele sobreviveria não só à quimio, mas ao câncer – BUM! Seamus estava sendo levado para a unidade de tratamento intensivo.

Voltei para a sala de espera. Dessa vez, eu chorei e não me importava se alguém estivesse me vendo. Cada assento da sala poderia estar ocupado e eu não seria capaz de segurar o choro. Teria contorcido o meu rosto, fungado, engolido ar, mas inevitavelmente eu não teria sido capaz de me segurar. Eu estava assustada. Eu me sentia extremamente culpada por não tê-lo trazido imediatamente naquela manhã. Eu me sentia culpada por deixar a Dra. Patricinha Fresca mudar a quimioterapia. Dei ao Seamus os comprimidos que estavam causando isso! Disfarcei o veneno em um cachorro-quente e o enganei para comê-lo. Tudo era culpa minha. Meu cachorro ia morrer e era culpa minha. Não existia pedacinho algum de mim dizendo que eu estava sendo ridícula.

Quando finalmente pude ver a médica, não era, felizmente, a Dra. Patricinha Fresca. Era a Dra. Roberts de novo. Mas Seamus não estava com ela.

– Seamus é um garoto doente. Foi bom você tê-lo trazido – ela disse.

– Ele vai ficar bem? – essa deve ser a pergunta mais frequente feita a um veterinário. Eu me pergunto quão frequente é a mesma resposta que eu recebi.

– Nós esperamos que sim – ela disse antes de se inclinar por cima da mesa de exames, apoiando-se nos antebraços, mas fazendo contato visual. – Ele está febril e tem uma contagem de glóbulos brancos muito baixa. Nós demos a ele medicamentos intravenosos, antibióticos e uma injeção de Neupogen para aumentar a contagem de glóbulos brancos.

Tudo bem, talvez eu tenha trazido ele a tempo.

– E agora, o que acontece?

– Nós iremos cuidar dele por esta noite. Talvez por alguns dias. Nós iremos recontar o seu número de glóbulos brancos amanhã e reavaliar o caso. A preocupação é com uma provável infecção. Ele não tem glóbulos brancos suficientes para combater uma infecção, então precisamos ter cuidado.

– Posso vê-lo?

– Por enquanto é melhor não. Ele está descansando e recebendo os medicamentos, e isso é exatamente o que a gente precisa que ele faça agora.

Eu saí de lá com a certeza de que a Dra. Patricinha Fresca iria cuidar de Seamus e de que eu poderia ligar e verificar como ele estava a qualquer momento. Naquela noite, a médica iria me ligar para me contar sobre o progresso de Seamus, eu tinha certeza. Voltei para casa com uma caixa de transporte para cachorro vazia fazendo barulho no banco de trás, revivendo na minha cabeça como Seamus estava agitado na noite anterior e tentando decifrar se havia algum sinal que eu tinha deixado de ver. Ele ainda estava uivando, roubando comida e exigindo carinhos na barriga naquela noite. Agora, por conta da "cura", ele mal conseguia levantar a cabeça e estava vivendo com a ajuda de aparelhos. Era difícil não pensar que eu tinha tomado todas as decisões erradas no seu cuidado. Foi particularmente difícil quando não houve um telefonema da médica naquela noite. Eu deixei uma mensagem na caixa postal da clínica.

Na manhã seguinte e durante a tarde, minha única informação a respeito das condições de Seamus foi dada pela recepcionista, que continuou a receber as minhas mensagens. Eu não tinha fome – qual era a graça de comer se Seamus não estava lá exigindo a parte que lhe cabia na refeição? Eu não queria uma taça de vinho – álcool é depressivo e isso definitivamente não iria ajudar. Não conversava com ninguém a respeito do que estava acontecendo, pois parecia que a maior parte das pessoas pensava que eu já tinha gastado tempo, dinheiro e disposição demais com esse cachorro. Suspeitava que até o Chris estivesse começando a pensar que eu estava um pouco obcecada.

Eu tinha parado de falar a respeito de Seamus e do tratamento contra o câncer no trabalho. Não havia mais ninguém no meu escritório que fosse uma "pessoa chegada a cachorros". Eu notei que todos eles me olhavam de maneira estranha, como se eu estivesse ficando maluca quando falava qualquer coisa a respeito das minhas idas ao veterinário ou sobre minhas preocupações a respeito de Seamus. Muitos dos meus amigos eram da mesma forma, e até alguns meros conhecidos ofereceram suas opiniões terríveis e não solicitadas.

Pessoas que gostam de cachorros sabem que, de alguma forma, é perfeitamente normal gastar milhares e milhares de dólares em carros chiques, televisões enormes, joias caríssimas e até cirurgia plástica, mas, se você escolhe gastar o seu dinheiro com um animal, não importa o quão importante ele for para você, algumas pessoas farão uma cara feia de reprovação e irão julgá-la. Algumas irão chamá-la de doida e darão péssimas sugestões, como matar o bicho de estimação. Mas eu ganhei esse dinheiro. Posso gastá-lo da forma como eu quiser. E sempre vou escolher meu cachorro em vez de um carro novo, mais roupas ou, como indicava o andar da carruagem, férias. Eu não me importava. Queria que Seamus vivesse.

Tentei entrar em contato com a médica novamente às quatro da tarde, mas a ligação caiu na caixa postal. Deixei uma mensagem pedindo para que ela me ligasse com notícias a respeito de Seamus e depois me critiquei severamente por não ir até lá e exigir que pudesse ver como ele estava. Não importava que nessa velocidade eu estivesse trabalhando horas extras e me aposentando anos depois para pagar pelos cuidados com o meu cão, eu ainda assim deveria ter tirado a tarde de folga e dirigido até a clínica para ver como Seamus estava. É o que qualquer bom dono faria.

Mais tarde, naquela noite, a médica finalmente ligou. Mas não era a Dra. Patricinha Fresca. Era uma médica nova. O nome dela era Autumn Dutelle, e ela era tudo o que a Dra. Patricinha Fresca não era: carinhosa, cuidadosa, compassiva e não tinha pressa para se livrar de mim. Era ela também quem estava cuidando do Seamus desde que eu o levei à clínica. Ela se desculpou por ninguém ter me ligado e eu disse que quem era responsável por me deixar a par da situação era a Dra. Patricinha Fresca.

Mas Seamus estava bem. Ele tinha recuperado o seu apetite, e o número de glóbulos brancos havia retornado ao normal. Eu acho que foi nessa hora que o meu batimento cardíaco e a minha respiração também voltaram ao normal.

A Dra. Dutelle me ligou de novo na manhã seguinte para informar que Seamus estava comendo, latindo e de volta ao seu antigo comportamento beagle. Contanto que ele tivesse as suas funções intestinais normais, ele poderia voltar comigo naquela tarde, e estaria pronto para mim. Talvez isso fosse algo inesperado de se desejar, mas eu desejei isso a tarde inteira. Vamos lá: boas funções intestinais de um beagle!

Quando me encontrei com Seamus, ele realmente parecia estar de volta. Estava uivando e farejando as tigelas de biscoitos, ainda preferindo os biscoitos verdes em forma de osso. O técnico me deixou com ele na sala de exames e informou que a Dra. Dutelle chegaria logo e, de fato, ela chegou rapidamente.

A Dra. Dutelle poderia se passar facilmente por uma adolescente feliz e sorridente. Ela tinha sardas, com o cabelo castanho na altura do queixo e uma franja curta cobrindo a testa. Seus olhos eram grandes, verdes e compassivos. Eu podia ver que ela se preocupava genuinamente com Seamus e estava quase tão feliz quanto eu por ele ter conseguido sair dessa. Ela se sentou no chão com ele, massageando suas costas, esfregando sua barriga e segurando seu focinho na palma da mão enquanto falava com ele. Ele subiu em seu colo, levantou a pata pedindo por mais carinho e exigiu mais biscoitos. Ela obedeceu.

Toda a alegria e o prazer que senti com aquela cena faziam parecer com que minha própria barriga estivesse sendo acariciada. Ela era empática, e eu podia dizer que estava cuidando de Seamus e se preocupando com ele durante todo o tempo que passou aqui. E finalmente eu tive a conversa que eu precisava ter.

– Isso tudo aconteceu por causa da nova quimio, certo?

– Isso raramente acontece, mas sim, isso foi uma reação à quimio. O número de glóbulos brancos dele caiu a níveis perigosos. Infelizmente, a quimio não ataca somente as células ruins do câncer; ela ataca as boas também. Normalmente, as boas conseguem se regenerar mais rápido.

– Mas não dessa vez? Não com Seamus?

– Não com essa quimio. Isso acontece com menos de 5% dos pacientes.

– Nós não iremos dá-la de novo para ele, certo?

– Não. Definitivamente não. Nós iremos mudar o protocolo.

– Por que não voltar para a quimio antiga? Por que fazer algo diferente?

Eu não sabia se eu poderia dar a outra quimio para ele. E se acontecesse de novo? E se a cura fosse pior do que a doença? Isso era possível?

– É o seguinte: Seamus tem, ou teve, um tipo agressivo de câncer, tendo em vista sua localização. Nós queremos dar a ele a melhor oportunidade, então nós precisamos lutar com tudo que temos. A primeira quimio pode ter funcionado, mas também pode não ter dado certo.

Nós não temos nenhum outro jeito de saber ainda. Outra quimio nos dá uma outra arma.

– E se isso acontecer de novo?

– O protocolo que nós queremos seguir a partir de agora tem uma chance muito menor de desencadear uma reação.

– Mas ainda existe a chance de ele ter uma reação ruim novamente?

– Eu sei que você está preocupada. Eu entendo. É muita informação para processar. Sempre existe a chance de uma reação ruim, então eu não posso dizer que não. Ele se deu muito bem com a primeira, então as chances são muito boas de que ele vai se dar bem com a próxima. É o que nós recomendamos, mas a escolha é sua.

Ao menos ela reconheceu que eu tinha uma escolha.

Quando chegou a hora, eu tomei duas decisões.

Quando a Dra. Roberts voltou para ver Seamus, concordei em tentar uma nova quimio.

– Mas eu tenho uma condição: quero que o cuidado de Seamus seja delegado à Dra. Dutelle. Eu não tenho confiança na Dra. Gilbert e, francamente, não gosto do estilo dela. Não posso passar por esse momento se a Dra. Gilbert estiver envolvida nele.

– Tudo bem. Nem todas as personalidades são compatíveis. É por isso que temos diversos médicos à sua escolha.

– Não é só um problema de personalidade. Ela não tem se importado muito com o meu cachorro.

A Dra. Roberts acenou com a cabeça, mas eu podia ver que ela não concordava comigo e, na verdade, preferia não se engajar em uma discussão.

– A escolha é sua, claro. Eu não tenho problema algum em mudar você e Seamus para outra médica.

– Agora que eu entendo como deve ser um bom cuidado e, por isso, escolho a Dra. Dutelle.

Eu falei instantaneamente, estava aliviada de não ter mais de tratar com uma veterinária fria, sem compaixão e negativa. Também estava satisfeita por finalmente ter o controle da situação. E que venha a veterinária adolescente! A Dra. Roberts então me avisou que a Dra. Dutelle tinha terminado sua residência e que era novinha em folha. Então, de fato, o cuidado de Seamus seria designado à Dra. Dutelle, mas supervisionado pela Dra. Roberts. Melhor ainda.

Muitas milhas aéreas do meu cartão de crédito depois, Seamus e eu saímos da clínica. O total de brinquedos e agrados com os quais eu brindei Seamus naquele fim de semana provavelmente chegou na casa dos milhares também. Se eu iria à falência salvando a vida de um beagle diabolicamente fofo, pelo menos nós deveríamos nos divertir com isso. Seamus correu pela casa jogando a sua lagosta cor de pêssego, verde menta e lavanda, para cima antes de tentar estripá-la. Só por precaução, ele também fez uma busca rápida pelas latas de lixo da casa para ver se alguma coisa havia sido deixada para trás em sua ausência. O seu apetite estava de volta.

Liguei para Chris.

– Seamus está em casa comigo e está muito bem.

– Que bom ouvir isso. Eu estou lhe dizendo, esse cachorro é indestrutível.

– Eu prefiro não testar essa teoria.

–Verdade.

– E finalmente eu lidei com a Dra. Patricinha Fresca.

–Você a viu?

– Não, claro que não. Mas pedi para que Seamus fosse responsabilidade da outra médica que cuidou dele nesse último final de semana. Ela é ótima.

– Eu fico feliz em ouvir isso. Isso vai ser melhor para vocês dois.

Sim. Seria.

Dei uma olhada em Seamus a cada duas horas durante aquela noite e a seguinte. Quando Chris chegou para o fim de semana, notei que ele também o observava, fazia carinho e brincava com ele mais frequentemente. E no sábado de manhã, Chris cozinhou ovos mexidos com bacon para nós três.

Capítulo 11

A zona vermelha

Todas as manhãs eu colocava as luvas cirúrgicas para dar a medicação da quimioterapia a Seamus, e todas as manhãs me perguntava se eu o estava matando. Então, rapidamente lembrava: as pílulas estavam matando o câncer. Eu estava confiando na Dra. Dutelle e fazendo o que deveria ser feito. Coloquei a pílula em um pedaço de queijo e entreguei a Seamus. Ele cheirou o queijo e gentilmente o pegou de mim, não com uma mordida. Pelo contrário, ele ficou com ele em sua boca, saiu de perto de mim, colocou a bolinha de queijo recheada de pílula no chão, e começou a desmontá-la.

– Seamus, garoto, me desculpe – eu disse, enquanto pegava o queijo e empurrava ainda mais fundo a pílula. Tirei um pedaço dele para deixá-lo menor com a esperança de que ele engoliria tudo mais rápido. Devolvi o queijo para ele.

O mais novo tratamento de quimio envolvia a Vimblastina aplicada na veia, alternando com Cytoxan dado em casa em pílulas, a cada duas semanas. Seamus ainda estava no tratamento com o esteroide prednisona, cuja pílula eu também dava para ele. Ainda que por sua natureza beagle Seamus comesse praticamente qualquer coisa, agora ele estava atento. Seu nariz era forte o suficiente para sentir o cheiro da pílula independentemente de onde eu a tivesse escondido. Ele desmanchava a comida, cuspia as pílulas e, em seguida, comia a comida. Eu mudava a comida na qual escondia as pílulas a cada três ou quatro doses para que o entusiasmo dele o fizesse simplesmente engolir, em vez de dissecar, a novidade gastronômica recheada de remédio. Mas, depois de duas ou três pílulas, ele sabia que o cachorro-quente, a bola de queijo, o pedaço de bife grelhado, o queijo americano, todos eles continham uma desagradável pílula amarga e ele tinha de retomar suas técnicas investigativas.

– É para o seu bem, garoto. Eu prometo – dizia segurando o focinho dele, forçando-o a engolir a pílula. Seus olhos demonstravam como ele se sentia traído, e eu tenho certeza de que os meus estavam tão tristes quanto os dele.

Mas Seamus não reagiu mal às pílulas de quimio Cytoxan. Ao contrário, ele pareceu ter um aumento de energia e ânimo. Preocupei-me por ele estar ganhando muito peso. E parecia que ele tinha energia em uma quantidade exagerada. Eu estava passeando com ele todas as manhãs e normalmente de noite também. Mas, ainda assim, ele corria pela casa freneticamente buscando seus brinquedos, ou se sentava, balançando para frente e para trás, soltando os seus suspiros frustrados, sinalizando que precisava de atenção. Nenhuma quantidade de atenção parecia suficiente.

Uma noite, com um mês do novo tratamento de quimioterapia, finalmente senti que Seamus estava bem o suficiente (ou eu, mais provavelmente, estava bem o suficiente) para poder ser deixado sozinho durante a noite. Chris e eu fomos jantar e fingimos, o melhor que conseguimos, ser um casal normal em um encontro.

Quando chegamos em casa de volta, havia uma mensagem na secretária eletrônica. Chris apertou o botão play enquanto eu fazia carinho e falava com um Seamus uivador.

"Teresa, me desculpe por ligar. Desculpe-me mesmo. Eu amo cachorros, mas o seu cachorro está latindo no portão desde às seis horas da tarde."

Eu olhei para Chris. Nós tínhamos saído para jantar às seis. Chris estava balançando a cabeça devagar enquanto a mensagem continuava.

"Ele ainda está latindo..." A mensagem foi deixada às sete e quarenta e cinco. "Me desculpe mesmo, mas nós não aguentamos mais e decidimos que você deveria saber que essa não é a primeira vez. Isso também está acontecendo quando você vai para o trabalho."

Essa não era a vizinha que havia reclamado da primeira vez e que, eu estava segura, havia deixado o recado no meu portão. Essa era a Judy, a vizinha silenciosa do outro lado. Ela e seu marido ficavam em casa: na maior parte do dia, ela cuidava do jardim, enquanto ele trabalhava na garagem. Isso era o máximo que sabíamos sobre a rotina deles.

Latindo o dia todo? Eu me deitei no chão.

– Eu desisto. Esse cachorro vai ser a minha morte.

Claramente, eu tinha criado um monstro. O cachorro poderia sobreviver ao câncer, mas agora ele estava tão acostumado à minha atenção constante e resposta instantânea para qualquer exigência latida por ele que desenvolveu um caso severo de ansiedade de separação. Eu estava fazendo um bom trabalho em ignorar o problema, tendo me convencido de que os uivos aconteciam somente quando eu ia e vinha e quando o cachorro estava se recuperando de algum tipo de procedimento médico. A mensagem no telefone tornou difícil manter essa negação.

– Desculpe-me, amor, mas você sabia que isso iria acontecer. Você precisa parar de mimar o cachorro e ter controle sobre ele. Eu acho que é óbvio que ele vai vencer o câncer. Ele provavelmente só precisa de mais exercícios.

Eu tinha começado a pensar que Seamus iria vencer o câncer, mas ainda tinha de verbalizar esse pensamento. Meu alívio com a opinião do Chris sobre a sobrevivência de Seamus me permitiu deixar passar batido a frase (obviamente correta) dele sobre o fato de eu estar estragando o cachorro.

– Está bem. Você provavelmente está certo.

– Para começar, podemos caminhar pelas colinas das redondezas. Uma caminhada longa e mais intensa fará bem para todos nós.

Começamos uma rotina regular de caminhada, e Chris começou a ficar na minha casa por boa parte da semana, levando Seamus para longas caminhadas adicionais. Nós também tentamos muitos agrados para distraí-lo quando saíamos, esperando que isso eliminasse os latidos. Às vezes, deixávamos um ossinho de couro moído, outras vezes um brinquedo recheado de manteiga de amendoim.

Chegamos depois das compras de volta para casa e encontramos o marido de Judy, um oficial da marinha aposentado, parado no nosso portão e parecendo não muito feliz. Ele educadamente, mas com firmeza, explicou que meu cachorro estava impedindo que eles aproveitassem seu jardim. Eles não podiam ficar do lado de fora por conta do constante barulho de Seamus. Eu, envergonhada e cabisbaixa, levei o cachorro frenético e ainda latindo para dentro de casa enquanto Chris tentava explicar que nós estávamos tentando lidar com o problema. O vizinho afirmou que estávamos falhando em nossos esforços.

Eu sabia o que deveria fazer. Como o cachorro ainda não tinha me custado toda a minha poupança, contratei um treinador de cães para me ajudar. E não foi qualquer treinador. Ah! Não. Escolhi uma treinadora que havia aprendido seu ofício com ninguém menos do que Cesar Milan, o próprio Encantador de Cães.

No momento em que Nicole entrou em casa, Seamus sabia que havia um problema. Normalmente ele uiva feliz, corre até a visita, pula (cachorro mau) e cheira a pessoa, esperando receber carinho ou saquear a bolsa da visita. Quando Nicole entrou em casa, Seamus parou, foi para trás e retornou a sua cama no canto da sala de estar. A cama estava com uma pilha de brinquedos e vários lençóis. Ele ficou encarando a treinadora a partir de seu território seguro.

Nicole e eu nos sentamos no sofá.

– Então, é assim que Seamus vive?

Olhei em volta. Ele tinha uma cama confortável, uma pilha de brinquedos e outra cama na área de serviço (a meros seis metros da outra cama). Havia uma vasilha de biscoitos em um balcão, uma coleção de potes de pílulas no outro, e uma trava de segurança contra bebês (leia-se: Seamus) no armário da cozinha debaixo da pia, onde a lata de lixo estava. Eu tinha certeza de que não gostaria de onde a conversa iria chegar.

– Sim. Basicamente. Bem, ele está doente. Lembra que eu mencionei que ele tem ou... bem... tinha... câncer? Que ele está fazendo quimio agora? Então, hum. Bem, sim. É assim que ele vive.

– E esses lençóis? – ela disse afagando os panos no sofá, dois deles, dobrados no tamanho de, por exemplo, um beagle.

– O Seamus vem no sofá com você?

– Às vezes.

– Quando ele quer?

– Hum, sim. Nessas vezes.

Seamus também podia ver onde isso iria chegar. Então, só para me deixar ainda mais envergonhada ou para dizer alguma coisa, ou pelos dois motivos, ele se juntou a nós no sofá e aconchegou-se perto de mim, com a pata na minha perna.

–Você viu? – Nicole falou, apontando para a pata na minha perna.

– Sim. Ele faz isso o tempo todo. A maioria dos meus outros beagles nunca se aninhou como Seamus – eu disse, sorrindo. Meu cachorro é absolutamente o mais fofo. Ela com certeza percebia isso. Ele tinha derretido o exterior de gelo dela.

– Isso é uma reivindicação. Ele está afirmando que você é parte das coisas que pertencem a ele. Ele é o chefe aqui e ele está lhe mostrando isso.

Isso não é fofo?!?!

Ela continuou, explicando algo sobre líder e seguidor, e algo sobre minha falta de habilidades de liderança, enquanto eu esfregava a barriga de Seamus, falava com ele com uma voz baixa e calma, e estava consternada com o fato de Nicole poder negligenciar o quão adorável Seamus era. Era bom que eu não tivesse filhos.

Nicole deixou claro que ela estava me treinando, e não treinando o cachorro (e Seamus e eu empacamos no conceito de que ele era simplesmente um cachorro). Primeiro, ela me mandou remover todos os confortos que eu estava dando a Seamus, exceto uma cama. Aparentemente, quatro camas e dois sofás em uma pequena casa do subúrbio era mais do que qualquer cachorro precisava. A teoria era de que eu tinha permitido ao Seamus mandar na casa, e agora era a hora de fazê-lo merecer suas recompensas. Sem brinquedos, sem sofá, sem comida de humano, sem pular na minha cama, somente uma cama de cachorro e, o pior de tudo, sem carinho até que ele tivesse feito alguma coisa que merecesse uma recompensa ou, ocasionalmente, quando eu quisesse fazer carinho, mas somente pela minha própria vontade e muito ocasionalmente. Seamus tinha muito a aprender. E, ela parecia decidida a me dizer, eu também.

– Mas ele teve câncer. Câncer! E ainda está em tratamento. Ele está fazendo quimio. Mesmo agora.

– Sim, e se ele tivesse apenas um ano de vida, eu provavelmente concordaria com você. Mime o quanto puder. Mas ele provavelmente tem outros dez anos ou mais, e esse comportamento não pode continuar.

Seamus foi se esconder em um canto. Por um momento, considerei me mudar para o interior, mas eu morava no subúrbio por uma razão (ou várias, já que eu não sou fã de jardinagem, de cuidar da casa, de fazer manutenção e de lugares escuros e assustadores sem vizinhos. E eu também precisava de uma Starbucks próxima todo o tempo). Esse programa de treinamento parecia que iria se mostrar mais mortal que o câncer.

Além de administrar a minha casa no que parecia para mim e para Seamus a Guantánamo dos Cachorros, nosso treinamento consistia em muito exercício, que envolvia recompensar Seamus com agrados quando ele fizesse o que eu estava instruindo ele a fazer – sentar, ficar, vir, seguir-me sem puxar a coleira. E andar. Andar muito.

Eu tinha de andar com Seamus por pelo menos uma hora de manhã e uma hora de noite, e todo o tempo eu tinha de ter o completo controle do cachorro – ele não tinha de estar farejando, puxando, uivando, cheirando, "marcando" o território, ou de qualquer forma... bem, aproveitando o passeio. Ou era assim que nos parecia. Eu também não estava aproveitando nada das caminhadas. Não estava nem perto de concluir a uma hora da manhã (vamos dizer que conseguia vinte minutos de caminhada) e somente estava andando por meia hora durante a noite. Mas parecia mais. Uma caminhada puxando, dando comandos e lutando por controle não era divertida para Seamus nem para mim (e nós revezávamos fazendo cada uma dessas coisas).

Nicole confirmou para mim que a tarefa não era para ser divertida. A diversão viria depois. Essa era a parte da disciplina e do exercício. As partes que estavam faltando na vida de Seamus e a razão pela qual ele estava aterrorizando os vizinhos.

Eu fui muito bem, para mim, levantando e andando com Seamus todas as manhãs. Minha casa ficava a um terço do caminho para subir uma colina muito íngreme. Eu andava com Seamus até o topo e então ficava tentando respirar e quebrando as regras, deixando Seamus farejar e aproveitar a grama no pequeno parque no topo da colina. Em seguida, nós seguíamos a rua subindo e dando a volta, passando em torno das árvores e pedregulhos várias vezes, o que eu disse para mim mesma que equivalia à distância de uma caminhada real sem ter de sair da segurança do complexo de casas. Além disso, se eu tivesse uma parada cardíaca e morresse, alguém me veria e Seamus poderia facilmente encontrar o caminho de volta para casa.

Disse para mim mesma que Seamus estava fazendo quimio e não tinha muita energia e, por isso, caminhadas matinais de vinte minutos estavam boas. Mas depois da décima vez que chegamos a casa e Seamus correu latindo, parando aos meus pés para uivar e me empurrando para o pote vazio dele, eu tive de ser um pouco mais sincera comigo mesma. Ele não estava tendo problema algum com a quimio. Os esteroides pareciam ser as únicas pílulas que o afetavam, e ele estava agora com sólidos dezessete quilos e o usual apetite voraz de um beagle.

A sugestão da Nicole era uma mochila. Por sorte, ela quis dizer que a mochila era para Seamus. Comprei uma mochilinha fofa, verde-escura da Outward Hound e, como fui instruída, coloquei uma garrafa de água de 300 ml em cada bolso lateral dela. Isso adicionava pouco mais de meio quilo a Seamus e deveria fazê-lo trabalhar mais e queimar uma energia extra. E, é claro, eu deveria aumentar a caminhada para pelo menos meia hora. Pelo menos.

Nos finais de semana, Chris levava Seamus para caminhadas de longas horas para cima e para baixo na colina da vizinhança. Era um atestado à minha liderança o fato de Chris pegar a mochila e Seamus correr para se esconder atrás das minhas pernas.

Eu fiz exercício por meia hora de manhã e pelo mesmo tempo de noite. Eventualmente, depois de alguns meses, também perdi quase cinco quilos e, então, senti que devia estar fazendo algo certo.

Eu não estava.

As reclamações do vizinho continuaram a acontecer. Se o Chris e eu fossemos jantar ou ver um filme, o quão rápido fosse, eu estava constantemente checando o meu celular para ver se os vizinhos haviam ligado. Eu temia voltar para casa. Aproximava-me da garagem e deixava o carro mais lento, abaixava os vidros e esperava escutar os inevitáveis uivos. Se eu não escutasse, podia respirar de novo, mas então no momento em que eu apertasse o botão de fechar a garagem, o latido frenético começaria, e eu saberia que Seamus estava no portão. Corria para fora do carro para entrar em casa, apressando Seamus para dentro. Em seguida, checaria a secretária eletrônica – se a luz estivesse piscando, saberia que os vizinhos tinham ligado. Eu ligaria para eles de volta; deixaria recados; mandaria e-mails. Implorava a eles: *estou trabalhando nisso, eu juro. Contratei uma treinadora de cachorros. Nós estamos tentando de tudo. Mas, por favor, gente, liguem no meu celular para que eu possa ir para casa e parar o cachorro! Eu não posso fazer nada se eu não souber o que está acontecendo. E se ele está uivando é porque eu não estou em casa. Vocês entendem que deixar uma mensagem na secretária não ajuda?* Mas eu estava descobrindo que meus vizinhos eram de uma geração que não usa celulares. E meu cachorro estava levando-os mais em direção ao enforcamento.

A secretária eletrônica continuou a piscar.

Liguei para a Nicole desesperada por mais ajuda. Nada parecia funcionar. Ela voltou para mais treinamento. Dessa vez, quando entrou em casa e chamou Seamus para que ele saísse de sua cama onde tinha ficado desde o momento em que ela estacionou o carro, ele foi até ela com a cauda encolhida e as orelhas abaixadas. Eu não podia vê-la fazendo nada em especial. É claro, sua voz era firme e seu comportamento era calmo, mas eu não senti seja lá o que foi que Seamus sentiu.

Ela ordenou que ele se sentasse. Ele olhou para mim com aqueles olhos gigantes. *Faça alguma coisa!* Olhei para o outro lado. Seamus sentou-se.

Então ela o fez deitar. Isso aconteceu com ela mostrando um biscoito para ele, levando o biscoito até o nível do chão para que os olhos dele – quando não estivessem suplicando para mim – seguissem o petisco. Ela então puxou o biscoito alguns centímetros para que o Seamus se esticasse adiante, eventualmente alcançando a posição de bruços. Ela deu o biscoito e ordenou que ele ficasse. Ele ficou.

– Nossa! – eu disse.

– Esse é um cachorro muito mimado – ela disse.

– Sim, eu sei. Ele é um beagle.

– Não é somente a raça. Você está andando com ele?

– Sim.

– Uma hora todas as manhãs?

Olhei para Seamus e ele imediatamente começou a levantar. Sem olhar para ele, ela ordenou que ele voltasse a deitar. Ele olhou para mim. Eu olhei para ela. Seamus se abaixou de volta silenciosamente.

– Hum, não. Eu não tenho uma hora livre de manhã.

– Então você não deveria ter um cachorro.

Depois de tudo que eu fiz por esse cachorro? Você está brincando comigo? Se eu não tivesse esse cachorro, ele estaria morto duas vezes! Ele era um beagle de rua com câncer, pelo amor de Deus!

– Eu estou fazendo o melhor que posso – foi tudo que eu consegui falar. Eu parecia tão patética quanto Seamus. Ela também deveria ter me mandando ficar quieta.

– Seamus ainda está no controle da sua casa. Ele é um problema real, e você tem de aprender a lidar com isso. Veja.

Ela usou o seu pé com bota para rolar Seamus de costas. O Seamus mostrou os dentes. Eu nunca tinha visto aqueles dentes caninos antes exceto quando comida estava sendo arrancada da boca dele. Eu nunca tinha escutado uma rosnada como aquela. Ela o segurou no lugar.

– Você está vendo isso?

– Sim. Eu estou vendo. Deixe-o levantar!

– Não. Ele precisava saber quem é a líder aqui. Ele precisa aprender a ter respeito.

As rosnadas aumentaram, e Seamus bateu na bota dela.

– Oh! Minha nossa! Eu nunca o vi fazer nada desse tipo!

– Isso é um cachorro de zona vermelha – ela disse, ainda calmamente segurando deitado o que agora era um beagle batedor enfurecido, mostrando as presas, debaixo de uma bota.

– Isso não é um comportamento aceitável e se você não fizer nada a respeito disso, terá um problema muito maior nas suas mãos do que somente os latidos.

Sim, eu teria. Se alguém invadisse a minha casa, rolasse o meu cachorro de costas e o segurasse debaixo de sua bota, meu cachorro poderia mordê-lo. Eu não estou vendo o problema. Ele é um beagle. Um beagle! Snoopy? Shiloh? Um beagle!

– Tire o pé dele. Deixe-o levantar. Isso é ridículo.

– Não, não é. Eu vou deixá-lo levantar quando ele parar de lutar.

Ela então explicou que "zona vermelha" significava um cachorro perigoso. Um cachorro sem equilíbrio. Um cachorro que poderia se tornar um problema sério. E se a dominação dele continuasse, ele poderia... e foi aí que ela me perdeu. Ele poderia continuar uivando? Poderia ser completamente irritadiço? Claro. Está bem. Mas um rosnador não é um perigo para a sociedade. Ou para mim. Ou para ele mesmo.

– Não o machuque. Ele já passou pelo suficiente.

– Eu nunca machucaria um animal. Eu não o estou machucando.

Eu não conseguia nem assistir. Fui para longe enquanto ela dizia alguma coisa para mim sobre meu nível de energia e a habilidade do cachorro de perceber emoções, estabilidade ou saúde mental. Algo assim. Então ela me chamou de volta à sala.

Seamus tinha parado de lutar. Ele deitava, exausto, debaixo da bota dela, sem olhar para mim ou para ela.

– Isso é um comportamento submisso. Isso é o que você quer conseguir.

– Eu não tenho certeza disso.

Eu tinha certeza de que eu não queria. Seamus parecia arrasado.

– Tudo isso parece tirar toda a graça de se ter um cachorro.

– Por agora. Você tem de... ficar... no controle do cachorro... fica... primeiro.

Seamus fez algumas tentativas sem sucesso de se levantar. Mais uma vez, sem olhar para ele, ela tinha dado comandos aos quais ele obedeceu. Isso era simplesmente triste. Esse cachorro não tinha passado pelo suficiente?

Finalmente ela disse:

– Está bem. Levante – Seamus levantou-se sem confiar que não haveria outro comando. Ele se moveu na minha direção e, obviamente, fui fazer carinho nele.

– Não.

– Não posso fazer carinho nele?

– Ele não fez nada que merecesse carinho.

–Você está de brincadeira?

– Não. Carinho deve ser uma recompensa, por agora. Ele foi um cachorro muito mau.Você viu quanto tempo demorou para ele se submeter a mim? Isso não é comportamento que mereça uma recompensa. Diga para ele se sentar. Quando ele se sentar e ficar sentado, você pode fazer carinho nele.

Essa talvez fosse a perfeita tempestade de maus comportamentos – a teimosia do Seamus, minha má vontade e inabilidade de discipliná-lo, e uma estridente e irracional treinadora. Era uma causa perdida.

De acordo com a sugestão de Chris, nós começamos a assistir a *O encantador de cães* na televisão. Eu até li o livro dele. Chris, que nunca foi chegado a cachorro, decidiu que o treinamento fazia sentido, e ele começou a seguir seriamente as técnicas. Seamus e eu decidimos que *O encantador de cães* era o próprio satã.

Chris se tornou um escritor freelancer em tempo integral, o que permitiu que ele passasse mais tempo na minha casa (isso também fez o apartamento dele em Los Angeles desnecessário, mas eu não estava focando nesse detalhe ainda). Isso também significava levar Seamus para longos passeios, o que pelo menos gastava um pouco daquela energia beagle. Chris também aprendeu os exercícios do treinamento com Nicole, e nós levamos Seamus para o grande jardim na frente do condomínio e praticamos. Pensei que não poderia doer se os vizinhos pelo menos vissem o quanto eu estava tentando. E eu estava tentando. Não importa o que a Nicole pensasse.

Comprei uma guia de dez metros e a usei para ensinar Seamus a sentar, ficar e vir quando fosse chamado. No grande jardim da frente na entrada do meu condomínio, Seamus se sentou, preso na coleira, comigo a dez metros de distância circulando ao redor dele. Se ele tentasse vir em minha direção, eu dava uma ordem para ele voltar. Quando ele se sentasse tempo suficiente para que eu pudesse andar um círculo completo ao seu redor, estava autorizada a chamá-lo até mim e recompensá-lo com um agrado. Isso deveria usar um pouco da energia mental do cachorro assim como a energia física. E, é claro, isso afirmava meu domínio sobre ele. Nós praticamos regularmente. Eventualmente, Seamus entendeu o jogo e quase não se sentava mais, parecendo entediado e nem mesmo me seguindo com os olhos, até que eu retornasse ao meu lugar original, quando ele se entusiasmaria, esperaria até que eu dissesse para ele vir até mim e, então, correria até a minha mão, que segurava o agrado. Ele tinha me dado tolerância, mas não submissão. *Tudo bem, mulher. Você me tem em uma coleira. Eu posso esperar.*

Eu estava certa de que nós não estávamos fazendo progresso com a ansiedade e com os latidos, mas tinha que continuar tentando.

Quando não estava passeando com Seamus, fazendo exercícios ou correndo com ele, participando de um treinamento militar e evitando qualquer coisa tão perigosa quanto fazer carinho no meu cão ou deixá-lo na minha cama ou sofá ou qualquer uma das camas extras ou, ainda, dando a ele restos de comida, eu estava marcando dias no calendário de papel e riscando tópicos depois de ter dado a ele dosagens cônicas de esteroides, e do próprio Cytoxan somente nos dias oito, nove, dez e onze (e espere, o dia da consulta conta como dia um ou dia zero?), levando-o para fazer coleta de sangue e, depois, dirigindo de volta à clínica especializada em câncer para a quarta quimio e começando o processo inteiro de novo. Isso aconteceu por quatro outros meses. Além de um ganho de peso que o deixou mais perto dos dezoito quilos, não havia evidência de que o Seamus estava em tratamento contra o câncer. Ele estava cheio de energia, uivando, comendo vorazmente e se sentindo bem.

Ainda assim, eu estava atenta e um pouco apreensiva sobre o modo como minha vida estava caminhando. A saúde de Seamus podia estar melhorando, mas os problemas com a família de Chris não estavam. Mantendo sua palavra, Chris não falou com seus pais por muitos meses. Enquanto ele parecia não estar afetado por isso, eu estava preocupada.

Capítulo 12

Qualquer outro cachorro

Nós três caímos em um padrão, isolando nosso trio e passando nossos dias caminhando, treinando e usando drogas (somente Seamus, e tudo com prescrição, eu juro). Naquelas caminhadas e, é claro, na banheira quente, Chris e eu começamos a falar sobre morar juntos.

Sem pagar o aluguel do apartamento dele e sem dirigir 190 quilômetros ida e volta algumas vezes na semana, Chris teria a chance de se focar mais em seus escritos. Ele estava escrevendo duas colunas mensais sobre vinho e estava trabalhando em um romance, além do trabalho autoral freelance que ele fazia para o seu antigo empregador. Eu descobri que gostava de ter Chris por perto mais do que gostava de estar sozinha. Seamus também gostava de ter Chris por perto. Isso era óbvio.

Seamus estava chegando ao final de sua quimioterapia, nós não estávamos ativamente lutando contra as opiniões da família de Chris, e meus amigos que haviam nos desaprovado, se não tinham mudado completamente de ideia, pelo menos pararam de falar. Era um momento pacífico para nós. Sentíamo-nos prontos para ir adiante. Mesmo que ainda me preocupasse com a situação com a família dele, eu não poderia negar que havia uma certa liberdade que chegou junto do fato de não ter opiniões ou negatividade com as quais lidar. Decidimos que ele se mudaria no final do verão. Silenciosamente, eu me perguntei se ele ligaria para os pais avisando sobre seu novo endereço, mas não perguntei nada para ele. Morar juntos iria somente adicionar um insulto àquela ferida.

Entusiasmados pela nossa decisão e pela melhora da saúde de Seamus, saímos uma noite depois de Chris tê-lo levado para uma caminhada particularmente longa e de nós dois estarmos convencidos de que o cachorro estava cansado o suficiente para ficar calmo. Quando voltamos para casa, Seamus nos recebeu com alegria na porta da garagem, balançando a cauda e colocando suas patas dianteiras na minha coxa, o melhor para sentir o meu odor quando eu me abaixei para acariciá-lo. Ele parecia bem. Sem ansiedade e sem rodar em círculos ou latir na minha cara. No entanto, eu fui com má vontade até o quarto principal para checar a secretária eletrônica.

A temida luz vermelha estava piscando. Eu odiava apertar o play, mas tinha de fazer isso. Após o sinal, a reclamação original da vizinha foi lançada em uma lamúria chorosa descrevendo o reinado de terror do Seamus.

"Olha, escuta, é horrível. É simplesmente horrível. Nós não podemos aguentar isso. Escuta!" Ela segurou o telefone do lado de fora e gravou, da sua casa, o uivado incessante, frenético e que parecia incontrolável. Mesmo gravado, o uivado era insuportável.

Entendido; e bem entendido.

Morri de vergonha.

– Eu nem sei mais o que fazer. Nós simplesmente não podemos vencer.

– Nós vamos dar um jeito – Chris falou. – Temos de descobrir o que causa isso. Ele não uiva todas as vezes que nós saímos. Isso é impossível.

– Eu não sei o que é. Ele é um cachorro bem mimado.

Pelas próximas semanas, tentamos mapear quando ou o que começava com a ansiedade da separação. Parecia que as caminhadas matinais estavam pelo menos mantendo Seamus calmo e quieto durante o dia. Ou talvez fosse a medicação. Mas, durante a noite, uma vez que eu estivesse em casa, ele não ficava disposto a me deixar sair de novo. Nós também conseguimos perceber que se eu saísse e um tempo depois o Chris saísse, o cachorro não uivava. Mas, se o Chris saísse e eu saísse depois, o cachorro uivava. E se eu e o Chris saíssemos juntos, ele uivava.

Nas noites em que nós queríamos sair juntos, eu começava a sair de casa antes do Chris, ia com o carro até o fim da rua, estacionava e esperava Chris sair vinte minutos depois. Porém, logo Seamus percebeu isso e começou a uivar quando Chris estava a mais ou menos cinco metros de casa. E eu nunca podia sair se Chris não estivesse lá.

Estava me sentindo presa e fui ao Dr. Davis, o veterinário do Seamus para todas as coisas não relacionadas ao câncer. O Dr. Davis sugeriu o que nós chamamos de "Prozac canino", mas eu hesitei em adicionar mais drogas ao seu organismo. Em vez disso, parei de trabalhar com a treinadora (a qual eu não podia mais pagar) e contratei o filho adolescente da minha amiga para ir em casa e cuidar de Seamus. Parecia um trabalho fácil o suficiente para um menino no Ensino Médio – traga sua lição de casa, sua namorada, o que você quiser, só esteja lá para o meu cachorro não latir.

Na primeira noite em que cuidou do cachorro, Mitchell, o adolescente que contratei, trouxe a namorada com ele. Nós pedimos pizza para eles, enchemos a banheira, dissemos que eles podiam ficar à vontade para usá-la e mostramos como a televisão funcionava. Aproveitem, crianças! Nós só queríamos uma noite fora entre adultos, a qualquer custo.

Quando voltamos para casa, os dois ainda estavam no sofá, exatamente onde nós os tínhamos deixado, só parecendo muito menos relaxados. Seamus tinha latido tanto que eles tiveram de mantê-lo dentro de casa com eles, bloqueando o acesso dele para fora. A namorada de Mitchell, uma cantora bem-sucedida, tentou cantar musiquinhas de ninar para acalmar Seamus. Não funcionou. Eles encheram a tigela dele com ração, o que não o distraiu. Eles fizeram carinho nele e o levaram para o sofá entre eles, isso não adiantou. Nada funcionou por mais do que alguns minutos. Seamus claramente não sentia que um casal de adolescentes era companhia adequada e ele sonorizou essa opinião a noite toda.

Nas noites seguintes, minha assistente do escritório de vinte e poucos anos olhou o cachorro para mim. Seamus gostava da Kelly o suficiente e parecia se manter calmo, mas logo a agenda dela ficou muito ocupada para o trabalho de cuidar de um beagle. Uma amiga solteira que naquela altura não tinha cachorros também ocasionalmente cuidava dele, mas me senti ridícula em ligar para uma adulta que recusava qualquer pagamento para ir simplesmente se sentar na minha casa com meu cachorro neurótico enquanto eu saía para beber com outros amigos ou para jantar fora com Chris.

Justo quando pensei que depois de abrir mão de quase toda a minha poupança por esse cachorro eu agora também teria de abrir mão de qualquer vida social por ele, a solução apareceu. Descobri que uma cliente minha estava abrindo uma empresa para cuidar de cães durante o dia, na parte de baixo da minha rua.

Seamus e eu éramos os primeiros da fila para sermos "entrevistados" e quando o dia chegou eu estava tão calma quanto o pai de uma criança precisando da melhor pré-escola particular de Manhattan. A verdade era que eu não sabia de verdade como Seamus se relacionaria com outros cachorros. Boa parte das interações com outros animais aconteceram em salas de espera de clínicas. E eles o aceitariam sabendo que ele precisava tomar medicação regularmente? Ele uivaria e causaria histeria entre os outros cachorros? E na minha cabeça também era óbvio o fato de que isso não seria barato.

Pela primeira vez, minhas preocupações foram embora. Seamus passou no teste de cachorros e tornou-se o primeiro convidado que passaria a noite na Ruff House Pet Resort. Uma vez que 18h30 era o último horário para buscá-lo, seria necessário deixá-lo dormir por lá qualquer noite em que nós fossemos sair para jantar, para ver um filme ou fazer qualquer uma dessas coisas que pessoas com cachorros normais faziam. Qualquer dia em que eu e o Chris tivéssemos US$ 35 extras – o preço de uma estadia noturna para Seamus.

Na primeira vez em que eu tentei a Ruff House, Chris e eu fomos a um evento para arrecadar fundos para um abrigo de mulheres que sofreram agressões do qual eu fazia parte da direção. Eu olhava meu telefone a cada quinze minutos para ver se havia mensagens ou chamadas, esperando a qualquer momento um chamado para que eu fosse pegar meu cachorro. Eu quase podia escutar a reclamação "nós não aguentamos mais."

Meu telefone não tocou.

Andar na manhã seguinte com Chris, sem uma carinha beagle ao lado, sem uivado urgente e sem pressão para descer as escadas e ir até a área de serviços, onde a ração ficava guardada, era inquietante. De repente, tinha todo esse tempo sozinha. E tão quieto! Tomei somente uma xícara de café antes de sair de casa para pegar o cachorro. Eu não precisava do silêncio tanto quanto precisava saber que Seamus estava bem.

– Foi tudo ótimo! – disse Denise, a dona.

– Foi? – eu disse.

– Sim. Ele é incrível. Eu nunca vi um beagle tão fofo. Nós não tivemos muitos cachorros, e ele foi o único que passou a noite conosco, então Karen, nossa funcionária noturna, deixou ele dormir na cama com ela.

– Ela deixou? A noite toda?

– Sim. Ele amou.

– Eu tenho certeza que sim. Como foi durante o dia? Ele brincou com outros cachorros?

– Ele brincou um pouco. Mas todas as vezes que ele me via ele uivava até que eu fosse até ele. Ele é engraçado! – ela parecia estar rindo, mas eu suspeitava que isso não ia terminar bem.

– Ele é definitivamente um cachorro engraçado. Desculpe-me pelos uivos.

– Ah! Não se preocupe. Nós estamos aqui para cuidar de cachorros. Vai ter barulho. Eu simplesmente fui até ele e o peguei, e ele ficou no meu escritório comigo, me seguiu. Ele é uma boa companhia. Ele é uma gracinha fenomenal.

Assim Seamus completou seu domínio. Enquanto eu tinha encontrado uma solução – uma solução que custava US$ 35 por noite, mas ainda assim era uma solução – para o meu problema com os vizinhos, cada vez que Seamus ficava na Ruff House ele uivava sua exigência de não ser deixado com os outros cachorros e ela era atendida. Eu chegava para buscá-lo e ele estava sentado no colo da recepcionista ou descansando em uma cama no escritório da Denise. Ocasionalmente, ele estava correndo pelo quintal com os outros cachorros, mas nessas vezes, sempre, ele estava correndo nos arredores da cerca uivando. Todos sabiam que ele estava lutando contra um câncer, então todos o mimavam. Todos. Até outros donos de cachorros, se eles soubessem de sua luta, davam biscoitos, faziam carinho e mencionavam como os uivos eram compreensíveis. É claro, a não ser que você não seja nosso vizinho.

Eu disse a mim mesma que uma vez que os tratamentos acabassem e eu soubesse que ele não tinha mais câncer e não morreria dentro de um ano, nós poderíamos nos dedicar a quebrar a codependência que existia ali. Eu encontraria uma nova treinadora com técnicas mais realistas – afinal, isso não era um problema de exercício. Só mais uma rodada de remédios da quimioterapia e nós começaríamos do zero. Eu também disse a mim mesma que lidaríamos com a família de Chris depois do fim do tratamento de Seamus. Uma crise por vez, nós caminharíamos adiante.

Em 2 de junho, Seamus entrou trotando na clínica veterinária de câncer, arrastando aquela perna traseira direita e parecendo saudável, até elegante. Ele agora pesava 17,5 kg, havia ganhado quase 20% de peso. Não importando quanto tivesse andado e quanto treinamento nós tivéssemos feito, Seamus ganhou peso e continuou uivando. Talvez fosse eu quem não conseguia acertar. Talvez realmente me faltassem habilidades de liderança. Talvez, ainda, eu desse comida demais para ele. É claro, ele estava tomando esteroides e o peso ganho era um efeito colateral comum, mas também é um efeito colateral comum de torrada, burritos, queijo, pizza, bacon, batata chips e frango frito.

A Dra. Dutelle cumprimentou Seamus com seu contente "olá" e a mão cheia de biscoitos verdes. Ela não parecia preocupada com o ganho de peso. A última aplicação de Vimblastina era intravenosa, e Seamus teve seu último curativo – verde e brilhante de novo – feito ao redor da pata dianteira direita. Tudo o que sobrou eram as pílulas Cytoxan nos dias oito, nove, dez e onze, e era o fim. Eu estava me sentindo com vertigem. A linha de chegada estava visível.

– A próxima consulta dele será em um mês e é quando devemos dar a continuidade ao tratamento dele – disse a Dra. Dutelle.

– Continuidade?

– O que nós recomendamos é uma investigação do fígado e do baço, um exame de sangue completo e um ultrassom abdominal. Dessa forma, nós podemos ver se existem sinais de que a doença tenha sofrido metástase. Na recepção, quando você sair, eles vão lhe dar um plano de cuidado do paciente com uma estimativa dos custos.

Estimativa de custos? Já não tínhamos acabado? A linha de chegada estava parecendo mais longe.

Eu mesma podia estimar o custo: alto. Mais do que eu podia gastar. Como eu paguei por aquela visita, entregaram-me a estimativa de qualquer forma: US$1.059,00. Mais ou menos dois mil dólares a mais do que eu podia pagar.

Quando o dia oito chegou, coloquei as luvas de plástico para dar a Seamus a primeira das últimas quatro pílulas de Cytoxan. Senti um momento de alívio. Quaisquer que fossem os futuros testes e custos, pelo menos Seamus tinha passado pelos tratamentos. Eu estava determinada de que terminaríamos tudo e aproveitaríamos um verão sem preocupações médicas.

Uma semana depois, Seamus pulou na minha cama, andou entre Chris e eu, e colocou sua cara no meu rosto, certificando-se de que eu estava acordada e sabia que era hora do café da manhã. Imediatamente, notei uma saliência na pálpebra dele. A saliência era pequena, preta e parecia uma verruga, mas definitivamente era nova. Eu a mostrei para Chris.

– Como um novo câncer aparece no meio de toda essa quimioterapia? Como isso é possível? – eu disse. – Talvez eu tenha dado o remédio errado para ele?

– Ei. Espere um minuto. Você não sabe se isso é um câncer. Deixe a Dra. Dutelle olhar isso quando você levá-lo para uma nova consulta – Chris falou.

– Isso é daqui a duas semanas.

Depois de tudo que eu já tinha feito pelo cachorro e depois de tudo que ele estava fazendo para arruinar a minha vida, eu ainda estava disposta a largar tudo, colocá-lo no meu carro e dirigir até o veterinário especialista em câncer, particularmente quando o cachorro aninhou-se e se aconchegou nos lençóis comigo como ele estava fazendo naquele momento.

Chris fez o papel de adulto com pensamento racional.

– Eu não acho que isso seja câncer. Mas mesmo se for, você terminou as pílulas de quimio alguns dias atrás. O que mais eles poderiam fazer por ele agora? Você pode esperar até a próxima consulta dele.

Virei-me com ansiedade e considerei minha opções. Chris provavelmente estava certo, mas então eu quase tinha esperado demais para levar o Seamus quando ele teve a diminuição de glóbulos brancos. E se tempo fosse primordial aqui novamente? E se ele precisasse de uma cirurgia imediatamente? E se ele precisasse, como eu pagaria por mais cirurgias? E mais quimioterapia? Porque, é claro, eu faria isso. Não faria? Seamus podia tolerar mais? Eu podia tolerar mais?

Um compromisso razoável, em algum lugar entre uma reação histérica e uma pessoa fria e sem coração, era o que eu aceitaria. Levei Seamus ao Dr. Davis para outro exame de sangue para ver como estava o número de glóbulos brancos e para examinar a saliência que havia aparecido na pálpebra.

– Eu não acho que isso seja câncer – ele disse.

Eu não respondi. Só olhei fixamente para ele.

– Não olhe para mim desse jeito. Eu sei que você está pensando que isso é o que eu disse da última vez, mas é diferente. E ele vem fazendo a quimio por quanto tempo?

– Seis meses. Ou cem anos. Eu não consigo lembrar.

– Vou lhe dar uma prescrição de pomada. E Valium.

– Valium?

– Para você! Estou brincando...

Consegui rir. Dr. Davis e eu sempre fazíamos piadas. Eu odiava pensar que estava perdendo o meu senso de humor na mesma medida em que perdia minha poupança.

– Está bem. Eu mereci essa. Pode ser que eu esteja um pouco estressada.

– Passe a pomada na pálpebra dele duas vezes ao dia. Se não melhorar, nós vamos retirá-la.

Eu sabia que retirar significava biopsia, mas gostei do fato dele escolher as palavras com cuidado.

Eu não estava otimista. US$ 13,80 pela pomada parecia quase bobo. Como algo que não custava milhões de dólares poderia ajudar esse cachorro? Não esse cachorro. Esse cachorro só tem cuidados muito, muito caros. Quais as chances que um tubo de meleca teria?

Uma semana depois, tirei outra tarde de folga no serviço e retornei à clínica veterinária para a nova consulta de Seamus.

A Dra. Dutelle sentou-se no chão olhando para Seamus. Ela fez carinho e esfregou a cabeça dele e atrás das orelhas como sempre fazia. Ela se lembrou de dar a ele o biscoito verde, e ele uivou aos seus pés pedindo mais um.

– Como foi?

– Com as pílulas foi tudo bem. Sem problema algum. Exceto, como você pode ver, pelo aumento de peso.

– O peso deve começar a baixar quando tirarmos os esteroides dele. Ele está quase bom.

Eu gostei tanto de como aquilo soou. Hesitei em apontar a nova saliência.

– Sim, isso será ótimo. Eu... hum... eu... queria que você olhasse para esse inchaço na pálpebra.

– Ah! Sim. Vamos dar uma olhada.

A Dra. Dutelle levantou Seamus até a mesa de exames. Seamus imediatamente virou-se de costas para ela e se sentou. Ele não a estava deixando chegar perto do seu traseiro. A Dra. Dutelle e eu rimos. Cachorro esperto. Eu o segurei enquanto ela olhava para sua pálpebra.

– O Dr. Davis prescreveu uma pomada. Venho aplicando-a por mais ou menos uma semana. Eu acho que está melhorando – eu disse querendo que aquilo fosse verdade.

– Se ele fosse qualquer outro cachorro, significando um cachorro que não tivesse um histórico de tumor na célula mastro, eu diria que isso provavelmente era uma inflamação das glândulas meibomianas. Mas nós precisamos ter certeza de que isso não é um reaparecimento.

– Então isso poderia ser outro câncer?

– Eu realmente não acho que seja. Mas vou recomendar que façamos exames mais específicos.

Eu acariciei a cabeça de Seamus.

– Eu não sei como pagaria para fazer tudo isso de novo.

– Não, não, não. Eu não estou dizendo que isso seja câncer e que nós temos de fazer tudo de novo. Não mesmo. Eu só quero ter certeza de que nós sabemos com o que estamos lidando.

Quinze minutos e US$ 240,75 dólares depois, Seamus e eu voltamos para casa e esperamos os resultados.

A Dra. Dutelle me ligou no trabalho no dia seguinte e usou uma série de palavras grandes como "provavelmente hiperplasia meibomiana contra adenoma da glândula meibomiana", o que, ela explicou, significava que o tumor era benigno. Ela queria que eu continuasse a usar a pomada que o Dr. Davis tinha dado ao Seamus e, se isso não resolvesse, ela recomendaria a remoção. Se a Dra. Dutelle tivesse sido menos preocupada, sincera e honesta, eu teria começado a pensar que ela tinha muitos empréstimos estudantis para pagar, e Seamus e eu estaríamos ajudando a pagar essa dívida por muito, muito tempo. Decidi não pensar se outra cirurgia seria ou não necessária, mesmo que fosse pequena.

Uma semana depois, enquanto Seamus se esfregava em mim e eu esfregava a barriga dele e fazia carinho, senti um caroço. Com consistência de gelatina, e pequeno, mas definitivamente palpável e abaixo da pele. Apalpei em volta para ver se isso parecia ligado a alguma coisa, mas eu não podia dizer – nem eu sabia o que isso significaria se estivesse ligado.

Nossa consulta regular (e sim, a essa altura, eu era uma paciente também, pois um pouquinho da minha saúde era afetada) seria em uma semana, no aniversário do Chris. Pelas duas razões, pedi uma tarde de folga no trabalho.

Nesse momento, Seamus pesava 17,60 kg. Ele tinha ganhado somente dez gramas. Depois de a médica examinar a saliência na pálpebra e constatar a melhora, mostrei à Dra. Dutelle onde eu tinha sentido o novo caroço.

– É ótimo que você tenha encontrado isso. É bom que você o examine para achar caroços e saliências.

Fiz carinho em Seamus. Muito carinho. Ele insiste nisso. É bom saber que existe uma parte médica em fazer todo esse carinho. Eu sou a primeira linha de defesa de Seamus, e suponho que ele precise de muito mais.

– Então, o que você acha?

– Se ele fosse qualquer outro cachorro... – eu não escutei mais o que veio em seguida dessa frase. Eu sabia que significava mais testes caros e tratamentos.

Dessa vez, os exames para identificar o que era aquele caroço bem como os exames para acompanhamento do tratamento me custaram US$ 503,225 em milhas aéreas no meu cartão de crédito. Anexada à conta estava uma nota de que consultas nutricionais estavam disponíveis em uma clínica especializada e certificada. No caso de não ter feito o suficiente, agora eu poderia ter um plano de dieta customizada para as necessidades nutricionais específicas de Seamus.

A Dra. Dutelle ligou prontamente, como era de costume, e me deu as notícias.

– É um tumor de gordura. E a pálpebra dele está bem. O resultado dos testes voltaram perfeitos. Parabéns. O Seamus está em remissão completa.

Completa. Remissão.

Eu não podia acreditar que estava ouvindo essas palavras.

Desliguei o telefone e gritei estusiasmada. Incomodei Seamus naquela noite com todos os meus abraços e beijos. Chris estava igualmente entusiasmado e grelhou filés para nós três, ainda que somente dois de nós tenham tomado champanhe. Em comemoração à remissão do câncer de Seamus, nós não nos retiramos para o banho de banheira fora do alcance do cachorro. Ficamos no sofá, com Seamus alegremente entre nós.

Nos dias e meses que estavam por vir, é claro, eu ainda me preocupei. Checava a pele dele constantemente e monitorava o seu comportamento, prestando atenção em uma eventual diminuição de apetite, aumento de sede, diminuição de energia – qualquer mudança. Ele nunca mudou. Ele era firmemente o Seamus.

Em uma noite, quando cheguei tarde em casa do trabalho e vi que ele estava mancando, abstive-me de correr com ele para o pronto-socorro. No dia seguinte, eu o levei ao Dr. David e juntos nós decidimos que pela primeira vez trataríamos o Seamus como "qualquer outro cachorro". Antes de fazer um raio X e testá-lo para verificar um possível câncer nos ossos, veríamos se ele pararia de mancar por conta própria depois de alguns dias tomando anti-inflamatórios. Seamus estava andando normalmente em menos de 24 horas.

E depois, quando Seamus esfregou o seu traseiro pelo chão, eventualmente percebi que ele precisava de uma tosa na região anal (ainda bem que existem tosadores) e não estava sinalizando o retorno do câncer. Câncer, vale lembrar, não coça.

Não muito tempo depois, Chris mudou-se para a minha casa. Eu estava confiante de que isso iria durar. O que nós tínhamos, seja lá como nomeávamos ou como os outros chamavam, tinha um futuro. Senti isso mais forte quando me vi falando do Seamus como "nosso cachorro". Quando Chris foi buscá-lo depois da cirurgia, ele estava buscando o meu cachorro. Quando ele o levou para as consultas nos meses depois que o tratamento estava completo, ele estava levando o *nosso* cachorro ao veterinário. Apesar dos meus planos para o alfabeto da vida, "L" para "laços de amor" havia pulado na frente de todo o resto. Chris, Seamus e eu éramos uma família de três, juntos e felizes no antro lustroso e elegante da loba. Nós pensamos que nosso maior problema era o relacionamento prejudicado de Chris com os pais dele.

Não poderíamos estar mais errados.

Parte II

Capítulo 13

Altamente suspeito de malignidade

O caroço de Seamus foi descoberto em um spa de cachorro. O meu foi encontrado no chuveiro.

Minha mão esquerda tocou a parte superior do meu seio direito enquanto eu estava depilando minhas axilas. Algo parecia diferente, grosso.

Se eu fosse uma cozinheira mais dedicada, saberia que algo que engrossa fica duro logo em seguida. Mas desde que Chris veio morar comigo, ele havia tomado conta da cozinha da nossa casa. Quando eu saí do chuveiro, mostrei meu seio direito para ele.

– Isso parece estranho para você? Como um caroço?

Intrépido pela minha abordagem, Chris passou vários minutos examinando cuidadosamente o espécime apresentado, enquanto eu tentava focá-lo no lado superior direito em uma área menos agradável, próxima às minhas axilas.

– Consigo sentir isso que você está falando, mas não parece um caroço.

– Não, não parece. Mas é estranho. Eu acho melhor prestar atenção nisso.

– Essa provavelmente é uma boa ideia.

Nas semanas seguintes, prestei atenção naquele caroço. Às vezes no banheiro, às vezes de manhã, deitada na cama, eu passava meus dedos pela região onde ele estava. Eu o pressionava e cutucava. E esperava que aquilo fosse embora, mas eu sabia que não iria. Tentei focar no trabalho, principalmente porque o primeiro trimestre do ano é tipicamente o mais corrido na minha profissão. E meu escritório de advocacia era particularmente importante agora. Ter uma vida caseira estável e feliz tinha me dado a coragem de dar um passo profissional enorme no começo daquele ano: tinha deixado minha sociedade e aberto meu próprio escritório. Os primeiros dez meses haviam sido emocionantes, e o escritório parecia ser um sucesso. Eu não podia permitir distrações. Mas mesmo com o tanto que eu estava determinada a ficar focada, meus pensamentos ricocheteavam do lógico "eu deveria ver um médico" para o clássico "eu estou ocupada demais agora" para o tranquilizante "eu fiz uma mamografia sem resultados alarmantes há menos de quatro meses".

Isso foi no começo de novembro. Em dezembro, o que estava apenas grosso tornou-se nitidamente um caroço duro. Eu iria ao médico. Em dezembro.

A primeira consulta que consegui marcar foi para 18 de dezembro, no mesmo dia da festa de Natal do meu escritório (e um dia antes do aniversário do primeiro tratamento de quimio do Seamus, não podia deixar de notar). Eu tinha um certo estado de espírito em mente para esse jantar, e ele não incluía uma nuvem negra de doença.

Meu novo escritório de advocacia tinha sido aberto em 2 de janeiro daquele ano. Meus planos eram grandes e modestos ao mesmo tempo. Eu o chamei de "A Empresa de Direito de Teresa Rhyne, uma Corporação Profissional" mesmo que fosse somente eu, Michelle (minha supercompetente assistente administrativa), Laureen (minha muito eficiente e afiada assistente jurídica) e o sempre flexível Chris para ajudar com a organização dos livros e coisas de homem (levantar garrafões de água, trocar os móveis de lugar, assustar os advogados oportunistas e até, por um tempo, levar o lixo para fora). E é claro que havia Seamus, que agora podia ir para o trabalho comigo na maior parte dos dias. Ele tinha uma cama e brinquedos em um canto perto da minha mesa, ainda que ele preferisse se aninhar nas cadeiras de visitantes que ficavam na minha frente, como se ele tivesse uma reunião e temas urgentes para uivar: *Mais comida, porra! Sério, pessoas. Eu preciso de comiiiiiiiiiida!*

Eu amava meu escritório. No último ano, trabalhei longos dias e noites e finais de semana estabelecendo uma prática de inventários do jeito que eu queria. Tive um começo muito bom, mas havia muito mais que eu queria fazer. Muito, muito mais.

Enquanto meus antigos parceiros dos grupos desmembrados que havíamos nos tornado tinham mudado para lindos escritórios com muitos dos mesmos móveis customizados e a decoração dos nossos velhos ambientes de trabalho, eu tinha escolhido começar de forma modesta e construir devagar. Aluguei um espaço menos classe A, com quatro salas simples no térreo para que meus clientes mais velhos pudessem chegar com facilidade. Meus móveis eram da Staples[10]. Nós pintamos as paredes com um verde vivo e outro tom alaranjado forte em uma tentativa de dar alguma personalidade às nossas pequenas instalações. O objeto mais espalhafatoso do ambiente era uma pintura que ficava na

10 Staples é uma loja popular de móveis nos Estados Unidos. (N.T.)

recepção: um cachorro entrando pela porta, pisando jovialmente em um tapete escrito "Bem-vindo".

Quando um dos meus antigos sócios deu um novo nome à firma de advocacia, o acrônimo RCK, nós rapidamente apelidamos esse escritório de "The Rock". Meu escritório tinha o acrônimo TRLG[11]. Olhando para nosso pequeno, brilhante e feliz escritório no térreo, que não estava mais no centro da cidade e era muito menor e mais simples que o antigo espaço, eu dei para nós mesmos o apelido de "Trailer Law Group[12]". Uma piada interna, é claro. Geralmente tentávamos não dizer isso na frente daqueles clientes que tentávamos impressionar.

Dois clientes meus – um casal – eram donos de um bem-sucedido negócio de granitos e cerâmicas, com clientes como o Ritz-Carlton. Lembro-me deles contando como começaram em uma picape carregando, eles mesmos, cerâmicas. Gostei daquela imagem e gostei do que eles fizeram com a empresa deles. Em vez de uma picape, eu tinha meu escritório de advocacia em um trailer e, em vez de cerâmicas, eu tinha meus livros, meus documentos e minha experiência – havia mais de vinte anos naquele momento. E eu estava para fazer nossa primeira mudança de expansão. Discutia com o proprietário do prédio sobre dobrar o meu espaço do escritório para incluir uma área recentemente abandonada da sala ao lado, que agora estava com um aluguel muito mais barato graças à crise econômica. Eu estava falando com outro advogado, formado na Escola de Direito de Georgetown, sobre juntar-se ao escritório como meu associado. Os cartões de Natal que iam junto ao bônus salarial de fim de ano diziam: "Enfeite a cabine dupla", uma referência aos nossos planos de expansão. Foi um tempo em que a felicidade facilmente subiria à cabeça, não fosse por essa nuvem que se formava.

Eu queria que esse jantar de fim de ano do escritório fosse memorável. Ainda que sentimentalismo, em relação aos humanos, fosse um pouco estranho para mim, queria que meus funcionários soubessem o quanto eu valorizava tudo que eles tinham passado comigo naquele ano e que eu sabia o quanto todos tinham trabalhado. Maridos estariam conosco no jantar. Queria que todos parassem, relaxassem, se divertissem e realmente aproveitassem a companhia uns dos outros, comemo-

11 De Teresa Rhyne Law Group. (N.T.)

12 Firma de Advocacia em um Trailer. (N.T.)

rando nossas realizações. Pela primeira vez, eu realmente queria celebrar as festas.

Fui sozinha para minha consulta médica, sem contar para quase ninguém, exceto Chris e minha assistente, Michelle. Chris se ofereceu para me acompanhar, mas neguei a oferta. Ele precisava ficar em casa com Seamus, cuja ansiedade da separação tinha apenas aumentado conforme ele se acostumou com o Chris estando prontamente disponível para ele. Além disso, se Chris fosse comigo, isso significaria que a consulta era algo importante, e eu ainda tinha esperança de que ela não fosse.

Deitei na mesa de exame com meu avental hospitalar aberto, ainda pensando sobre o jantar do escritório naquela noite e me lembrando de assinar os cheques dos bônus. A assistente do médico pressionou o entorno do meu seio direito com a ponta dos dedos, a concentração era visível na testa franzida dela enquanto ela olhava adiante, acima de mim.

– É aqui – eu disse, colocando meu próprio dedo indicador esquerdo no lado direito do meu seio, perto das minhas axilas.

Ela colocou seus dedos por cima do meu e tirou a minha mão dali.

–Você tem de pressionar um pouco, mas é aí.

Ela pressionou.

– Ah, sim. Eu consigo sentir.Você fez um bom trabalho em encontrar isso.

– Exceto que eu meio que queria que não tivesse nada a ser encontrado.

Ela ficou quieta, apalpou meu seio e disse as palavras que eu não gostaria de ouvir.

– Eu não gosto nada disso.

Certo. Nem eu.

Na mesa de exame, com meu avental hospitalar, com potes de algodão, pôsteres de problemas médicos e recipientes estéreis em balcões laminados, lembrei-me do comentário do Dr. Davis "nós realmente não estávamos esperando por isso", depois do diagnóstico de Seamus. Alguém realmente espera pelo câncer? Existe algum bom momento para o câncer aparecer? E não era suficiente o que eu já havia passado com Seamus?

Aparentemente não. Deram para mim um relatório de encaminhamento e me disseram para marcar uma mamografia e um ultrassom imediatamente.

De volta ao meu escritório, liguei na clínica e descobri que a próxima data disponível era dali a quase duas semanas. Pressionei mais, insistindo que era uma emergência, mas não tive vantagem. Felizmente, o consultório do meu médico interviu e conseguiu fazer com que eles me encaixassem na agenda... ou, falando mais diretamente, encaixassem o meu seio. Uma mamografia foi marcada para o dia seguinte, uma sexta-feira, com um ultrassom na segunda; parecia que até para o médico eles não podiam me encaixar nos dois procedimentos no mesmo dia.

Fui à festa do meu escritório pensando que poderia manter minha mente longe dos testes, do olhar da assistente do médico e do próprio caroço. E tentei, ainda que o encerramento mais cedo do expediente do meu escritório naquele dia fosse provavelmente uma indicação de que algo estava acontecendo. Esperei que eles pensassem que tivesse a ver com os presentes de fim de ano. No jantar, todo mundo deu risada e se divertiu, e eu acho que ninguém percebeu que algo estava errado (exceto pela minha assistente Michelle, porque ela sempre sabe o que está acontecendo comigo). Mas não foi exatamente o jantar que eu tinha em mente. Meu pensamento estava longe dali.

Fui até o centro de imagens no dia seguinte para fazer a mamografia e suportei um final de semana lento até que eu pudesse retornar na segunda-feira para o ultrassom. Nenhum dos dois era um procedimento particularmente difícil; na verdade, o final de semana entre eles teve tempo de sobra para pensar e se preocupar exigia esforço. Mas eu podia sentir que os dois técnicos responsáveis pelos procedimentos sabiam que eles estavam olhando para um câncer. Existe uma falta de contato visual distintiva. E ninguém nunca me disse "85% dessas coisas não são coisa alguma" como, de acordo com o que ouvi, é frequentemente falado para mulheres que tem uma mamografia irregular. Ninguém jamais disse "cisto" ou "lipoma" ou "pode não ser nada".

Ninguém me falou coisa alguma, exceto que o meu médico que entraria em contato. Comecei a desejar que Chris estivesse comigo, falando e me enchendo o saco, afastando-me do precipício.

E o médico finalmente ligou: às 15h45 do dia 23 de dezembro. Eu podia adivinhar os resultados somente pela data. Naquele momento, eu estava preparada para a notícia. Como gosto de dizer, minhas expectativas são baixas e normalmente atingidas.

– Desculpe-me, mas os resultados são altamente suspeitos de malignidade. Eu vou encaminhá-la a um cirurgião. Você precisa remover esse caroço. Nós não vamos nem fazer uma biopsia. Isso precisa ser removido imediatamente – o médico disse.

Ele me deu o nome e o número de um cirurgião e recomendou que eu ligasse para ele na manhã seguinte. Nesse meio tempo, eles mandariam os registros por fax para a clínica do cirurgião.

Fiz uma breve pausa. Meus pensamentos foram algo como "Uau! Está bem, câncer. Provavelmente. Então aí está. Primeiro Seamus e agora eu. Um cirurgião? Ligar para um cirurgião. Amanhã... Eu não quero esperar até amanhã, eu quero uma consulta amanhã. Amanhã é véspera de Natal. De modo algum eu vou conseguir falar com um cirurgião na véspera de Natal. Eu vou ligar agora". E tudo sobre esse pensamento estava correto.

Peguei o telefone.

– Olá. Clínica Cirúrgica do Dr. Riverside.

– Olá. Eu fui indicada pelo Dr. Clínico Geral. Minha mamografia e ultrassom foram ALTAMENTE suspeitos de MALIGNIDADE, e eu preciso de uma consulta ASSIM QUE POSSÍVEL. Eu gostaria de ir amanhã.

Ela nem se preocupou em conter a risada.

– Nós não estamos abertos amanhã. Nem no restante da semana.

Obrigada. Obrigada pela sua ajuda. Isso marcou o primeiro momento que eu quis dizer "eu tenho câncer" de uma forma que, estranhamente, fosse para minha vantagem. Eu não disse. Perguntei:

– Quando eu posso marcar uma consulta?

– 12 de janeiro é a primeira data que tenho disponível.

– Eu preciso de algum dia antes. Isso é para ser ASSIM QUE POSSÍVEL. É ALTAMENTE SUSPEITO DE MALIGNIDADE.

– Só tenho nessa data.

– Então vou precisar de outra indicação. Não posso esperar tudo isso.

– Está bem – disse a recepcionista má, sem coração e inútil. E eu podia jurar que a ouvi estourar uma bola de chiclete. Mas pode ter sido somente o meu cérebro explodindo.

Liguei para a clínica do meu médico, nervosa por ele não ter me dado mais de um nome de cirurgiões de primeira, incomodada por ele não saber que o cirurgião para onde eles haviam me enviado nem estaria aberto pelo restante da semana e com quase certeza de que às

16h15 do dia 23 de dezembro eu não conseguiria ligar para ele ou para um cirurgião. Expliquei a situação para a recepcionista do meu médico e então de novo para o médico substituto meia hora depois, e mais uma vez, na manhã seguinte, para uma pessoa diferente que atendeu o telefone na clínica do médico. Ninguém me ligou de volta.

Saí do meu escritório ao meio-dia na véspera de Natal e fui para a minha hora marcada no cabeleireiro (Ah! A ironia). Estava sentada na cadeira do cabeleireiro com a capa sobre o meu corpo e com minha cabeleireira atrás de mim me perguntando quanto eu queria cortar quando o meu celular tocou. O meu médico estava ligando, finalmente. A clínica dele estava ligando para todos os cirurgiões para encontrar algum que pudesse me ver imediatamente. O melhor que eles conseguiram encontrar foi um cirurgião na cidade vizinha com disponibilidade de consulta no dia 30 de dezembro. Aceitei a consulta com um pouco de receio sobre o quão longe na lista de cirurgiões "recomendados" eles tinham ido. Assim, Kelly, minha cabeleireira, tornou-se a próxima a saber com o que eu estava lidando. A mãe da melhor amiga dela tinha recentemente falecido por conta de um câncer de mama, então a Kelly também foi a primeira pessoa a chorar quando ouviu a notícia.

Escolhi não dizer o que estava acontecendo para ninguém da minha família, já que grande parte deles se sente da mesma forma que eu sobre o Natal, e nessa altura não havia nada definitivo para contar. Eu tinha uma consulta com um cirurgião, mas isso era a única coisa certa. Além do que, naquele ano, minha família tinha uma chance de ter boas festas.

Meu irmão Jay e sua esposa, Jennifer, com sua filha, McKinzee, e o filho, Lucas, viajaram de trailer desde Missouri, onde eles moravam, até a Califórnia, e todos nós estaríamos juntos em 26 de dezembro. Esse era o mesmo irmão que tinha passado pelo acidente de moto em dezembro que o deixou em coma e na UTI durante semanas. Mas agora, como não possuía lembranças desse fato e tinha filhos, ele ainda aproveitava dezembro. E nós estávamos todos animados, pois os dois filhos dele e os filhos da minha irmã mais nova se encontrariam pela primeira vez.

Porém, antes desse encontro em família, Chris e eu tínhamos outro jantar ao qual sobreviver. Menos de três horas depois da ligação do médico, estaríamos indo jantar com os pais dele.

O jantar de Natal não seria a primeira vez que nós teríamos visto a família de Chris, mas isso não significava que eu estaria confortável – nem sob essas circunstâncias nem sob quaisquer outras.

Chris e seus pais combinavam em teimosia; nenhum tinha pegado o telefone nem sequer escrito um e-mail durante um ano e meio. Quando Chris foi morar comigo, perguntei se ele enviaria o novo endereço para os pais. Ele disse que não, mas enviou tal informação às suas irmãs e às suas tias. E foi por essa mesma tia e, um pouco menos por suas irmãs, que existiu um mínimo contato com a família dele.

Como eu já havia chegado a ficar quase dois anos sem falar com a minha mãe, sabia como essas coisas poderiam acontecer. Em ambos os casos não existiu um momento em que alguém gritou "Eu nunca mais vou falar com você!". Em vez disso, cada lado se irrita em silêncio e determina como mostrar sua intransigência ao outro lado até que semanas, e então meses, e mais que um ano passassem. E como se reconciliar então? Como pegar o telefone? O que dizer?

No caso de Chris, foi o pai dele quem deu o primeiro passo com um e-mail pedindo para eles conversarem. Depois de uma série de e-mails entre eles e alguns também com a mãe de Chris, nós quatro concordamos em nos encontrar.

Certa noite, Chris e eu discutimos as regras básicas entre nós. Chris insistiu que nós os encontrássemos juntos. E uma vez que nos parecia claro que boa parte do problema era a inabilidade dos pais dele enxergarem o filho como um adulto, pensamos que o encontro correria melhor se eles viessem até nossa casa e vissem por eles mesmos que ele era, de fato, um adulto. E que ele não tinha escolhido uma vida ruim, eles concordassem ou não com tal escolha. Nós também decidimos que vinho ou álcool de qualquer tipo era uma má ideia; precisávamos de toda nossa perspicácia para prestar atenção em tudo, mas também porque eu sabia que precisaria prestar atenção em cada palavra que dissesse.

O dia do encontro era um dia quente e desconfortável de agosto em Riverside (onde as temperaturas normalmente excedem os 38°C) e, para piorar, eles tiveram problemas em encontrar a nossa casa. Quando chegaram, talvez estivessem incomodados pelo percurso, mas eu pude ver que eles estavam tão nervosos quanto nós. Mostrei a casa para eles, e eles se mostraram surpresos com a vista que tínhamos e com o espaço do condomínio, o que acontece com todo mundo, mas eu supus que eles estavam pensando "então isso não é um laboratório de meta--anfetamina em um trailer!".

Nós nos sentamos na sala de estar, Jim e Trudi de um lado, eu e Chris do outro, com Seamus sentado no meio, virado para os pais do Chris, mas olhando nervosamente deles para nós, com os olhos bem abertos. Ele parecia saber que eu precisava de um apoio. Eu não acharia nada mal ter um apoio fofo.

Para crédito deles, Jim e Trudi começaram a conversa dizendo que eles perceberam que haviam tratado Chris como uma criança e que eles haviam sido lentos para perceber que ele era um adulto que podia tomar as próprias decisões. Foi menos agradável a explicação do "choque" que eles sentiram inicialmente com a escolha de Chris, o pai dele me comparou a um dobberman rosnador pronto para agarrar o filhotinho deles. Ele disse isso enquanto gesticulava na direção de Seamus, que estava sentado inocentemente no meio da pancadaria. É difícil dizer quem entre eu ou Chris (e possivelmente Seamus) ficou mais ofendido pela analogia, mas nós dois deixamos isso de lado depois de trocarmos olhares assustados. A discussão foi difícil e pessoal, e eu finalmente entendi que não tinha nada a ver comigo – era um problema entre pais e filho mais velho. Por esses motivos, não vou repeti-la aqui.

O encontro foi concluído com uma forma de "concordar em discordar" sobre como as coisas foram tratadas e com um acordo sobre andar para frente. Nós teríamos de nos conhecer como pessoas e não como rótulos; nisso nós conseguimos concordar.

Então, de agosto a dezembro, nós trabalharíamos nosso relacionamento. Nós nos vimos algumas vezes, e via que eles estavam tentando, mas eu achava difícil confiar em suas ações ou motivações. Eu continuamente esperei que eles fossem um problema mais uma vez, como se eles estivessem simplesmente juntando evidências contra mim. Eu não podia tirar da minha cabeça o quão educados e atenciosos eles tinham sido comigo meras 48 horas antes de instruir Chris a me deixar. Meu relacionamento com eles era cordial, porém distante. Eu tinha dito a Chris que eu apareceria nos eventos obrigatórios – aniversários, feriados, casamentos – mas que ele teria de ir aos encontros voluntários e informais sozinho.

O jantar da véspera de Natal, com muitas das mesmas tias e tios que eu não via desde o fatídico Ação de Graças, estava na lista "obrigatória". Considerei furar, mas não consegui pensar em como dizer "eu não posso ir porque tenho quase certeza de que tenho câncer mesmo que o médico não tenha dito isso ainda" de uma forma que soasse menos patética ou somente uma completa e péssima mentira. Ficar em casa sozinha com Seamus parecia atraente, mas ficar sozinha com meus pensamentos ecoando pela casa vazia, não.

Além disso, Seamus era outro problema não resolvido. Chris tinha mantido uma rotina regular de caminhada com o cão, andando com ele mais rápido e mais longe do que eu já tinha andado, mas isso nunca ajudou. Quanto mais nós dávamos, mais o Seamus queria. Agora, ele nunca ficava sozinho, tanto por cortesia com os vizinhos quanto por medo de eles levarem as reclamações ao controle de animais ou à associação de moradores. Se Chris e eu precisássemos sair, contrataríamos alguém para olhar o cachorro ou deixaríamos ele durante a noite na Ruff House, que, naquela altura, tinha outro dono, mas por sorte Marti adorava Seamus tanto quanto Denise. Mas eu não queria deixar o Seamus lá durante a noite de Natal porque nós não conseguiríamos pegá-lo até o dia 26. A parte do Natal que eu aproveitava era a manhã sozinha com Chris e Seamus; a lareira, um café forte e uma pilha de livros que eram nossos presentes comuns de um para o outro. Eu não queria abrir mão disso, especialmente naquelas circunstâncias. Precisava do meu grupo de apoio formado por duas pessoas.

Decidimos levar Seamus conosco.

A vizinhança dos pais de Chris não era, no entanto, uma daquelas que toleraria os uivos de um beagle. Além disso, a decoração da casa deles não era uma que toleraria um beagle hiperativo com uma inclinação, que fazia limite com a obsessão, por camas luxuosas. Ainda que eles fossem "chegados a cachorro", os cachorros da família de Chris tendiam a ser como eles – bonitos, arrumados e bem comportados. Os cachorros da minha família eram como nós – grandes (em tamanho e personalidade), indisciplinados, inclinados ao mau comportamento e conhecidos por se comportar de forma pouco civilizada. Eles estavam dispostos a nos deixar levar Seamus conosco, mas haveria algumas regras. Nós o colocamos em uma caixa de transporte na garagem deles enquanto fomos a um restaurante para o jantar.

Sem nem estar presente no jantar, Seamus foi mais uma vez o meu ponto de apoio. Fiz a mesa toda rir ao contar como, no começo daquela semana, Seamus tinha comido quase 1,3 kg de queijo gourmet, cortesia, mais uma vez, da falha do responsável pela entrega em ler a nota "não jogue pacotes por cima da cerca" colocada exatamente acima da placa "cachorro no jardim" do nosso portão. Isso levou às outras histórias dos roubos de comida de Seamus, incluindo a agora legendária fuga do pão. Eu achei mais fácil não pensar sobre o caroço ou a mensagem de "altamente suspeito de malignidade" se eu entrasse na conversa, em vez de sentar sozinha com minhas preocupações, o que normalmente eu fazia perto da família dele.

Uma vez que voltamos à casa dos pais de Chris, Seamus foi solto de sua caixa de transporte e autorizado a participar das festas. Chris certificou-se de que a taça de vinho estava cheia e de que Seamus estava ocupado com seus brinquedos. Sentei-me no chão da formal sala de estar com a irmã de Chris, Courtney. Courtney é a mais nova da família e ela faz esse papel muito bem. Ela é perpetuamente o centro das atenções. Em outras palavras, ela era a pessoa perfeita para que eu passasse a noite. Ela manteve uma conversa estável sobre não sei o que sem a necessidade de eu responder além de um balanço de cabeça ocasional. Seamus correu para dentro e para fora da sala, farejando perto da mesa e aproximando-se de mim para ver se eu tinha alguma sobra de comida. Sem achar comida disponível, ele correu para fora da sala caçando Chloe, a pequena e adorável cockapoo. Ela era o animal de estimação da família dos pais de Chris há catorze anos e lembrava o meu cachorro de infância, Tippy.

Nós saímos às dez da noite, com Chris dirigindo e Seamus exausto e descansando na sua caixa de transporte durante a uma hora de viagem para casa.

– Bem, tudo foi melhor do que eu esperava com Seamus – eu disse.

– Foi? – o Chris falou.

– Bem, sim. Ele não pareceu estar com muitos problemas. E seus pais pareceram não ter problemas com ele.

Chris virou-se e olhou para mim, atônito.

– Ele fez cocô no meio da sala de estar.

– Ele fez?

É justo dizer que eu estava distraída. Não sei se poderia lidar com o conhecimento do câncer no horizonte e cocô de cachorro no carpete marfim simultaneamente. Também não sei como Chris, ou seus pais, conseguiram esconder esse fato desagradável e nojento de mim, mas eu fico feliz de eles terem feito isso.

Nós três tivemos nosso dia tranquilo de Natal, sozinhos em casa. Chris e eu gastamos uma grana em livros de presente um para o outro, comida para nós três e novos brinquedos para Seamus, com cada um de nós tentando vencer o outro nos brinquedos. Sim, naquele momento sabíamos que era errado – muito errado – mimar o cachorro dessa forma, mas era infinitamente divertido ver Seamus jogar os mais novos brinquedos no ar e mastigá-los e escutar os repetidos chiados frenéticos até que nós o perseguíssemos pela casa. Ele não via utilidade nos brinquedos que não faziam barulho. Nada de brinquedos fofos ou de borracha para Seamus. Somente brinquedos com barulhos – melhor para destruí-los, deixando uma trilha de enchimento pelo caminho.

No dia seguinte, fomos até a casa do meu pai, que ele dividia com a esposa, Nancy, no deserto perto de Palm Springs. Havia catorze pessoas da minha família juntas naquele dia. E dois cachorros. Seamus, é claro, e Max, o pastor australiano do meu pai.

Meu presente de Natal para todos foi uma foto em família, tirada por um fotógrafo profissional amigo meu. Quando planejei a foto, ela serviu para duas causas: eu não tinha de sair para comprar presente para todo mundo e isso seria uma lembrança da qual todos gostariam e que só se recebe uma vez na vida. Agora, a sessão fotográfica serviria para uma terceira causa: ela gravaria para toda a posteridade os momentos finais antes do câncer invadir nossa família e me distrairia daquele fato.

Nós tivemos outros quatro dias antes que eu finalmente pudesse ver um cirurgião.

Capítulo 14

Dr. Bom Karma

– Esse não pode ser o lugar – eu disse.

– Cheque o endereço de novo – Chris disse.

Olhei para a papelada no meu colo e então entreguei a folha de indicação para Chris.

– Nem parece uma clínica médica – eu disse.

– Eu estava pensando nisso. Parece uma antiga imobiliária ou algo do tipo.

– E era um posto de gasolina antes disso.

Nós olhamos para uma casa cinza de reboco rachado e de dois andares no final do que parecia ser uma galeria vazia.

– Bom, vamos entrar. Quem sabe não seja melhor lá dentro?

Chris segurou a porta da clínica aberta para mim. Eu entrei.

A sala de espera estava completamente cheia. Cada paciente parecia ter três ou mais crianças na fila. Um homem passou por nós, sem nem esperar chegar do lado de fora antes de acender um cigarro. A menos de um metro da porta já era bom para ele.

Virei-me para Chris:

– Eu tenho plano de saúde.

– Aparentemente, isso é o que está disponível durante as festas – ele disse. – Veja, nós estamos aqui. É só uma consulta. Ao menos converse com o cirurgião.

– Tudo me parece sujo. Eu não quero estar em um centro cirúrgico sujo.

– Bom, vamos esperar que a cirurgia não seja feita aqui. Vá dar entrada. Talvez eles te mandem para um lugar diferente depois que você iniciar o processo.

– O seu otimismo é chocante.

Na recepção, recebi uma prancheta cheia de papéis e me mandaram sentar.

Não havia assentos disponíveis.

Nós nos encostamos contra uma parede branca enquanto eu tentava preencher a papelada até que finalmente uma paciente foi chamada e duas crianças saíram atrás dela, liberando uma fileira de assentos no canto mais afastado da sala.

Sentada, concentrei-me em preencher a papelada e mantive minha cabeça baixa.

– Aquilo é mesmo grama sintética? – Chris apontou para o piso verde brilhante que parecia grama.

– Talvez seja um carpete industrial?

– Não tem contrapiso.

– Como você sabe?

Ele apontou para o canto da sala. O carpete havia descolado e se desintegrado, expondo o chão de concreto e algumas embalagens de doces.

– Você disse a eles que tinha plano de saúde?

– Eu vou ver o cirurgião. Mas não acho que eu possa ser tratada aqui. Esse lugar é horrível.

O homem que havia saído para fumar sentou-se ao lado de Chris, trazendo com ele seu cheiro de cigarro e sua tosse.

Esperamos durante 45 minutos – aguentando as pigarreadas do fumante, os chiliques das crianças e as diversas e altas conversas nos celulares – antes de finalmente ser chamada para a sala de exames. Chris me seguiu e sentou comigo por outros quinze minutos enquanto esperávamos pelo médico.

Na hora em que a Dra. Tamil entrou na sala, eu estava ansiosa e nervosa. Por que era tão difícil receber um cuidado médico até com uma condição "altamente suspeita"? Eu me lembrei da Dra. Patricinha Fresca com sua atitude fria e, como quem não se importava, tentei ficar firme. Eu obteria algumas respostas, custasse o que custasse.

Mas a Dra. Tamil era reservada e quieta. Apesar dos seus arredores, ela tinha um ar calmo, e a sua frase introdutória me desarmou imediatamente.

– Me desculpe pela sua espera. Eu entendo que isso é difícil e nós estamos, infelizmente, com poucos funcionários nesta época do ano – ela disse.

– Isso porque vocês são a única clínica aberta durante as festas, aparentemente.

Ela concordou com a cabeça, resignadamente.

– Infelizmente, isso é bem real.

Ela tinha, no entanto, lido a minha ficha e revisado a minha mamografia e meu ultrassom. E ela não apressou a consulta.

Eu me deitei na mesa de exames enquanto ela apalpava o meu seio direito.

– É muito bom que você tenha achado isso.

– Já me disseram a mesma coisa. Mas, de alguma forma, eu não me sinto bem.

– Eu entendo. É um problema. Mas não recomendo a cirurgia em primeiro lugar. Eu discordo do seu primeiro médico. Você é jovem. Não há razões para ter mais cicatrizes do que o necessário. Eu recomendaria uma biopsia primeiro, para termos certeza com o que estamos lidando. Aí então podemos partir para a cirurgia, se for necessário.

– Quer dizer, se isso for câncer?

– Sim.

– Não sabemos se isso já é câncer?

– Não, com certeza não. Eu não quero enganá-la. Não parece nada bom, mas a biopsia seria recomendada antes da cirurgia.

Eu me sentei e fechei o meu avental.

– Bom. Quando podemos fazer isso?

A Dra. Tamil suspirou e apoiou-se no balcão.

– Se você estivesse em um centro especializado em câncer, a biopsia aconteceria nos próximos dois dias, provavelmente. Se a biopsia mostrasse câncer, nós marcaríamos uma ressonância magnética e depois a cirurgia, e isso aconteceria nas próximas duas semanas.

– Duas semanas? – isso parecia rápido (por se tratar de uma cirurgia) e interminavelmente longo (por ter câncer no meu corpo).

– Duas semanas se você estivesse em um hospital especializado em câncer. Aqui não é. Não em Riverside. Você tem plano de saúde e poderia ir ao City of Hope ou à UCLA ou a outro instituto, e lá as coisas aconteceriam assim. Eu e outros médicos estamos trabalhando duro para ter isso aqui, mas isso não existe nessa região. Ainda não.

– Então o que acontece aqui?

A Dra. Tamil sentou-se, o seu cansaço era tão palpável quanto meu tumor. Ela explicou, sem floreios, o longo processo que eu enfrentaria.

Encontrei minha amiga Stacey para um almoço alguns dias depois.

– Nossa! Você está ótima. Lindo terno. Você está perdendo peso? – ela disse.

– Provavelmente.

– Que droga. O que está acontecendo? – Stacey é a mesma amiga que me disse que, quando algo está realmente errado na minha vida, ela sabe por que eu sempre estou muito bem apresentável, muito bem arrumada. Os seus métodos eram testados e comprovados.

Todo ano depois do Natal, ela e eu nos encontramos para comparar quem sofreu mais durante as festas de fim de ano. Eu sabia que este ano ganharia a competição de "quem teve o pior final de ano". Contei a ela sobre o meu caroço altamente suspeito e sobre a minha visita à Clínica Médica para os Desesperados do Fim do Ano.

Ela se inclinou para frente.

– Você precisa sair da cidade. Vá para a UCLA.

– Não, está tudo bem. A cirurgiã em si foi uma pessoa muito simpática. Ela me pareceu bem capacitada. Gostei dela. E a cirurgia não vai ser naquela clínica. No fim das contas, aquele lugar é um espaço temporário.

– Então quando é a cirurgia?

– Bem, isso é mais complicado – disse e virei a alface no meu prato. – E um pouco inacreditável. Eu ainda estou esperando para que eles marquem uma biopsia. Levei minha mamografia e meu ultrassom pessoalmente para o radiologista na esperança de acelerar o processo. Mas não. Disseram para mim que ele vai dar uma olhada nos exames, algum dia, aparentemente, e a secretária vai me ligar para avisar a data da biopsia. Pelo que me parece, isso vai acontecer em 16 de janeiro. Estou esperando para ver se eles conseguem me atender antes. E a Dra. Tamil está tentando ajudar com isso.

Ela não estaria surpresa em saber que eu estava usando o meu imaculado terno preto Tahari e o meu salto de couro Cole Haan Nike Air enquanto dirigia por aí, pegando e entregando os meus resultados médicos em vários consultórios lotados de pacientes, sem que ao menos uma vez borrasse o meu batom vermelho ou desarrumasse o meu cabelo preso, cuidado e com luzes feitas recentemente.

– Isso são mais doze dias. É um absurdo. E isso é apenas para a biopsia. E depois? – ela perguntou espetando sua salada *ceasar*.

Sim. Era um absurdo. Como a Dra. Tamil explicou, localmente seriam três semanas até que a biopsia pudesse ser feita, depois mais alguns dias, ou até mesmo uma semana, para os resultados. Se a biopsia mostrasse câncer, então iríamos marcar uma ressonância magnética, a qual levaria mais algumas semanas. Uma vez que tivéssemos o resultado da ressonância, aí então poderíamos marcar a cirurgia, o que aconteceria só depois de três a seis semanas. No total, se isso fosse câncer, ele estaria no meu corpo por mais nove a doze semanas. Insondável.

Mas que escolha eu tinha?

Eu já estava tão cansada. Desde a informação de "alta suspeita de malignidade", eu não conseguia dormir ou achar atendimento médico. Assim que o Natal passou, fui a um cirurgião e então todos os consultórios médicos fecharam e pararam de atender telefonemas até a virada do Ano Novo. Até aquele momento, em que eu estava almoçando com Stacey, a nuvem negra daquela doença já me acompanhava fazia mais de duas semanas e eu não sabia se tinha câncer de mama. Eu nem tinha um data marcada para a biopsia, muito menos para cirurgia.

Quando compartilhei isso com Stacey, ela ficou ainda mais decidida.

– Olha, você não pode permanecer na cidade por isso. Você não pode. Nós não temos os especialistas dos quais você precisa. Nós não temos nem médicos suficientes. Obviamente nós não temos as instalações necessárias. Estou lhe dizendo, você precisa ir para UCLA.

– Eu não sei como fazer isso. Devo ligar para a UCLA? Para quem? O que eu faço? Simplesmente ligo para o Centro Médico da UCLA e digo "Oi, eu talvez tenha câncer. Alguém pode verificar isso para mim?"?

– É. Basicamente é isso. É isso que você faz. Eu vou pegar o número para você. Que tipo de plano de saúde você tem?

– Eu tenho um bom plano de saúde.

– Então você pode ir a qualquer lugar? Você não precisa ir apenas a um dos médicos disponíveis, certo?

– Acredito que sim. A cirurgiã estava me dizendo que com o meu plano de saúde eu poderia ir a um centro especializado em câncer e pouparia muito tempo.

Até eu dizer isso, não tinha percebido que a Dra. Tamil estava sugerindo que eu fizesse exatamente isso. Não tinha percebido que ela sabia que a demora local não era aceitável e estava me encorajando da única maneira que ela podia para buscar um cuidado médico mais aceitável.

Que idiota que eu fui! Eu precisava sair da cidade! Até a cirurgiã achava isso.

– Exatamente – Stacey deu mais uma garfada em sua salada.

No meu caminho de volta para o escritório, parei na Starbucks para um café duplo com leite. Cafeína de almoço estava se tornando algo rotineiro. Depois de uma hora que eu já tinha retornado ao meu escritório, Stacey tinha enviado um e-mail, encaminhando uma mensagem da sua própria médica da UCLA.

> *Oi, Stacey,*
>
> É um caroço no seio? Se sim, eu provavelmente consigo fazer com que ela seja atendida antes, mas me avise o local certo do caroço, para que eu possa saber exatamente quem ela deve ver.
>
> *Espero que você esteja bem.*
>
> *Jeannine.*

Eu não conseguia falar com a minha médica pelo telefone há dias, e Stacey recebeu um e-mail pessoal da sua médica em menos de uma hora. Um e-mail? De uma médica?

Eu respondi:

> *Stacey (e Dra. Rahimian),*
>
> *Muito obrigada pela resposta rápida.*
>
> É um caroço no seio e é descrito continuamente como "seio direito às dez horas" – o que é bem preciso. É mais fácil de ser sentido quando o meu braço está erguido, pois está próximo à minha axila. Me disseram que não é um cisto (isso foi após o ultrassom). Eu agradeceria um encaminhamento. Por ora eu tenho uma biopsia marcada para o dia 16 de janeiro. Muito obrigada.
>
> *Teresa.*

A resposta veio depois de cinco minutos, diretamente da Dra. Rahamian, um presente do universo, carregando outro presente:

> *Oi, Teresa,*
>
> Eu recomendaria o Dr. Amer Karam. Ele é um ginecologista na UCLA que é especialista em biopsia e cirurgia de seio. Confio mui-

to nas suas habilidades cirúrgicas e no seu julgamento. Acabei de ligar no seu consultório e o próximo horário vago para atendimento é dia 8 de janeiro. O número para você ligar para marcar o atendimento é 310-xxx-xxx.
Me avise se você precisar de ajuda com qualquer coisa. Quando você o encontrar, avise-o que fui eu quem a encaminhou.
Jeannine.

Liguei imediatamente e marquei uma consulta com o Dr. Karam para dia 8 de janeiro às duas da tarde. Dois dias depois.

Quando falei para Chris, ele ficou mais aliviado do que eu.

– Estou muito feliz que você fez isso. Sei que você ama e apoia Riverside, mas é obvio que nesse momento ela não tem o que você precisa.

– Eu acho que demorei para acreditar. Acho que não queria acreditar.

– Você teve de sair da cidade para arranjar cuidado para Seamus. Você deve pelo menos estar disposta a fazer o mesmo por você. Lembra quanto tempo você gastou exigindo uma consulta para ele? Você ligou e insistiu até que achou um lugar e um horário que fossem aceitáveis.

– Eu me esqueci disso. Tenho mais sucesso com a minha agressividade quando se trata de cuidado veterinário, aparentemente.

Chris me puxou para perto e passou os seu braços por mim.

– Sim. Vamos trabalhar nisso, está bem? Imagine que você está fazendo isto pelo Seamus.

Na noite anterior à consulta com o Dr. Karam, Chris e eu estávamos sentados na cama, lendo. Bom, ele estava lendo. Eu estava encarando a tinta impressa nas páginas do livro que estava segurando.

Mesmo sem ter um diagnóstico oficial, eu sabia que tinha câncer. O sentimento só aumentou a cada médico que consultei.

Chris olhou para mim e colocou seu livro de lado.

– Você está bem?

– Estou tentando me acostumar com a ideia do câncer. Porque eu tenho um sentimento de que isso realmente é câncer.

Ele colocou sua mão na minha perna.

– É, eu também acho que é.

– Você acha? Você? O eterno otimista?

– Sim. Eu odeio dizer isso, mas já que você disse... Ao que tudo indica, os médicos sabem que isso é câncer.

Seamus estava roncando entre nós dois. Acariciei a cabeça dele, e ele bocejou, esticou-se e rolou para receber um carinho na barriga.

– Ao menos nós sabemos como lidar com o câncer certo? – Chris disse. – E agora você sabe que eu vou ver outra mulher apalpando-a, e isso não é tão ruim.

Eu joguei um travesseiro na cabeça dele.

– Tenho certeza de que isso foi extremamente excitante.

– Na verdade, não. A visão quase estragou toda a fantasia de duas mulheres juntas que eu tinha. Simplesmente não foi o que eu tinha imaginado que seria.

– A Dra. Tamil e eu sentimos muito. Estou certa disso.

– Você pode fazer melhor...

Aproximei-me e aconcheguei-me a Chris, espremendo Seamus entre nós dois, já que eu sabia que ele não ia ceder espaço algum. Eu me senti aliviada – apoiada e aliviada por ter falado isso e ter recebido uma resposta honesta de Chris, sem falsas esperanças. Ele até me fez rir. Nós não estávamos tão assustados quanto poderíamos estar se não tivéssemos um sobrevivente de catorze quilos, olhos castanhos e ladrão de comida deitado entre nós enquanto conversávamos, sendo a prova viva de que a palavra *câncer* nem sempre é uma sentença de morte. Por mais que essa prova estivesse sentada conosco na cama, nós estávamos calmos.

– O que mais me preocupa é trabalhar durante tudo isso – eu disse. – Não importa o tratamento pelo qual eu passe, preciso manter o escritório aberto.

– Nós vamos dar um jeito. Conseguimos fazer isso.

Eu gostei do som do "nós".

Desde que Chris veio morar comigo, ele não tinha voltado a Los Angeles o quanto ele gostaria. Cem quilômetros torna-se uma distância muito maior quando não se tem um romance na outra ponta. Onde ele morava era muito perto do Centro Médico da UCLA, então fizemos planos para jantar com dois de seus amigos após a minha consulta com o Dr. Karam. Com uma consulta às duas da tarde, não há razão para voltarmos para a estrada e dirigir para casa logo em seguida. O trânsito de Los Angeles é a sua própria doença.

Nós chegamos ao Centro Médico da UCLA no mesmo campus em que Chris e eu nos conhecemos muitos anos atrás em um curso de escritores. O Centro Médico é composto por três diferentes prédios brancos com três torres altas, um prédio administrativo baixo e um estacionamento subterrâneo que poderia abrigar uma cidade, é por isso que eles devem cobrar onze dólares por carro, mesmo que você fique lá durante apenas três horas.

– Você sabe outra coisa que é como procurar tratamento para o Seamus? – perguntei.

– Dirigir até Los Angeles? – Chris disse.

– Bom, sim, mas também o sentimento de "droga, isso vai custar uma fortuna". – disse apontando para os carros parados nas vagas "reservadas para médicos". – Mercedes, Mercedes, BMW, Jaguar, Mercedes, BMW, Porsche.

– É o oeste de Los Angeles. Esses carros são necessários. Mas todos comprados por meio de consórcio.

Nós fomos até a torre 200 e passamos por um brilhante corredor iluminado pela luz do sol, com grandes e coloridos trabalhos artísticos. A placa do lado de fora da suíte 240 dizia "Ginecologia & Obstetrícia", o que me fez parar por um momento até eu lembrar da dupla especialidade do Dr. Karam.

Obviamente, isso também chamou a atenção de Chris.

– Eu não vou mentir. Aquela placa lá fora está me assustando um pouco – ele disse.

– Sério? Mais do que o câncer?

– Com certeza... eu acho.

Eu me registrei e nós nos sentamos. Havia sete mulheres e mais um homem esperando com a gente. Eu me peguei pensando: todas essas pessoas eram pacientes que buscavam tratamento para o câncer? Todo mundo tinha uma história triste, como aqueles cachorros que eu não podia olhar naquela outra sala de espera? Mas não, esse não era necessariamente o caso aqui. Eu ainda não tinha sido diagnosticada como uma paciente com câncer, e suspeitava que a mulher que choramingava e reclamava alto com o homem envergonhado ao seu lado o fazia porque ela havia descoberto recentemente que estava grávida. Não acho que os pacientes que tenham câncer geralmente se irritem por terem de esperar vinte minutos. Nós temos coisas maiores para nos irritarmos.

Fui chamada para a sala de exames quase que imediatamente. Chris me seguiu.

–Você sabe que o Dr. Karam é um homem, certo? Isso não vai ser tão divertido para você – eu disse.

–Tenho outras razões para estar aqui dessa vez.

Os funcionários eram amigáveis e eficientes. Em um piscar de olhos eu estava vestida no costumeiro papel toalha com mangas, e Chris e eu estávamos sozinhos esperando pelo médico na sala de exames. Segurei os exames que eu tinha pegado de Riverside e todos os diversos relatórios médicos que obtive no centro de imagens, em outros cirurgiões e no radiologista. Nós não tivemos de esperar muito.

Dr. Karam entrou na sala, sorridente e energético. Ele tinha uma estatura mediana, era magro com uma cabeça cheia de cachos negros e selvagens, vestia o obrigatório jaleco branco, óculos da moda e sapatos. E ele era novo. Muito, muito novo. Mesmo assim, ele exalava confiança e inteligência. Gostei dele instantaneamente.

–Você está muito bem para exigir cuidados médicos – ele disse enquanto apertava a minha mão.

Eu me segurei para não falar "você parece muito novo para ser um médico". Eu tinha 23 anos quando me formei em direito e odiava que as pessoas me dissessem que eu era muito nova para ser uma advogada.

– Espero que sim, eu realmente não gostaria de exigir cuidados médicos.

– Isso é verdade. Ninguém realmente quer – ele sorriu afetivamente.

Apresentei Chris, e nós três conversamos e discutimos o porquê de estarmos ali e a dificuldade que tivemos para encontrar um atendimento na nossa cidade.

– Eu sinto muito que vocês tenham tido problemas. Isso é um período muito longo para se esperar quando se tem notícias como essa – Dr. Karam explicou. –Vamos ver o que temos aqui.

Eu entreguei a ele os meus documentos e imagens e ele os estudou cuidadosamente, finalmente olhando para cima e dizendo.

– Posso examinar? – o que é um jeito educar de dizer "me mostre os seus seios" sem jogar confetes para o alto.

Esse seria o quinto exame no meu seio direito (sem contar o exame de Chris) no último mês. Eu conseguia achar o caroço em menos de um segundo, mas alguém pouco familiarizado precisaria fazer uma certa caçada a ele. Dr. Karam achou o caroço facilmente e disse de maneira simples que o via.

– Esperava que você não visse.

– Você pode se vestir. Estarei de volta em um instante e aí conversaremos.

Ele saiu carregando os exames.

Chris e eu nos olhamos.

– Isso foi rápido – ele disse.

– Ele parece tão jovem – eu respondi.

– Parece mesmo. Mas também parece que ele sabe o que está fazendo.

Eu estava feliz com o fato de Chris ter gostado dele também.

– Parece mesmo. Eu gosto dele. De onde é o sotaque?

Eu tinha uma fé inabalável de que Chris poderia, porque ele normalmente fazia isso, identificar (e consequentemente imitar) praticamente qualquer sotaque.

– Bom, pelo nome, eu diria que ele é do Oriente Médio, mas tem um pouco de sotaque do Leste Europeu também. Interessante.

Dr. Karam voltou depois de cinco minutos, olhando e soando mais sério.

– Se puder esperar aqui, eu gostaria de ir lá embaixo ver se eu consigo a biopsia para hoje à tarde.

– Hoje à tarde? Hoje?

– Sim. Isso é possível?

– Bom, sim. Nós estamos aqui. Levaria apenas uma tarde. E, depois? Eu posso voltar dirigindo e ir trabalhar amanhã?

– Sim, a maioria das pessoas pode. Não deve ser um problema.

– Isso soa sério.

Claro, eu sabia que era, mas também sabia que aqueles eram os meus últimos momentos empurrando o assunto com a barriga. Sentada na cama, segura em casa, com um beagle entre a gente, dizendo "Isso é câncer" para o Chris de repente era muito diferente do que estar sentada no consultório médico, esperando ele dizer "Isso é câncer". O diagnóstico é mais sério quando a pessoa que o diz está em um jaleco em vez de pijamas.

– Deixe eu mostrar – Dr. Karam disse.

Nós o seguimos para outra sala pequena, na qual os meus exames estavam presos em um painel luminoso – a mamografia de julho que não mostrava nada, ao lado da mamografia de dezembro com uma massa branca. Ele apontou para a massa.

– É com isso que estamos preocupados. Como você pode ver, não estava lá antes. Isso é algo de que não gostamos. Gostaria de fazer a biopsia rapidamente e então marcar uma nova ressonância magnética. Se você não precisar da ressonância, a gente cancela, mas se você precisar, já estaremos preparados.

– Se eu precisar? Quer dizer, se eu tiver câncer?

– Sim.

– E eu presumo que você acha que eu tenho câncer?

Ele inclinou a cabeça para a direita e me encarou. Sua voz era simpática.

Ele anda como um duque e fala como um duque... Vamos tratá-lo como um duque por agora.

Naquele momento, eu não conseguia rir com a ideia de um duque no meu seio. Eu só fui fazer as piadas do "seio duque" mais tarde.

– Vamos para a biopsia então – eu disse.

Esperamos no consultório, enquanto ele foi lá para baixo. Em vinte minutos, ele havia marcado a biopsia enquanto Chris e eu discutíamos como reorganizaríamos os nossos planos para o jantar.

Dr. Karam voltou parecendo contrariado.

– Desculpe-me, mas eles não vão conseguir fazer hoje à tarde. É muito em cima da hora. Marquei para amanhã de manhã. Às nove da manhã. Tudo bem?

Eu não conseguia me imaginar dizendo não.

– Sim. Está ótimo. Nós teremos de sair às 5 da manhã para chegar aqui a tempo, mas eu não conseguiria dormir essa noite mesmo.

Depois de alguns minutos de discussão, Chris e eu decidimos que iríamos encontrar os amigos dele para o jantar, apesar de tudo. Por que não socializar enquanto podemos? E, como sempre, havia o problema do trânsito.

Apenas algumas poucas horas depois de ter recebido a notícia de que o caroço no meu seio andava e falava como um duque cancerígeno, eu estava em um café italiano em Brentwood, conhecendo a amiga do Chris, Ashley, a outra amiga dele de longa data, Emily, e a pessoa com quem ela estava saindo naquela noite, que nem eu ou Chris havíamos conhecido antes (e nunca veríamos novamente). Por um momento, refleti se eu tinha permissão para tomar vinho antes da biopsia, mas pedi um de qualquer jeito.

O jantar seguiu surpreendentemente normal, com as apresentações e discussões de como as festas de fim de ano tinham sido até que alguém perguntou o que estávamos fazendo em Los Angeles.

Ah! Isso. Certo.

Todos eles estavam no começo dos seus trinta anos, e eu presumi que todos estavam muito pouco familiarizados com o câncer de mama. De repente, eu me senti muito na meia-idade conforme explicávamos como nós havíamos passado a nossa tarde.

– Meu Deus! E você está calmamente jantando com a gente – disse Emily.

– Bom, sim. Vocês todos foram uma ótima distração e é melhor do que estar sentando em um carro, voltando para casa, certo? Desculpe-me por ser negativa, eu tenho certeza de que não é isso que vocês gostariam de ouvir de praticamente uma estranha.

– Minha mãe teve câncer de mama. Eu sei tudo sobre isso. Fui com ela a todas as consultas, então eu sei uma quantidade surpreendente de coisas sobre essa doença. Só me avise como eu posso ajudar. Pode ligar a qualquer hora – disse Ashley, tornando-se a primeira de uma longa lista de pessoas que ofereceriam ajuda.

– Nossa, sinto muito por ela. Como a sua mãe está? – eu disse. Chris empurrou a sua coxa contra a minha de baixo da mesa.

– Ela morreu há um ano. Sei que você não precisa escutar isso agora. Parece que você identificou isso bem no começo. Você vai ficar bem. Se precisar de alguma referência, no entanto, me avise. Minha mãe tinha ótimos médicos.

Porra! Ela morreu. Da mesma coisa que eu provavelmente tenho. Eu me esforcei para dar uma resposta. O que eu digo? Como faço tudo isso ir embora por apenas mais uma noite? Eu era inexperiente em relação a isso. Ainda tinha tanta coisa a ser aprendida.

– Sinto muito pela sua perda. E muito obrigada por oferecer ajuda. Vou me lembrar disso caso eu precise. Mas, por ora, vamos esquecer que eu disse qualquer coisa e aproveitar essa noite boa ignorando o câncer, pode ser?

O tilintar das taças foi providencial e abafou os suspiros de alívio.

Estávamos de volta às onze, e apesar de termos ido direto para cama, não conseguia dormir. Eu me mexi e me virei no colchão, pensando se deveria avisar a minha família, preocupando-me com a possibilidade de uma quimioterapia, a mastectomia, a perda de cabelo, as náuseas... uma variedade de possibilidades, todas horríveis. Tentei manter minha atenção na biopsia – o que estava imediatamente na minha frente. Isso não parecia tão ruim. Dr. Karam tinha descrito para mim o procedimento. Deitaria imóvel entre 30 e 45 minutos enquanto eles inseririam uma agulha na área do meu tumor mamário. Eles utilizam uma ferramenta que ele descreveu como um pequeno *pac man* que extrai de três a cinco pedaços do tumor. E acabou. Eu teria um hematoma e talvez um pouco de dor, mas não muita. E, quando isso acabasse, eu finalmente teria respostas. Respirei fundo e me aconcheguei ao Chris, ficando de conchinha. Finalmente dormi duas horas antes do meu alarme tocar.

Eu não tinha nenhum beagle engraçadinho uivando na minha cara e me guiando para o andar de baixo para eu dar café da manhã. Seamus estava na Ruff House, onde parecia que ele passaria mais uma noite ao menos que fôssemos capazes de pegá-lo na volta da biopsia às seis daquela tarde. Eu esperava que nós conseguíssemos. Sei que eu me sentiria melhor se Seamus estivesse em casa com a gente.

Apesar de termos saído de casa às seis, Chris e eu acabamos presos no trânsito da manhã. Nós chegamos às nove e quinze, mas levava pelo menos 15 minutos para arrumarmos uma vaga e chegarmos no prédio, nós estávamos meia hora atrasados no momento que demos entrada no centro de imagens.

– Teresa Rhyne – eu disse enquanto assinava a ficha de admissão.

– Sua data de nascimento?

– 17 de fevereiro de 1963.

– Qual mês?

– Fevereiro.

– Aqui diz março.

Eu não sabia ao certo o que fazer a respeito disso. Eu estava nervosa – você sabe, biopsia do câncer de mama e tudo mais – mas eu ainda tinha certeza de que sabia o meu próprio aniversário. Já tinha tido alguns deles até então.

– Está bem, bom, deve estar errado – mostrei a minha carteira de motorista.

– Nós vamos arrumar isso. Sentem-se.

Quando fui chamada para a sala em que o procedimento seria feito, tive de ir sozinha. Nenhum visitante era permitido no ambiente cirúrgico. Dei um beijo de despedida em Chris, e ele apertou a minha mão. Nós provavelmente parecíamos com uma pintura da Renascença de um casal se despedindo, as pontas dos dedos se afastando enquanto eles se olham profundamente. Ou pelo menos na minha cabeça. Passei a depender de Chris para ele me persuadir para longe do meu pessimismo e me distrair da seriedade do que estava acontecendo. Não queria estar sozinha, mas eu estava.

Deram um avental hospitalar para que eu vestisse, obviamente, mas eu só tive de tirar a parte de cima da minha roupa. Isso era um pouco reconfortante para mim. Nenhum procedimento médico verdadeiro acontecia com um paciente usando calças jeans.

Mais uma vez alguém de jaleco leu da tela do computador e errou a data do meu nascimento.

– Eu vou arrumar isso imediatamente – ela prometeu.

Sorri e fiz uma nota mental para dizer o meu aniversário como dia 17 de fevereiro, mas o seu computador acha que é março. Também notei que o sistema de computadores da UCLA não era nem de perto tão eficaz quanto a marcação de "CHEY-MUS" na ficha dele. Eu imaginava que não poderia realizar a cirurgia já que a minha carteira de motorista não dizia dia 17 de março.

Conforme eu ia de um lugar a outro – troca de avental, medição da pressão, peso, temperatura, mais um tempo em sala de espera –, o sentimento de que eu realmente era uma paciente com câncer aumentava. Havia uma mulher que parecia estar um passo na minha frente em cada procedimento. Ela estava visivelmente abalada, extremamente nervosa. Eu me perguntava se ela já sabia do diagnóstico, mas não puxei assunto. Parecia-me que havia uma lei do silêncio para ser seguida até mesmo pelos médicos. As únicas palavras ditas eram instruções de o que fazer e quando. Venha aqui. Vista isso. Espere aqui. Assine isso.

Finalmente, chegou o momento do ultrassom e me levaram até uma sala pequena com um monte de aparelhos complicados e computadorizados. A radiologista era uma residente que se apresentou como Dra. Koo. Ela também aparentava ter quinze anos. A UCLA só contratava recém-formados? Existe um recrutamento especial para crianças superdotadas? Depois de dois anos eles os mandam embora citando a perda da aparência jovial? Aqui era oeste de Los Angeles no final das contas.

No meio do ultrassom do meu seio direito, Dr. Karam colocou a cabeça para dentro da sala para confirmar a ressonância magnética que ele havia marcado. Se não fosse câncer, nós iríamos cancelar a ressonância, ele me lembrou.

– Parece que você só fala disso como sendo câncer, acredito que nós não iremos cancelar a ressonância. Presumo que você já saiba que isso é câncer.

Continuei tentando conseguir um diagnóstico; eu precisava de algo definitivo. E eu ainda estava esperando que o duque fosse, na verdade, um plebeu ou talvez um mercador ou qualquer coisa que não fosse da realeza.

– Eu tenho 95% de certeza que é câncer – Dr. Karam disse.

A Dra. Koo exalou. Claramente ela também imaginava que era câncer, mas não podia dizer coisa alguma. Quando Dr. Karam saiu, a Dra. Koo começou um discurso sobre "as taxas de sobrevivência quando se detecta isso cedo". Eu fiquei assustada ao ouvir isso. Sobrevivência? O que isso tem a ver com qualquer coisa? Eu só tenho esse pequeno câncer; nós vamos lidar com isso e seguir em frente. Sem drama, por favor. A Dra. Koo não sabia que Seamus já havia me ensinado o que ela estava tentando dizer. Ela não sabia que eu não escutava a palavra *morte* quando a palavra *câncer* era dita.

Então, a Dra. Koo disse algo ainda mais absurdo. Ela sorriu timidamente.

– O seu médico parece bem jovem.

Isso, vindo da pequena Dra. Cindy Koo, que não parecia ter mais de 22 anos, ainda me faz rir.

Era finalmente o momento da biopsia.

A sala de operação para o procedimento da biopsia era grande e bem iluminada, com uma mesa de exames, uma bandeja de instrumentos e fortes luzes no teto. Diversas mulheres em jalecos brancos e aventais estavam presentes, e o bom humor e o jeito casual delas me relaxou.

O meu tumor ficava próximo a minha axila, o que significava para a radiologista Dra. Overstreet (outra mulher) que, para chegar lá, eu teria de me deitar na mesa apoiada no meu lado esquerdo, mas com a parte de cima do meu corpo torcida para a direita e o meu braço ainda mais para trás. Isso é extraordinariamente parecido com uma posição para certos movimentos quiropráticos... os quais eu recebia do meu pai, quiroprata desde que eu tinha cinco ou seis anos. Eu me movi facilmente para aquela posição. A agulha que entra no seio para anestesiá-lo para a biopsia, no entanto, ardia – nem todos podem preparar alguém para aquilo. A Dra. Overstreet segurou a minha mão e a apertou comigo quando a agulha entrou.

A anestesia funcionou misericordiosamente rápida e quando o instrumento *pac man* foi introduzido, eu não sentia nada. Mas eu ouvia. Eu ouvia ele abrir e fechar como um grampeador. Quando eles anestesiam os seios, eles deveriam fazer o mesmo com os ouvidos.

O processo foi rápido. Cinco grampeadas e tinha acabado. Uma bola de algodão foi comprimida no meu seio e presa com esparadrapos, em seguida me ajudaram a levantar devagar.

– Como você se sente? – perguntou a médica.

– Bem, eu acho.

– Que bom. Isso é tudo que podemos esperar nessa altura.

– Então ninguém pula da mesa feliz?

– Dificilmente, nunca – ela disse. – Você vai passar com a Dra. Koo de novo. Ela vai fazer uma mamografia.

– Uma mamografia? Agora? Depois disso? – eu podia sentir o hematoma crescendo no meu seio. E agora eles queriam que esse mesmo seio fosse apertado contra placas de metal e esmagados até que as laterais se encostassem?

– Pense nisso como imagens do antes e do depois.

Se você acha que uma mamografia é dolorosa, tente depois do *pac man* ter atacado o seu seio. Vamos dizer que houve sangramento.

Chris finalmente pôde se juntar a nós. Enquanto a Dra. Koo fazia um novo curativo, nós tivemos uma discussão de supremacia entre Harvard (onde ela estudou) e Princeton (onde Chris estudou). UC Santa Bárbara ganhou (onde eu estudei). Afinal, eu era a que tinha 95% de chance de ter câncer e estava com um seio sangrando.

Capítulo 15

Como um duque

O horário comercial já havia acabado, e meus funcionários tinham ido para casa. Eu estava sozinha no meu escritório quando o Dr. Karam ligou.

– Me desculpe lhe dizer isso, mas é o que nós pensávamos – ele disse.

– É um duque?

– Quase. É um carcinoma ductal invasivo.

– Ah! Duque-de-não-sei-onde. O seu sotaque é pior do que eu imaginei – eu podia encarar essa situação com humor por mais um pouquinho antes que eu fosse deixada sozinha em uma sala. Com câncer.

Ele riu, mas foi rápido.

– Isso é conhecido como um câncer de mama triplo negativo, que é, infelizmente, um câncer agressivo. Por um lado, você tem muita sorte: foi muito bom que você o tenha descoberto cedo.

– Não estou me sentindo sortuda agora.

– Eu entendo.

– Então, cirurgia, é claro. Vou precisar de quimioterapia?

– Muito provavelmente. Para esse tipo de câncer a quimioterapia é exigida. Mas nós saberemos mais após a cirurgia e, então, você vai falar com um oncologista. Eu acredito que nós podemos fazer uma mastectomia. Saberemos mais depois da ressonância magnética que será feita amanhã.

Já tinha marcado a data da ressonância no meu calendário. Quando terminei a ligação com o Dr. Karam, liguei para Chris.

– Acho que a gente sabia que isso estava por vir – Chris falou.

– É. Ainda parece um pouco estranho ter se confirmado; finalmente saber que tenho câncer. Estou sentada aqui falando com você e, ao mesmo tempo, tem câncer correndo pelo meu corpo.

– Estranho, eu sei. Você está bem?

– Acho que sim. Nós temos de voltar à UCLA amanhã. E acho que eu deveria informar a minha família.

– Verdade. Mas ainda temos tempo para isso. Que tal voltar para casa mais cedo hoje?

Olhei para os arquivos na minha mesa, os papéis na minha caixa de mensagens.

– Eu não sei se vou conseguir me concentrar. Mesmo assim, tenho de terminar algumas coisas. Eu a vejo em algumas horas.

– Está bem. Eu te amo. Muito.

– Eu também te amo. Mande um beijo para o nosso cãozinho por mim.

Desliguei o telefone e olhei fixamente para a parede na minha frente por alguns minutos antes de voltar ao trabalho. Quando o trabalho rapidamente se tornou uma mistura de papéis e leitura, de novo e de novo, da mesma frase sem sequer uma vaga compreensão, fui para casa.

Chris me deu uma taça de vinho, e nós conversamos sobre o que eu deveria dizer para minha família. Como alguém fala a palavra *câncer*? Não se pode fazer isso de maneira leve, e uma vez que eu não tinha preparado ninguém, teria de começar do começo em cada telefonema. Suspeitei que cada um deles fosse perguntar por que eu não tinha dito nada antes.

Primeiro, liguei para o meu pai, mas a ligação caiu na secretária eletrônica.

Em seguida, liguei para meu irmão e, mais uma vez, secretária eletrônica. Nas duas vezes eu tive problemas com que tipo de mensagem deixar. Como eu poderia soar normal? Talvez eu só devesse desligar.

Bip.

– Olá. Hum, sou eu. Ligue para mim de volta.

Esperei que eles entendessem que eu queria dizer "hoje ainda".

Enquanto eu ligava para a minha irmã, meu pai ligou de volta.

Eu estava feliz por ser o meu pai. A criança dentro de mim queria contar a ele primeiro. Eu sabia que ele seria mais calmo do que o restante da família, mais forte e, certamente, quem responderia da maneira lógica que eu preferia. Ele também provavelmente teria informações médicas úteis. Mas eu também precisava do meu pai como garotinhas precisam dos seus pais: para fazer as coisas ruins irem embora. Ou pelo menos para fazê-las melhores.

Como uma adulta, no entanto, sabia que independente de sua reação visível, ele provavelmente enfrentaria isso de um modo sério. Eu não sou o que alguém chamaria de "garotinha do papai", mas nós somos próximos e sempre fomos assim. E mais ainda: ele sofreu muitas perdas. Seus pais morreram juntos em um acidente de carro quando ele tinha dois anos. Uma das irmãs dele morreu na infância. Foi a mulher dele quem morreu em 23 de dezembro. Eu vi o quão arrasado ele ficou quando meu irmão sofreu aquele acidente de moto e eu não queria ser a causa daquele tipo de dor novamente. Não tem como ser fácil ouvir que sua filha tem câncer. Ainda que ela tenha quarenta anos. Eu estava naquela posição incomum de querer o cuidado de um pai enquanto também sentia que eu deveria cuidar dele.

Quando contei para ele, ele disse que queria ir ao médico comigo. Eu estava sentada na minha cama, na minha casa, ainda de roupa social e salto alto do trabalho, com uma taça de vinho de um lado e Seamus do outro, mas eu poderia estar vestindo jeans e usando aparelho, estar sentada na minha cama amarela com uma lata de refrigerante e o Tippy ao meu lado, uma menina de treze anos em La Habra Heights – a última casa onde meus pais moraram juntos antes do divórcio. Eu sorri. Gostava da ideia de ter meu pai comigo na consulta, mas eu garanti a ele que Chris podia lidar com isso por agora.

– Ele vai com você?

– Sim, é claro. Ele foi comigo ontem também.

– Ele é um bom homem. Diga para ele cuidar de você. Ordens do médico – ele fez uma pausa e eu sabia que ele estava, assim como eu, juntando forças. – Não. Você diz para ele que são ordens do seu pai – ele parou novamente e com uma voz mais suave disse: – Você tem certeza de que ele consegue lidar com isso?

– Eu tenho certeza disso. Ele tem sido muito, muito bom. E vem lidando bem com isso há algumas semanas.

– Eu não acredito que você não nos falou nada antes. Você deveria ter nos contado.

– Jay e as crianças estavam aí. Era Natal. Eu queria que tudo estivesse bem, pelo menos por um tempo. E outra, eu ainda não sabia de nada com certeza. Você teria feito a mesma coisa.

Ele só teve de pensar por um segundo.

– Sim. Você está certa. Eu teria.

Desliguei o telefone e imediatamente comecei a reconsiderar a situação. Talvez eu devesse ter meu pai comigo na consulta. Talvez isso fosse demais para Chris aguentar sozinho. Eu estava sendo egoísta? Ter o Chris, e somente o Chris, comigo até agora tinha sido reconfortante e estabilizante para mim. Mas um homem de trinta anos deveria lidar com o câncer de mama da namorada dele? Os amigos dele eram todos casados e estavam no primeiro ou segundo filho. Ele estaria ainda mais distante da experiência de vida deles. Ele não teria ninguém para compartilhar aquela experiência.

Decidi falar com ele sobre isso. Depois.

Contar para minha mãe foi difícil por outras razões. Eu não gosto de drama. Minha mãe é... vamos dizer, bem diferente de mim. E, para piorar, ela e meu padrasto, Ted, haviam se aposentado e se mudado para Missouri para ficarem mais perto do meu irmão e da família dele, e a distância tendia a aumentar e não diminuir o drama. Quando recebi o meu diagnóstico, eles estavam viajando de férias, em direção ao oeste. Quando liguei para o meu irmão, mencionei que esperaria para contar a minha mãe até que eu pudesse contar pessoalmente, quando ela chegasse à Califórnia.

– Mamãe não está indo para a Califórnia – Jay disse.

– O quê? Pensei que ela estivesse indo com Ted para lá.

– Falei com eles ontem, e eles decidiram ir até o Arizona. A Califórnia é muito complicada.

Se uma voz pudesse colocar aspas imaginárias em uma palavra, meu irmão tinha acabado de fazer isso com "complicada".

– O que isso significa?

– Eu não sei. Ela é sua mãe.

– Quem dirige de Missouri até o Arizona, mas não segue viagem por mais alguns quilômetros para ver as próprias filhas?

– Sua mãe – eu podia ver o sorriso dele pelo telefone. Da mesma forma que pais se referem a uma criança mal-educada como se ela pertencesse exclusivamente aos outros, meu irmão e eu fazíamos isso com nossa mãe.

– Veja, ela disse que tinha pessoas demais para ver na Califórnia e ela não tinha tempo suficiente, então para quê se preocupar. Mas você deveria ligar para ela. Obviamente, ela irá até aí agora.

E essa era a parte complicada. Eu queria que ela viesse agora? Chris me levou para a ressonância magnética, e meu pai e eu concordamos que ele também nos acompanharia à consulta com o Dr. Karam assim que tivéssemos os resultados da ressonância. Isso era apoio suficiente para mim. E, trinta anos após o divórcio deles, ter meus pais no mesmo ambiente ainda não era uma situação confortável. Decidi atrasar minha ligação para ela em mais um dia, dizendo para mim mesma que isso daria a ela mais um dia para aproveitar suas férias.

– Sabe, eu estava pensando... – falei enquanto Chris dirigia até a UCLA na manhã seguinte. – ... seria uma grande ironia da minha vida se Seamus vivesse e eu não.

Chris sabia mais do que ninguém que eu nunca consegui ler um livro ou ver um filme, desenho animado ou até um comercial com um cachorro se houvesse qualquer possibilidade de o cachorro sofrer ou morrer. Uma vez, eu o fiz desligar um filme da Disney, *Vira-lata*, porque a cena de abertura tem um beagle prestes a ser usado em um experimento de laboratório. Note que o beagle era, de fato, o próprio *Vira-lata*, e uma vez que isso era o começo do filme, parecia óbvio o suficiente que o cachorro sobreviveria. Não importa. Eu não poderia assistir a nenhuma potencial simulação de sofrimento. Chris enfatizou que isso era um filme da Disney para crianças e, por isso, o cachorro certamente não morreria ou sofreria. Eu o lembrei do que aconteceu com a mãe do Bambi. Não que pudesse assistir a qualquer um dos dois, mas eu ouvi rumores.

– Isso não é engraçado – Chris falou.

– Bem, é um pouco engraçado. E isso seria tão típico da minha vida.

– Você não está morrendo. Eu a proíbo de morrer. O cachorro sobreviveu, e você também vai sobreviver.

– Tudo que nós podemos fazer é ter esperança de que eu seja tão sortuda quanto o Seamus.

– Você vai ser.

– Farei o meu melhor. E falando em pensar que eu vou morrer... Vou ligar para a minha mãe agora.

Falei com a minha mãe no quarto de hotel dela em Scottsdale, Arizona, e pedi que ela colocasse a ligação no viva-voz para que meu padrasto pudesse ouvir também. Ele é mais calmo. Muito, muito mais calmo. Achei que ele ajudaria a amenizar a notícia. Mas, para a minha surpresa, minha mãe também ficou em silêncio.

– Eu não sei o que dizer.

– Eu sei, mãe. Ninguém sabe. Mas eu me sinto bem, e nós identificamos essa doença cedo, então o prognóstico é bom.

Eu já sentia isso virando uma resposta-padrão.

– O que nós podemos fazer?

– Agora, nada. Chris está me levando a todas as consultas, e papai vai encontrar o cirurgião com a gente. Então, por agora, tudo está sob controle.

– Bem, isso é bom. Agradeça o Chris por mim. Ele cuida bem de você.

– Ele cuida. Ele cuida muito bem de mim.

– E eu imagino que seja bom ter seu pai lá para a consulta com o cirurgião. Isso vai ajudar. Mas eu ainda quero visitá-la. Nós estamos apenas a cinco horas de distância.

O telefone foi muito mais fácil do que eu esperava.

Ela deve ter ficado momentaneamente sem reação. Pouco tempo depois, foi ela que retornou a ligação repetidas vezes com novas perguntas, preocupações e opiniões sobre ir até a Califórnia agora ou depois, entre as ligações da minha irmã mais nova e de alguns amigos, o que induziu Chris a dizer:

–Você devia fazer um blog.

– Um blog? – nessa altura, eu lia somente um blog, escrito pelo instrutor responsável por Chris e eu nos conhecermos. Isso mal me fazia uma candidata a ter o meu blog.

– Bom, pense nisso. Você já escreve mesmo. Dessa forma, em vez de e-mails em grupo, você pode postar o que está acontecendo e quem quiser pode ver. Você não vai ter de perder tanto tempo ao telefone e você não vai ter de pensar sobre quem incluir nas mensagens.

– Hummmm – eu teria pensado mais nisso, mas meu celular tocou novamente.

Nós chegamos a tempo no departamento de radiologia da UCLA. Repeti o meu mantra hospitalar: "Teresa Rhyne, 17 de fevereiro, 1963, mas você tem no sistema como 17 de março", e esperei enquanto algum funcionário prometia arrumar a data de nascimento no meu cadastro. Dr. Karam surgiu no corredor, despenteado, sorrindo e segurando uma xícara grande da Starbucks.

– *Hola, T.* – ele falou, sorridente e com boa energia.

– Claro, você pode estar feliz. Você tem a Starbucks e não vai fazer uma ressonância – eu disse.

– Isso é verdade. Você gosta da Starbucks?

– Gosto bastante.

– Então você vai ficar feliz em saber que existe uma no campus. Depois vou lhe mostrar onde.

– Não se incomode em me mostrar. Só me traga um café quando eu acordar depois da cirurgia. É aquela regra de "sem líquidos depois da meia-noite" que me preocupa.

– Eu vou fazer isso! – ele disse de uma forma que me fez acreditar. Ou pelo menos me deu esperança de que a cirurgia seria simples e, no final, ele estaria de pé ao lado da minha cama com uma xícara de French Roast. Ele era reconfortante dessa forma.

– Então, o que você está fazendo aqui embaixo na radiação?

Nós estávamos dois andares abaixo da sala dele e eu não estava esperando encontrá-lo. No fim das contas, ele é um cirurgião.

– Eu decidi ir com você. Vou observar o procedimento.

Não me passou pela cabeça pensar no porquê de ele fazer isso. Só pensei que ele era um doutor incrivelmente participativo e bondoso; o que, é claro, ele era.

No aparelho de ressonância, enquanto Chris e Dr. Karam conversavam do lado de fora, planejei o blog. Fez muito sentido. Eu tinha antecipado ligar para os amigos para avisá-los do que estava acontecendo, mas tive dificuldades em passar do "Olá, eu tenho certeza de que você quer saber todos os detalhes da minha vida, então sim, eu fui diagnosticada com câncer de mama e isso é obviamente um grande pedido de atenção". E onde está a seleção de quem recebe a ligação? Pessoas que eu conhecia havia muitos anos? Poucos anos? Meses? Pessoas que eu amava? Gostava? Tolerava? E quem tem energia para todos esses telefonemas? Um e-mail em grupo parecia a resposta lógica. Mas, então, como continuo a manter informados aqueles que querem ser informados, sem talvez contar demais para pessoas que talvez não quisessem saber ou não se importassem?

Um blog fez sentido.

Eu podia fazer um blog e mandar um e-mail em massa avisando todo mundo ao mesmo tempo, e se alguém quisesse mais detalhes, poderia checar no blog quando e se quisesse. Isso parecia razoável. As ideias fervilhando na minha cabeça bloquearam boa parte do barulho alto dentro do aparelho de ressonância.

Quando comecei a pensar que eu queria coçar meu nariz e talvez virar minha cabeça, a voz do radiologista veio pelo interfone.

– Bom trabalho, Teresa. Você estava realmente calma. Nós vamos trazê-la para fora agora.

Eles me tiraram da máquina, como uma forma de biscoitos saindo do fogão (mas vamos esperar que eu não tivesse passado do ponto).

Dr. Karam teve de sair antes que eu tivesse terminado (Por quê? Para uma cirurgia?), mas Chris continuou esperando pacientemente, distraindo-se com seu iPhone.

– Então, decidi que você está certo. Vou precisar fazer aquele blog – eu disse.

– Já está feito.

– O quê? Ele precisa de um nome? – eu tinha pensado em um durante todo o meu tempo dentro do tubo.

– Você está registrada como thedoglived.blogspot.com[13] – ele virou a tela do iPhone para mim.

Sim. Esse era o nome que eu queria.

– Obrigada!

– Sem problemas. Mas o título completo do blog é *O Cachorro sobreviveu e eu também sobreviverei.*

– Então, sem ironia?

– Não. Pela primeira vez, você vai ter pensamento positivo.

Sorri.

– Parece um bom momento para isso.

Quando estávamos em casa, postei pela primeira vez no blog e, então, enviei um grande e-mail em grupo contando o endereço do blog. Pareceu fácil o suficiente.

Mas um e-mail em grupo não funciona para todos.

Na noite em que Chris ia ligar para os pais dele para contar sobre isso, sua irmã ligou primeiro. Kati ligou para avisá-lo que naquele momento seus pais estavam na clínica do veterinário com a Chloe, o cachorro da família – com quem Seamus tinha vibrado e se comportado mal na Véspera de Natal, a que parecia com o Tippy. Chloe estava severamente doente e precisava ser colocada para dormir. Quando Chris me contou, chorei pela primeira vez desde que descobri meu caroço.

Por respeito à Chloe e a tudo que ela significava para a família, Chris esperou alguns dias para contar aos seus pais sobre o meu diagnóstico.

Com a família e os amigos próximos informados, direcionei minha atenção para o trabalho. Eu ainda estava esperando pelos resultados da

13 *The Dog Lived (and so will I)* (O cachorro sobreviveu (e eu também sobreviverei)) é o título original em inglês deste livro. (N.T.)

ressonância, mas mesmo na melhor das circunstâncias, parecia que eu tinha muitos meses de tratamento contra o câncer pela frente. Trabalhei até mais tarde para me adiantar e para me distrair. Em uma dessas noites, Chris me ligou no escritório.

– Eu não quero que você tenha uma surpresa, então eu estou ligando para avisá-la antes – ele disse.

– Tenho me surpreendido muito ultimamente, então você meio que está me assustando.

– Desculpa. Bem, você pode se assustar. Minha mãe vai te ligar.

Posso me assustar? Em quatro anos que eu e Chris estávamos juntos, eu nunca tinha tido uma conversa por telefone com ninguém da família dele, e eu acho que todos nós gostávamos disso. Ainda que Chris tivesse acertado as coisas com os pais dele, eu ainda sentia que a reprovação apenas havia se transformado em desapontamento.

Eu não trabalhei mais, apenas me sentei na minha mesa pensando nas situações possíveis. Decidi que a provável razão da ligação era para implorar que eu terminasse com Chris. Por que um homem de trinta anos tem de passar por algo como câncer de mama com sua namorada? Isso não era justo para ele. E uma vez que eu mesma tinha esse pensamento, seria difícil argumentar com ela. O melhor que eu podia pensar, sentada sozinha na minha mesa, ansiosamente esperando pela ligação era: "Chris decide". Patético.

O telefone tocou.

Deixei que tocasse uma segunda vez. Pensei em não atender. Decidi ser uma adulta. Uma assustada, vulnerável e defensiva adulta... mas uma adulta.

Então, tive dúvidas sobre como atender. Um simples "alô" quando eu atendia o meu telefone do escritório soaria casual demais e talvez mostrasse que Chris me ligou para avisar da ligação que estava prestes a acontecer. "Escritório de Advocacia" soava formal demais. No quarto toque, atendi com um "Teresa Rhyne" me dando conta um pouco tarde demais do quão estúpido isso soava, especialmente do modo como eu falei, com tom de pergunta. Teresa Rhyne? Talvez? Não me machuque?

– Olá, Teresa, é a Trudi.

– Ah, hum, oi.

Ah! Sim, aí está o esplendor familiar em diálogos sob pressão.

– Eu falei com o Chris, e eu queria ligar para lhe dizer "bem-vinda ao clube, C".

Bem-vinda? Bem, talvez ela tenha pensado que eu morreria e isso resolveria o problema dela.

– Hum, obrigada... eu acho.

– Não, não é nada que alguém queira, eu sei disso. Mas é um clube e você não se dá conta até que você passe por ele. Não sei se Chris comentou, mas sou uma sobrevivente do câncer de mama. Já se passaram dezesseis anos. Então, eu sei que você pode fazer isso também. Você é forte e vai passar por isso.

Eu sou forte? Ela acha que eu sou forte? E ela soava genuinamente preocupada. Preocupada. Eu também fui capaz de fazer uma matemática simples. Se ela era uma sobrevivente havia dezesseis anos, ela tinha a mesma idade que eu tenho agora quando foi diagnosticada. E ela tinha três filhos, a mais nova deveria ter oito anos na época.

– Obrigada. Eu acho que vou passar por isso. Eu não tenho escolha.

Soei ingrata? Remota?

– Chris vai ser forte por você também. Falei para ele que ele precisa ir a todas as consultas com você. Isso foi o que o pai dele fez por mim e fez toda a diferença.

– Chris vem sendo ótimo. Eu tenho muita sorte por isso. Ele foi a todas as consultas comigo e me manteve rindo.

– Jim era o único marido na sala da quimio na maior parte do tempo. Muitos homens não aguentam isso; é chocante. Mas os homens de verdade aguentam. Falei para Chris que ele teria de se ver com a mãe dele se ele não lhe desse apoio.

Nossa! Nós havíamos progredido mais do que eu achava? Talvez eu estivesse projetando um pouco dos meus próprios medos.

– Ele é realmente um apoio e tanto nessa hora. Ele até fez um blog para mim para que eu possa atualizar todo mundo sem me repetir o tempo todo.

–Você tem de me dar o endereço. Eu quero saber de tudo. E as meninas vão querer acompanhar também, eu tenho certeza. Elas também se preocupam com você.

Nós conversamos por vinte minutos enquanto a minha surpresa e ceticismo diminuíam, quando eu finalmente me dei conta de que o câncer nos deu um assunto em comum para conversar como pessoas, não obstáculos. Ela me falou sobre a cirurgia e a quimioterapia e foi cuidadosa ao me dizer o quão melhor os tratamentos eram agora. Ela me disse o quão importante foi para ela, ao passar pelo tratamento, que a doença não afetasse os filhos dela. Ela também se ofereceu para me acompanhar durante a quimioterapia. Garanti que Chris iria comigo e, se fosse necessário, meu pai também me acompanharia.

Enquanto eu não podia conceber totalmente a ideia de eu e ela fazermos algo tão pessoal e íntimo, como ir juntas ao tratamento de quimioterapia, fiquei feliz pela ligação. Senti uma mudança no nosso relacionamento naqueles vinte minutos. Não, não uma mudança. Isso não está preciso. Antes disso, não tínhamos um relacionamento. E agora tínhamos. Eu não era mais a pessoa que poderia arruinar a vida do filho dela, e ela não era mais a pessoa que poderia tentar arruinar a minha vida. Nós éramos duas mulheres que haviam tido câncer de mama e que amavam Chris. Isso era algo sólido em comum. Isso era suficiente para começar.

Chris estava tão surpreso quanto eu. Imagino que os pais dele estavam igualmente surpresos. E aliviados.

Comecei a escrever mais e mais no meu blog:

O lado bom do câncer de mama, número um: quem imaginava que eu tinha amigos otimistas?! E então existe o fato de que acho que nunca tinha escutado "Eu te amo" tantas vezes de tantas pessoas (bem, pessoas sóbrias pelo menos). E mais, eu recebi mensagens de muitos amigos e familiares, incluindo alguns com quem eu não falava há muito tempo. Mais coisas boas: algumas pessoas sugeriram que pode haver perda de peso com a quimio (eu tento não pensar no que elas claramente pensam do meu peso), e de repente há certo foco na minha vida (eu tenho tempo para duas coisas: trabalhar e lidar com "isso", e eu não posso gastar mais dinheiro com qualquer outra coisa... então isso simplifica bastante as coisas).

Há ainda um grande lado bom: "O CÂNCER VENCE". Não, de verdade, esse é um lado bom. Basicamente, "eu tenho câncer" é uma forma fantástica de conseguir tudo e qualquer coisa!! Quem pode dizer não para "eu tenho câncer, você pode me fazer um favor"? Ninguém!! (Está bem, exceto Seamus – ele é totalmente impassível a isso.) Eu vou tentar não deixar o poder subir à minha cabeça. E tenho quase certeza de que vou ter de conservar isso para quando eu realmente precisar de ajuda. Além disso, Chris está de olho em mim.

Eu tinha confiança completa no Dr. Karam. Mas isso não fez com que eu deixasse de ter meus momentos de pânico antes da cirurgia. E cada vez que eu entrava em pânico, ele respondia com igual humor, informação e tranquilidade. Ainda que ele tenha me pedido para chamá-lo pelo primeiro nome, Amer, comecei a chamá-lo de Dr. Karma.

Quando escutei de uma velha secretária da minha antiga firma de advocacia sobre uma injeção azul dolorosa no bico do seio com o propósito de encontrar o linfonodo sentinela antes da cirurgia, mandei um e-mail para o Dr. Karam. Isso foi o mais perto de chorar que eu cheguei até esse momento do processo (exceto pela perda da Chloe, a cockapoo). A injeção tinha sido descrita para mim como um 11 em uma escala de dor de 1 a 10, e eu precisava da garantia (eu precisava da negação!) do Dr. Karam. Enviei o e-mail exatamente antes de sair do meu escritório por volta das sete horas da noite. Eu deveria ter ficado lá esperando pela resposta dele. Ela teria me salvado da agonia da minha imaginação exagerada por todos os quinze minutos do caminho de volta para casa. Em vez disso, mesmo que ele tenha respondido quase imediatamente, não li o e-mail dele antes de chegar em casa, derramar toda a história sobre Chris e elevar o nível de dor para algo como 426 em uma escala de 1 a 10.

A resposta que Dr. Karam enviou para mim do seu Blackberry foi a seguinte:

> "A injeção azul é a q eu uso na sala de operação qndo vc tá dormindo para q você não sinta nada. E minhas mãos habilidosas vão manter qualquer dor longe ;-). Vc pode ter 1 coloração no seio q é temporária e sua urina vai ficar azul ou verde por 1 dia (os meus alunos da faculdade sempre são expulsos por isso). A injeção q vc leva de manhã é para aquela pqna quantidade de material radioativo q tb vai no tumor do linfonodo sentinela e

não dói. Eu uso as duas técnicas pra ter certeza de encontrar o tumor sentinela."

Eu me diverti com a linguagem da mensagem de texto. Não era diferente do que a minha sobrinha postava no Facebook ou das raras mensagens de texto dela para mim, somente um pouco mais fácil de ser decifrada. Eu sabia o que ele estava dizendo: a anestesia é minha amiga. Assim como o Dr. Bom Karma. Para a vida toda.

Outros conselhos, muitas vezes não pedidos, também chegaram até mim. Algumas vezes eu os ignorei, e às vezes eu mandei e-mails para Amer com perguntas. Ele sempre respondia rapidamente e de forma completa.

Minha assistente Michelle estava grávida de seu primeiro filho nessa época. Nós comparamos histórias de comentários inapropriados de pessoas que eram bem intencionadas (nós esperávamos) e nós duas nos perguntamos por que alguém sentia que suas histórias horrendas, sejam de nascimento de criança ou quimioterapia, iriam ajudar em alguma coisa. Michelle também me contou quando uma das minhas clientes ligou investigando sobre a minha saúde porque em uma noite ela havia escutado dois homens falando sobre o meu diagnóstico de câncer em um restaurante local.

Ainda que eu tenha feito um blog público, ainda não tinha determinado como queria lidar com o meu diagnóstico e tratamento no que dizia respeito aos meus clientes. Uma vez que trabalho com inventários, frequentemente discuto doenças e morte com meus clientes, mas não me parecia certo levar a minha própria doença ou mortalidade à conversa. E, de um ponto de vista prático, não daria certo ter pessoas pensando que eu estava doente demais para lidar com qualquer cliente ou, pior ainda, morrendo. Saber que meu seio direito tinha se tornado assunto de jantar casual me fez perceber que eu teria de lidar com isso de frente. Decidi que seria aberta e sincera sobre o meu câncer e o tratamento – e eu enfatizaria que ainda estava trabalhando. Eu seria aquilo que resisti ser por tanto tempo: ousada e otimista. Bem, talvez só otimista.

Fui assistir ao discurso do prefeito na quinta-feira, minha primeira aparição pública pós-diagnóstico. Dessa pesquisa pequena, mas extremamente científica, eu posso dizer que existem quatro reações básicas de uma pessoa ao encontrar com alguém que foi diagnosticada com câncer de mama, são elas:

1. A pessoa assume uma expressão séria, até de dor, pega pela mão a "pessoa com câncer", estremece e com uma voz quase não audível diz "Eu ouvi dizer sobre sua situação/diagnóstico/doença" (ninguém pode pronunciar a palavra *câncer*). "Eu sinto muuuuuuuito mesmo." Então inclina sua cabeça para o lado e continua olhando com dificuldade para a "pessoa com câncer" como se ela fosse morrer naquela hora.
2. A pessoa assume uma expressão austera e diz: "Olá. Como vai?" à "pessoa com câncer" enquanto disfarçadamente olha para o seio cancerígeno, mas, em seguida, evita-o de uma forma que é aparente que ela "ouviu falar".
3. A pessoa corre até o adoentado, abraça, sorri, ou sem controle de suas emoções diz: "Oh! Meu Deus! Eu li o seu blog. É tão bom que você esteja mantendo seu senso de humor.". E frequentemente existe o "se tiver qualquer coisa que eu possa fazer por você, por favor me avise". OU
4. A pessoa corre até a "pessoa com câncer" e imediatamente começa com uma porrada de coisas que a "pessoa com câncer" deve saber, indicações para ela entrar em contato, informações que devem ser procuradas, nomes de médicos, outras "pessoas com câncer" com quem ela deve falar e descrições gráficas de coisas que a "pessoa com câncer" pode ter de aguentar, mas não está com ânimo para contemplar no momento.

Adivinhem qual reação é a minha favorita? A de número três. Acho que se você conhece alguém que foi diagnosticado com câncer, e particularmente câncer de mama, existem algumas coisas das quais você deve se lembrar. Primeiro de tudo, a pessoa se sente bem. Eu não posso lhe dizer, fisicamente, que eu tenho uma doença agora. Além do roxo meio amarelado causado pela biopsia, fisicamente eu me sinto saudável. Então por que eu não continuaria com minha vida normal? Dessa forma, quando você encontrar uma "pessoa com câncer", se você conhece essa pessoa, trate-a da mesma forma que você a trata normalmente! Para aqueles que podem, no futuro, estar nas categorias acima (1, 2 ou 4), alguns comentários:

1. Essa reação acontece mais frequentemente com homens. Eu entendo – homens querem consertar as coisas e resolver problemas, e isso não é algo que a maior parte dos homens possa consertar (no entanto, o Dr. Bom Karma pode!). Mas a reação é, na melhor das hipóteses, estranha. Mais uma vez, ainda me sinto bem. E isso faz com que eu sinta como se tivesse que TE confortar e TE garantir que tudo vai ficar bem. E, ei, isso é sobre MIM!
2. Você está de brincadeira quando olha pros meus seios, né? Você está esperando ver alguma coisa alienígena saindo do meu peito? Eu preferiria ouvir "Então, eu ouvi dizer que você tem algumas más notícias" ou algo que pelo menos me desse abertura para dizer "Sim" ou mudar de assunto ou fazer alguma coisa além de pensar, "Nossa, essa pessoa está realmente desconfortável agora; eu me pergunto: o que eu fiz?".
4. Hum, nossa. Eu não consigo carregar esse tipo de informação na minha cabeça. E enquanto eu sei que você tem boas intenções, a situação de cada mulher é diferente, e eu estou ficando realmente muito enjoada, então muitos detalhes precisam ser deixados de fora. Eu vou lidar com isso quando eu tiver de lidar com isso. É melhor se você escrever alguma coisa em um papel ou simplesmente dizer: "Eu conheço um bom médico/alguém que passou por isso recentemente/um ótimo site" etc., seguido de, "Você quer que eu lhe ENVIE essa informação?" Muito, muito melhor. Porque a "pessoa com câncer" (que tem muito pouco

> controle sobre a doença contra a qual está lutando) pode pelo menos ter controle das informações e das decisões. E a informação estará disponível quando for necessária. Eu mal consigo contar o número de consultas com médicos, restrições, instruções, testes, resultados etc., que eu tenho atualmente, menos ainda coisas com as quais eu posso encontrar dentro de alguns meses.

Recebi uma ligação sobre minha performance na ressonância magnética. Ou, pelo menos, é assim que eu gosto de pensar sobre isso. A UCLA ligou para perguntar se eu estava disposta a participar de uma pesquisa que estava sendo conduzida por mais um daqueles cientistas gênios de doze anos que pareciam se reunir no campus do Centro Médico da UCLA. A pesquisa estava sendo conduzida para encontrar uma forma de diagnosticar o câncer de mama por meio da espectroscopia da ressonância magnética em vez da biopsia, mais invasiva. Eles precisavam de voluntárias que haviam sido diagnosticadas com câncer de mama e estavam dispostas a passar por esse procedimento adicional antes da cirurgia. Eles estavam tendo dificuldade em recrutar pessoas disponíveis.

O tempo entre o diagnóstico e a cirurgia é uma época estressante e eu entendo que muitas pessoas precisassem de sedativos para ficar imóveis dentro do aparelho de ressonância, então era fácil ver porque conseguir voluntários poderia ser difícil. Mas onde outras precisavam de sedativos, eu só precisava de uma boa ideia – o blog – e eu estava pronta para uma hora de reclusão bem gasta dentro da minha própria cabeça. Eu tenho mais medo daquelas caminhadas contra o câncer de três dias do que de uma oportunidade nobre para cochilar, então eu concordei em participar do estudo. Uma vez que Chris e eu já tínhamos decidido passar a noite em um hotel perto do centro médico na noite anterior à minha cirurgia, os cientistas pesquisadores concordaram em fazer a ressonância naquela noite também.

Fomos para Los Angeles em um dia frio de janeiro com nossas malas para dois dias, uma garrafa de vinho (para o Dr. Karam) e reservas no Hotel Angeleno, um edifício arranha-céu redondo e icônico com vista para a cidade e para o Getty Center, a um quilômetro e meio da UCLA. Pouco tempo depois de fazermos o check-in no hotel e subirmos ao nosso quarto, Michelle me mandou por e-mail uma foto de flores que haviam sido enviadas ao escritório por clientes. Depois ela me mandou por e-mail uma foto dela e da minha assistente jurídica vestindo fitinhas cor-de-rosa nos pulsos em solidariedade à minha causa e me desejando sorte. Chris e eu nos sentamos na varanda aproveitando a vista por alguns momentos antes do vento nos enviar de volta para dentro.

A espectroscopia da ressonância magnética estava marcada para as oito da noite. O prédio ao qual fomos direcionados estava vazio quando chegamos. Com cuidado, descemos corredores desertos até que fomos recebidos por outro jovem doutor vestindo um jaleco branco de laboratório que se apresentou como Scott e me agradeceu repetidamente por concordar em participar do estudo. Depois de explicar novamente a pesquisa e me dar a papelada para assinar, mais uma vez me vesti com o avental hospitalar e deitei de bruços no tubo do aparelho de ressonância magnética. O barulho que a máquina fazia era mais silencioso e eu não tinha um blog a ser criado na minha cabeça, mas, fora isso, o procedimento pareceu similar ao que eu tinha passado antes.

O Dr. Bom Karma até apareceu novamente para acompanhar e, como ele disse, ver o que os cientistas estavam estudando. Eu só fiquei sabendo disso quando ele falou comigo pelo interfone da máquina e me acordou da minha soneca.

– Como você está por aí? – ele disse.

Mesmo acordando com uma voz sem um corpo presente, reconheci o sotaque distinto e o tom feliz de sua fala.

– Bem, eu estou bem até agora. Obrigada.

– Nós estamos aqui fora discutindo sobre vinhos e sobre a França.

Eu sabia que esses eram dois dos assuntos favoritos dele e de Chris.

– Bom, só não esqueçam de mim aqui. E por falar em vinho, eu tenho permissão para tomar um pouco essa noite? Com tanto que seja antes da meia-noite?

– Uma taça. Mas faça valer a pena.

Ele foi embora antes que eu fosse tirada do aparelho, mas era bom saber que ele tinha passado para responder as questões médicas realmente importantes.

Ordens do médico: Chris e eu jantamos ovo pochée com salada frisée, toucinho e croutons, bife com manteiga de gorgonzola, e trufas fritas no West, o restaurante na cobertura do hotel. Saboreei uma taça de Chateauneuf du Pape. As calorias consumidas na noite antes da cirurgia do câncer não podem contar.

Às cinco da manhã eu estava bem desperta, mas não era por conta da comida.

Capítulo 16

Ficando nuclear

Nós obedientemente chegamos ao centro cirúrgico às sete da manhã. Mais ou menos outras 163 pessoas também. E, aparentemente, era um dia de metade do preço na cirurgia para crianças porque elas estavam fazendo fila na porta. E chorando. Crianças choram quando são encaminhadas para cirurgia. Eu choro quando tenho de estar acordada às sete da manhã sem Starbucks. Não era uma cena bonita nem silenciosa. Mais uma vez, pensei, o centro cirúrgico poderia aprender com o centro veterinário de Seamus. Uma vez que Seamus recebeu ossinhos verdes de sobra todas as vezes que nós fomos à clínica veterinária, ele associou o percurso e aquele edifício com nada menos que fãs adoráveis e biscoitos quase ilimitados. Ele corria para dentro do prédio, com o rabo para cima e balançando. Talvez os centros cirúrgicos humanos devessem dar algo igualmente distrativo. Seamus tinha seus ossinhos verdes; eu ficaria bem com uma xícara verde da Starbucks. Eu estaria mais disposta a me submeter aos procedimentos cirúrgicos.

Depois que eles levaram todo mundo para a cirurgia, um a um, e os membros da família dispersaram, Chris e eu ainda estávamos amontoados em um canto. Quando o relógio marcou 7h30 e depois 7h40, fui até a mulher na recepção.

– Olá. Eu tinha de estar na medicina nuclear às sete e meia.

– Não é aqui.

– Hum, bem, me disseram para me informar aqui.

– Para quê?

Nossa. Está bem.

– Para que alguém possa me levar à medicina nuclear antes da minha cirurgia. Eu não tenho certeza.

– Bem, nem eu. Eu sou nova aqui – ela disse colocando a palma de suas mãos abertas no balcão e se puxando para frente. – Espere um pouco. Deixe-me encontrar alguém que saiba de alguma coisa.

Isso parecia uma ideia inteligente.

Se eu soubesse o que viria adiante, no entanto, eu teria agradecido pelo atraso. Alguns minutos depois, ela retornou com uma enfermeira agitada e rápida, que insistiu para que eu sentasse em uma cadeira de rodas enquanto ela corria comigo (e com Chris nos acompanhando) para a medicina nuclear através de uma série de longos corredores e elevadores de serviço.

A medicina nuclear, nós descobrimos, ficava no porão do centro médico. Tratava-se de um lugar assustador e frio. Frio em temperatura e conduta. Eles dão lençóis na sala de espera, mas nós não sabíamos disso inicialmente. A enfermeira confirmou minha presença na recepção, disse que eu poderia me sentar (ela precisava da cadeira de rodas de volta), e então foi embora.

Um homem moreno de uns quarenta anos estava na sala de espera conosco, sem cabeça raspada e vestindo uma jaqueta de couro e botas, e ao lado dele estava uma mulher que parecia uma "mãe" – não a mãe dele. Mãe como a Mrs. Cunningham ou a June Cleaver ou qualquer uma dessas mães que não têm filhos morenos. Eles levaram o moreno para a sala de tratamento e, cinco minutos depois, um técnico saiu de lá e disse para a mãe:

– Senhora Jones? O seu genro gostaria que você estivesse com ele durante o procedimento – a mulher sorriu docemente (e intencionalmente) e seguiu o técnico.

O fato de o moreno precisar de apoio na zona nuclear ártica me assustou ainda mais. Eu estava esperando que o procedimento dele não tivesse nada a ver com a sua próstata.

Logo, um homem grande e alto vestindo um jaleco de laboratório, que parecia um oficial, entrou na sala. Eu não lembro o nome dele, devo ter bloqueado essa informação. Vamos chamá-lo de Emboscada.

A recepcionista falou ao Emboscada algo como "Nós temos um grande e sério procedimento cerebral assim e assado hoje".

O Emboscada respondeu:

– Jura? Eu nunca fiz um desses em vinte anos de carreira.

Essas não eram palavras reconfortantes em um centro médico. Por favor, não me deixe encontrar meu cérebro no meu seio direito.

O Emboscada foi até a área de exames, mas retornou em poucos minutos.

– Sra. Rhyne?

Eu me levantei.

– Sim?

– Venha comigo – o Emboscada se virou e foi em direção ao lugar de onde ele tinha saído, sem se preocupar em esperar por mim.

Eu me virei para Chris.

– E você vem comigo.

Se ele não estivesse disponível, eu teria feito a sogra do Moreno vir comigo também. O Emboscada não era um homem que alguém quer seguir rumo às entranhas da medicina nuclear.

Eu encontrei o Emboscada no corredor, e ele disse, ainda andando:

– Então, você sabe por que está aqui e o que nós vamos fazer?

Eu sabia que eu estava na medicina nuclear para receber o que o Dr. Bom Karma tinha descrito como a "injeção de um pouquinho de material radioativo" que depois o ajudaria a encontrar meu nódulo sentinela já que ele procuraria na minha axila, mas ainda assim, havia certa verdade cega envolvida nesses procedimentos. Eu não estava muito diferente de Seamus inocentemente seguindo um biscoito até a cirurgia. Eu murmurei:

– Hum, é, mais ou menos... Eu só sei que não dói.

E o Emboscada riu de mim.

Ele deixou escapar um "Há!" que ecoou pelo corredor.

Eu parei de segui-lo. Simplesmente parei. Parei olhando fixo para suas costas, de queixo caído e imóvel.

Ele se virou de frente para mim.

– Ah! Vamos lá. São quatro injeções no seu seio. Vai doer. Vai ter dor.

Eu não sei como passei pelo restante do corredor até a sala de tratamento. Não era para ter dor. O Dr. Karam disse que não iria doer. Se eu tivesse carregando o meu celular eu tenho certeza de que teria enviado uma mensagem de texto para ele naquele momento: "Você disse sem dor. Emboscada diz dor. Venha rápido".

Na sala de tratamento, fiquei aliviada de ver que Emboscada, o imbecil, não era o médico. Emboscada nem sequer era médico. A médica era uma mulher jovem (é claro que ela era jovem) e muito, muito mais simpática. O Emboscada era somente algum masoquista que havia passado tempo demais na zona nuclear onde a simpatia dele havia congelado.

Após a mensagem de texto original do Dr. Karam sobre esse procedimento, li um pouco sobre o assunto. Entendi um pouco sobre o que ia acontecer, e uma parte de mim (a parte de mim que ficou no Angeleno e estava tomando café e descansando confortavelmente) achava isso fascinante. Dr. Karam tinha me dado um livro escrito por um colega dele, Dr. Chang. Segui o livro conforme encontrava com cada parte do meu tratamento.

"Os médicos usam o traçador radioativo da seguinte forma: eles o injetam na área cancerígena e ao seu redor (ou abaixo do mamilo) no momento da cirurgia inicial de câncer... Na sala de operações, usando um contador Geiger portátil conhecido como detector de radiação gama, o time cirúrgico identifica o primeiro nódulo de drenagem e o remove seguido da remoção do câncer primário. O patologista então analisa o nódulo usando uma técnica chamada de seção congelada. Ele congela o nódulo usando nitrogênio líquido e então corta o tecido em lâminas finas e os vê pelo microscópio. Se ele não encontrar câncer, nenhuma outra cirurgia é realizada."

Levei quatro injeções na área do câncer. Ao contrário de Seamus e do seu traseiro macio, pensei que o local onde meu tumor estava localizado talvez fosse de alguma forma afortunado (se alguém tiver de ter câncer, é claro). Três de quatro das injeções não foram nada de mais. Mas a próxima do mamilo... ah, hum...oh. Não dolorida da forma como o Emboscada parecia ter esperado, e certamente tolerável, mas... ai. A dor foi suficiente para me fazer morder o lábio, mas não arrancar sangue dele.

Mencionei que o Emboscada era um imbecil?

Chris e eu tivemos duas horas para matar enquanto o material radioativo chegava até o meu seio antes de eu ter de retornar à medicina nuclear para "fotografias". Nós escolhemos não fazer hora tremendo na medicina nuclear. Em vez disso, nós nos sentamos em uma janela com sol e lemos. Rimos quando percebemos que eu estava lendo *Engolido pelas labaredas*, de Davis Sedaris, e enquanto Chris lia *E nós chegamos ao fim*, de Joshua Ferris. Talvez nós devêssemos ter pensado antes sobre as nossas seleções.

Com o hotel, jantar na noite anterior e um pequeno canto ensolarado onde nos sentamos rindo das nossas respectivas leituras, eu podia quase fingir que estávamos em uma miniférias. Se pudéssemos simplesmente ignorar o lado da excursão nuclear, a parte onde o Dr. Karam estava para remover o nódulo do meu seio, o câncer... Nós provavelmente precisaríamos ignorar o câncer para férias verdadeiramente sossegadas.

Quando voltamos à medicina nuclear, o lugar não estava menos assustador. Havia um homem velho dormindo (ou foi o que eu disse para eu mesma) em uma maca no corredor. Os ossos contorcidos dele se encontravam cobertos por uma pele fina, seca e enrugada, e a boca estava aberta. Pelo lado positivo, aquilo eliminou qualquer possível sentimento ruim que eu poderia ter juntado por mim.

As "fotografias" acabaram não sendo tão simples quanto eu pensei, já que todo mundo se referia a elas com "fotografias". Eu estava prevendo um pequeno e rápido raio X e ponto-final. Não tão rápido. Disseram-me para deitar em uma mesa de exames de aparência ordinária, mas aí um painel desceu sobre mim (eles perguntaram mais uma vez: "Você é claustrofóbica?"). Foram tiradas duas "fotografias" que demoram cinco minutos cada. O técnico agradavelmente mostrou na tela o que eles estavam fazendo. Então, virei minha cabeça para ele, fingindo que sabia para o que estava olhando.

É claro, isso sendo medicina nuclear, deixou todos fora da sala enquanto as fotografias eram tiradas. Enquanto eu esperava os cinco minutos, notei que havia, na verdade, três telas. A que foi apontada, uma muito maior no meio, e outra na minha visão periférica que eu quase não podia ver. Mas a grande, localizada no meio, era difícil de ver, além de ser aterrorizante. Ela tinha muitos pontos vermelhos, alguns amarelos, alguns cor-de-rosa e, no meio, um grande e assustador ponto preto com borda denteada.

Nossa.

Naquela altura do campeonato, eu já tinha visto muitas fotografias do meu câncer, mas aquela era a pior. Provavelmente por causa do vermelho em todos os lados e de um *zoom* extremamente exagerado, uma vez que eles estavam procurando um nódulo linfático bem pequenininho. Mesmo assim, isso me assustou. Continuei tentando descobrir onde esse famoso nódulo estava na tela entre todo aquele sangue pulsante. Eu também me perguntei se o câncer realmente era preto ou se era somente como a tela mostrava. Finalmente, decidi que simplesmente não podia mais olhar para aquela foto e voltei para a tela de imagem preta e branca inofensiva. Nela havia um pequeno cronômetro também, o que ajudou a me acalmar. Não demoraria muito para que o Dr. Karam removesse do meu corpo aquela massa negra denteada, pulsante e assustadora.

O técnico retornou.

– Bom trabalho. Nós encontramos o nódulo. Eu só vou marcá-lo em você.

Ele desenhou na minha axila com uma caneta Sharpie para marcar o nódulo para o cirurgião, o que pareceu bem pouco tecnológico para um procedimento que começou com uma injeção radioativa.

– Você está pronta agora. Pode se sentar.

Eu me sentei e imediatamente olhei para a tela grande e aterrorizante, pronta para perguntar o quão ruim tudo isso era. E ali, na minha frente, estava a ameaçadora tela do computador, com um pôr do sol lindo, vermelho, amarelo e rosa, e a silhueta negra de uma palmeira no meio dele. As palavras "música de spa polinésio" estavam escritas no topo.

Quando eles insistiram em me levar de cadeira de rodas para o andar da cirurgia, não pude argumentar. Afinal, eu estava vendo câncer no pôr do sol.

Eu lembro somente de um detalhe da cirurgia: o enfermeiro anestesista era o Steve, e ele foi muito simpático e extremamente eficaz. A outra enfermeira anestesista (que estava lá, aparentemente, para supervisionar Steve) era uma mulher atraente com um chapéu cirúrgico muito fofo e colorido – até que eu notei que ele tinha imagens de café e tinha latte, cappuccino, e outras palavras do tipo escritas nele, o que era simplesmente cruel para mim no meu estado. Ela estava justificadamente preocupada que eu o arrancasse da cabeça dela quando a anestesia fez efeito e perdi as últimas duas inibições que eu tinha.

Chris segurou a minha mão enquanto o anestesista me dava a injeção e conforme eu fazia uma contagem regressiva, "dez, nove, oito...". Isso foi tudo.

E a infame injeção azul diretamente no mamilo? Fazendo jus às palavras do Dr. Bom Karma, suas habilidosas mãos mantiveram a dor longe. Ainda que ele tenha me garantido que eu a senti porque "tentei ajudar" – o que significa que eu tentei empurrá-la para longe. Também fazendo jus às palavras do Dr. Karam, urinei turquesa por alguns dias.

Havia, no entanto, uma promessa que o Dr. Bom Karma não cumpriu. Ele não estava ao lado da minha cama com um latte duplo e desnatado da Starbucks quando eu acordei da cirurgia na minha névoa de anestesia. Foi assim que eu aprendi que ele tinha outros pacientes (que coisa!).

Quando Chris e eu retornamos ao hotel naquela noite, pensei que eu estava bem, mas sentia muito cansaço. Eu precisava deitar. Tirei meu agasalho rosa claro e fui para a cama. Chris engasgou.

– Amor, não deite ainda.

– Por quê? Eu preciso deitar. Eu preciso dormir – eu disse, inclinando-me melancolicamente em direção ao colchão.

– Bem, você está sangrando. Muito.

Eu olhei para o meu seio, totalmente na expectativa de ele estar esguichando sangue pelo mamilo. Portanto, eu estava aliviada de ver que havia somente um círculo de doze centímetros de sangue vermelho-escuro que havia infiltrado pela gaze, pelo curativo, pela minha camisa e pela antiga jaqueta fofa, cruzando a minha axila.

Chris ligou para o celular do Dr. Karam enquanto eu peguei uma toalha e me deitei na cama para dormir. Foi isso ou eu desmaiei. Não consigo lidar com sangue.

Quando acordei, já havia passado das oito da noite e o Dr. Karam estava de pé, ao lado da minha cama.

Olhei para o quarto. Os móveis lavanda e cinza e a aparência do meio do século passado me disseram que eu ainda estava no quarto do hotel.

– Isso traz todo um novo significado aos atendimentos domiciliares, doutor.

– Sim! E essa sua casa é muito boa – ele disse e se ajoelhou ao meu lado. – Eu não queria que Chris te acordasse, e eu estava terminando minhas visitas de qualquer forma. Sinto muito não ter te visto depois da cirurgia. Tive outra cirurgia, e ela complicou mais. Mas com você, tudo foi muito bem. Estou muito feliz.

Ele trocou meu curativo enquanto me dizia que os relatórios preliminares indicavam que não havia envolvimento do nódulo linfático e ele acreditava ter tirado o tumor. Ele tinha esperança de que teríamos margens limpas, "assim como Seamus". Ele deu ao Chris uma caixa de materiais para futuras trocas de curativos e disse que eu sangrava muito. Eu descobriria isso de novo e de novo conforme passasse pelos tratamentos, mas, naquele momento, aconchegada na cama quentinha, com curativos recém-trocados, sendo assegurada de que a cirurgia foi bem, e com o melhor namorado do mundo e o Dr. Bom Karma próximos a mim discutindo vinhos novamente (agora tínhamos tido a chance de dar ao Dr. Karam a garrafa de agradecimento de Pinot Noir), os próximos tratamentos estavam longe da minha mente.

Capítulo 17

O apostador

Eu gostaria de dizer que Seamus é o tipo de cachorro que sente quando seu dono está doente ou cansado ou simplesmente quando ele não tem um bom dia e, por isso, faz mimos, fica ao meu lado, traz minhas pantufas e lambe minhas lágrimas (se houvesse alguma). Mas você já leu até aqui, então já sabe como é. Ele não é esse cachorro.

Ele é o Seamus. Ele é o dono.

Enquanto eu me recuperava da cirurgia, ele passava certo tempo no sofá comigo, mas normalmente roubava o lençol de caxemira para ele e me deixava com o de algodão. Ele queria mimos somente quando queria, independente de eu precisar deles ou não, de eu estar acordada ou não. Ele continuou a forçar o café da manhã subindo na nossa cama às sete da manhã e se enfiando entre Chris e eu. Por sorte, minha cirurgia estava no lado direito e eu durmo do lado direito da cama, o que significa que meu lado esquerdo geralmente aguentava o peso das demandas matinais de Seamus. No entanto, ele me manteve com bom humor e rindo sempre, levando minha cabeça para outro lugar que não eu mesma. Eu gostava de estar em casa com Chris, Seamus e uma visita ocasional. Eu gostava da paz e do silêncio, e Chris parecia mais do que capaz de cuidar de mim. Eu não conseguia levantar meu braço direito, precisava de medicação regular, e estava cansada, mas fora isso, eu estava funcionando.

Minha mãe tinha ido à Califórnia quando ela e meu padrasto estavam de férias, antes da minha cirurgia, e mesmo naquele momento (em que eu parecia e me sentia saudável) era claro que meu diagnóstico tinha causado muito estresse. Ela estava ligando regularmente e, inicialmente, queria ir para casa ajudar enquanto eu me recuperasse. Pedi para que ela esperasse. Parecia mais provável que se eu precisasse de mais ajuda do que Chris poderia me dar, seria durante a quimioterapia. Isso depois se mostrou uma decisão inteligente. Minha mãe ficou com os nervos à flor da pele por estresse antes mesmo que eu me recuperasse da cirurgia.

Dr. Karam ligou, mandou e-mail e SMS para checar como eu estava no dia seguinte da cirurgia e novamente no dia posterior. Quando ele ligou no terceiro dia com o relatório do patologista, eu tinha esquecido que estava esperando por isso. Eu finalmente consegui tomar banho e vagamente secar e arrumar meu cabelo com sucesso limitado, já que não conseguia levantar meu braço direito acima do meu ombro, onde, por acaso, o meu cabelo está. Eu me senti bem o suficiente pelos meus vizinhos e amigos Jane e Francis terem ido me visitar, levando comida. Entre nossas conversas e os latidos de Seamus pela comida, eu quase não ouvi o telefone tocar.

– *Hola*, T. Aqui é o Amer. Suas margens estão limpas. Eu estou tão feliz. Essa é uma boa notícia.

– Oh! Olá, Dr. Karam. Certo. Margens limpas. Espere, eu pensei que nós já soubéssemos disso.

– Isso é do laudo do patologista, então está tudo certo. Agora nós sabemos com certeza. E o seu tumor tinha 1,7 centímetros, então a mamografia foi, na verdade, mais precisa que a ressonância.

– E isso significa?

– Estágio 1c. É menor do que pensamos. Não tão perto de dois centímetros. E você está livre de cirurgias.

– Então, você está terminando comigo?

– Ha! Não. Eu ainda sou seu médico e seu contato primário. Você ainda precisa me ver.

– Eu ainda vou fazer quimioterapia?

– Provavelmente sim. Nós vamos encaminhá-la para o Dr. Glaspy para isso. A quimio vai ser realmente boa e necessária. É um câncer agressivo, e a quimio é o melhor. Mas hoje isso é uma boa notícia. Margens limpas são muito boas notícias.

– Sim, eu me lembro disso. Margens limpas. Isso também foi uma grande coisa para Seamus.

– E como vai o Seamus?

– Ele está bem. Está aqui comigo agora.

– Sim! Estou escutando.

As pessoas deveriam sempre ter um médico entusiasmado. E um médico que escuta. Meu cirurgião não somente lembrava-se do meu nome, da minha condição e do meu histórico médico, mas também podia se lembrar do nome do meu cachorro. E ele se importava com tudo que foi citado acima.

Eu contei a notícia para Chris, para Jane e para Francis, que são as três pessoas mais inteligentes e bem articuladas que eu conheço. Mas qual vocabulário é suficiente como uma resposta para "Eu agora estou livre do câncer"? Nós estávamos todos reduzidos às simples exclamações de alívio que não eram muito mais que uma frase adolescente de "Minha nossa!". Com sorte, além de ser charmoso, intelectual e irlandês da melhor forma, Frances Carney fazia um excelente martíni. Celebrei minhas margens limpas com um dirty martíni. A azeitona verde fez, perfeitamente, o papel do biscoito verde de cachorro.

Depois da consulta de retorno com o Dr. Karam, ele andou com Chris e comigo até o departamento de oncologia em outro prédio para encontrar o Dr. Glaspy, o oncologista.

– Você vai gostar dele. Ele é o melhor que existe. Ele vai lhe dizer exatamente o que precisa fazer – o Dr. Karam explicou.

– Ele vai me dizer que eu preciso de quimioterapia. Baseada somente nisso, existe a chance de eu não gostar dele.

Eu ainda estava esperando que de alguma forma, de algum jeito, eu fosse poupada da quimioterapia. Ainda que Dr. Karam tenha sido muito bom em me guiar gentilmente até a quase certeza disso, eu também estava muito assustada com a quimioterapia para ter aceitado a mensagem.

– Pode ser, mas o que é essa expressão? Não mate o mensageiro.

Depois de apresentações, o Dr Karam nos deixou dizendo:

– Você está em boas mãos – ele me deu um abraço e apertou a mão de Chris.

Dr. Glaspy não era nada parecido com o Dr. Karam. Ele era um homem grande, e seu comportamento era sério e um tanto reservado. Pensei que talvez eu tivesse sido estragada por ter um cirurgião engraçado que, além disso, era simpático e empático, então talvez meu julgamento estivesse contaminado.

Dr. Glaspy começou a explicar o seu papel no meu tratamento.

– Meu trabalho é um pouco como o de um cara em um barco com os apostadores. Você conhece aqueles barcos com mesas de homens jogando pôquer?

Minha mente pensou no Mel Gibson e na Jodi Foster em *Maverick*. Aquilo era um barco? E como terminava? O único barco no qual eu conseguia pensar era o Mark Twain, na Disneylândia, e com certeza não havia apostas acontecendo ali. O Mickey não faria isso. Espere. O que isso tem a ver com meu câncer?

– Hum, claro. Certo. Apostas em barco – respondi ao Dr. Glaspy, mas estava olhando para Chris. Chris sorriu e levantou as sobrancelhas.

– Meu trabalho é andar para cima e para baixo no barco, olhando as cartas de cada jogador. Eu posso lhe dizer as chances baseado nas cartas que você está segurando, mas posso estar errado. Você pode receber outra mão, completamente diferente. Tudo que eu posso fazer é olhar para a sua mão e lhe dizer as chances e a melhor forma de jogar com aquela mão em particular.

Minhas preocupações aumentaram. Comecei a calcular as minhas chances de sobrevivência arbitrariamente. Cinquenta por cento?

– Bom. Então, quais são as minhas chances? Qual a minha mão?

– Bom, não é uma mão boa.

Seria 30% de chance de sobrevivência? Chris me contou depois que ele estava pensando 20%. Nós dois tivemos nosso maior momento de medo ali mesmo no *Delta Queen*.

– Não é boa como?

– Sem a quimioterapia você tem 30% de chance de reaparecimento do câncer. E se isso ocorrer, nós não estaremos falando de cura, estaremos falando de um tratamento para estender a sua vida.

Então, espere, existe 70% de chance de que isso não volte? Nada mal. Nada mal mesmo. Eu expressei meu alívio, para horror do Dr. Glaspy.

– Não – ele disse. – Isso não é nada bom. Essas chances não são aceitáveis. Você é a criança no cartaz da quimioterapia. Com a quimioterapia, nós podemos diminuir essas chances pela metade. Com a quimioterapia, você vai reduzir suas chances de reaparecimento para 15%. Isso ainda é mais alto do que nós gostaríamos, mas é melhor do que 30%.

– Ah, certo. Não, eu entendi. É só que, da forma como você está falando, eu estava esperando muito pior. Pensei que eu não tinha nenhuma carta e nem mesmo um par de naipes iguais.

Eu passei muitos dias jogando pôquer com meu avô e nosso vizinho Art quando era criança. Eu era uma excelente jogadora de pôquer aos sete anos. Reconhecia uma mão ruim quando tinha uma.

– É uma mão ruim. Triplo negativo é uma forma muito agressiva de câncer. Quando eu digo que você é a criança no cartaz da quimioterapia, quero dizer que você poderia ir a qualquer oncologista em qualquer lugar e todos eles recomendariam a quimioterapia. É tudo que nós temos para enfrentar sua doença. Oncologistas amam debater e argumentar sobre os tratamentos mais efetivos para vários tipos de câncer, mas não para o seu. Todos os oncologistas lhe diriam a mesma coisa. Você precisa de quimioterapia.

Eu me dei conta, então, de que a minha resposta tinha preocupado ele como se eu não tivesse concordado com a quimioterapia. Mas o bom e ótimo Dr. Karam tinha feito um bom trabalho vagaroso, mas de forma segura, para aumentar o calor da quimio, e o Dr. Glaspy agora estava fazendo as coisas inevitavelmente ferverem. Era claro o que eu precisava fazer. Naquele momento, no entanto, eu estava pensando em Seamus e na mão que ele tinha – as chances terríveis que ele venceu de qualquer forma.

Dr. Glaspy continuou sua explicação.

– Se nós pegássemos cem mulheres com o mesmo câncer que você e as colocássemos juntas em uma sala, saberíamos que sem tratamento pós-cirúrgico trinta teriam o reaparecimento do câncer e setenta não. Nós só não sabemos quais trinta.

Eu não estava imaginando mulheres em uma sala. Imaginei cem beagles. Trinta deles imediatamente uivando e correndo para um lado da sala. No caso de Seamus, era provavelmente trinta que não teriam o reaparecimento. Os setenta beagles do outro lado da sala teriam o reaparecimento do câncer. Pensei que se o doutor podia estar em um barco, eu podia estar resgatando beagles. Agora, se aqueles beagles estavam em uma mesa de apostas, jogando pôquer... Pare! Ouça o oncologista! Ele está falando sobre o seu câncer!

– Então nós tratamos todas elas com quimioterapia. A quimioterapia vai cortar o número para quinze. Isso significa que quinze daquelas mulheres vão ter o reaparecimento da doença, mas outras quinze, não. Mais uma vez, no entanto, nós não sabemos quais quinze.

Quinze beagles correram para o outro lado da minha sala mental e se juntaram aos outros trinta beagles. De qual lado da sala Seamus tinha ficado depois da sua cirurgia? De qualquer forma, havia sempre a chance de que ele sobreviveria, e eu sabia, como insisti para aquela veterinária patricinha vaca. Sempre existe uma chance. Seamus tinha mostrado isso a todos.

Depois, quando expliquei para uma amiga por que eu passaria pela quimioterapia mesmo que não houvesse sinais de câncer no meu corpo depois da cirurgia, quando expliquei o que essas estatísticas significavam, o que a ciência podia e não podia nos falar, e mais particularmente quando eu falei para ela sobre os beagles correndo pela sala na minha mente, ela claramente pensou que eu tinha perdido uns parafusos com aquela debandada de beagles.

– Teresa, o médico está falando sobre sua vida, seu diagnóstico, e tudo que você consegue pensar é no seu cachorro? Você não está falando sério – ela disse.

Não levar o câncer a sério. Como se isso pudesse ser feito. Ela não foi a primeira nem a última a fazer esse comentário para mim. Eu estava levando o câncer a sério. Estava seriamente considerando aquelas chances. A experiência com Seamus me ajudou a entender as chances de uma forma positiva, quer a minha amiga entendesse isso ou não.

Eu falei ao Dr. Glaspy:

– Então, eu poderia fazer a quimio, mas nunca ter precisado dela – eu poderia ser uma das setenta originais?

O Dr. Glaspy não me parecia um tipo de médico com quem alguém discutia diagnóstico de câncer em beagles, pelo menos não naquele momento, então eu me prendi a questões orientadas ao entendimento das minhas chances.

– Sim, mas você poderia também estar entre as quinze mulheres das quais a vida foi salva por quimioterapia.

Como Seamus. Eu entendia agora, melhor do que eu tinha entendido na época, porque Seamus teve de passar pela quimioterapia mesmo que a cirurgiã tivesse atingido as cobiçadas "margens limpas" ao redor do tumor retirado. A quimio deu a ele a melhor chance de ser o beagle que cruzava a sala para o lado seguro e saía pela porta de cachorro em direção à saúde. Ele fez isso. Eu teria tanta sorte?

Só havia uma forma de saber.

Uma vez que concordei com a quimioterapia, Dr. Glaspy e seu assistente me explicaram o protocolo. Eu tinha de tomar Taxotere e Cytoxan quatro vezes cada durante três semanas. Reconheci o Cytoxan, que havia sido dado a Seamus. Eles realmente fazem a mesma quimioterapia com humanos e cachorros. Fiz uma nota mental para checar e ver se o Cytoxan foi o que causou a queda dos glóbulos brancos do meu cahorro.

Dr. Glaspy revisou os possíveis efeitos colaterais comigo.

–Você pode ficar fatigada e ter náuseas. Nós temos meios de controlar isso, e é certamente melhor do que costumava ser, mas alguns pacientes têm náuseas durante ou imediatamente depois do tratamento. Seu longo caminho de volta pode ser um problema. Você tem alguém que possa levá-la?

– Eu vou estar com ela em todas as consultas. Você acha que nós teremos condições de ir para casa às duas da tarde e não pegar trânsito? – Chris disse.

– Difícil saber. E provavelmente não nesse primeiro tratamento. Você poderia considerar ficar em um hotel se essa for uma opção para você. Ou eu posso encaminhá-la para um oncologista mais próximo da casa de vocês.

Eu considerei essa opção. Tinha tido um tratamento tão bom na UCLA e confiava tanto na opinião do Dr. Karam sobre o Dr. Glaspy que eu não queria ir a nenhum outro lugar. Por outro lado, eu sabia que não podia pagar uma noite de hotel para cada quimio, não sem também faltar no trabalho naqueles dias. A ideia de ficar com náuseas em um carro, faltando no trabalho, por cem quilômetros e possivelmente até três horas, também não era atraente. As coisas seriam mais fáceis para Chris, também, se eu fizesse o tratamento mais perto de casa. Decidi pelo menos pegar a indicação e encontrar o outro oncologista.

Olá, pessoal, aqui é o Chris.

Como vocês provavelmente sabem, a Teresa tem câncer. Eu sei, que choque! Mas a cirurgia dela foi um sucesso e agora ela está na quimioterapia. Obaaa! Assim, como o oncologista disse, é GARANTIDO que ela vai perder o cabelo. GARANTIDO. (Ênfase dele e não minha.)

Esperando por isso mesmo antes da cirurgia (aparentemente uma parte do pessimismo dela está sendo esfregado na minha cara), eu fiz o que qualquer bom namorado poderia fazer – e me ofereci para raspar o meu cabelo. Eu quero dizer, se você vai ter uma pessoa careca na família, por que não duas, certo? Três, no entanto, não seria uma opção. O Seamus é relutante demais para entrar nessa onda de raspar o cabelo conosco. Ele fica assustado só de ver uma Mach 3. E também, aparentemente, ele é vaidoso.

A Teresa, no entanto, estava tão relutante quanto Seamus para ir adiante com meu esquema de raspar a cabeça. Ela sempre gostou da minha cabeça cheia de cabelo grosso ("Cabelo democrata," ela o chamava – pense no Kennedy, Kerry, Clinton... é, você entendeu), e a última coisa que ela queria era que eu me livrasse dele quando ela perdesse o dela. Por que ter duas pessoas carecas na família quando você só precisa de uma, ela disse? E quem sou eu para discutir? Eu quero dizer, ela tem CÂNCER, pelo amor de Deus! (E não pense que ela te deixa esquecer disso.)

Então, eu decidi fazer outra coisa no lugar: em vez de raspar minha cabeça em solidariedade, eu deixaria o meu cabelo crescer durante a quimio e as sessões de radiação. Eu vou parecer o Clinton, ela vai parecer o Jimmy Carville.

Resumindo, eu tinha o que poderia ser o meu último corte de cabelo de sábado de 2009 (glub! Ou pelo menos até agosto – glub!).

Mas o negócio é o seguinte: (1) meu cabelo cresce muito, muito rápido. Como na velocidade do Usain Bolt, (2) eu acho que o máximo de tempo que eu fiquei sem cortar meu cabelo foi três meses – e isso dito, agora vão ser pelo menos seis meses de crescimento, possivelmente sete ou oito ou até mais (se eu mantiver isso pós-tratamento enquanto a Teresa ainda estiver, bem, brilhante. Nós veremos. Isso será um jogo de tempo e uma decisão relacionada à psoríase). Eu nunca deixei meu cabelo crescer tanto. Eu não tenho ideia do que vai acontecer, e (3) ao contrário de grande parte das pessoas nas quais o cabelo cresce para baixo e fica comprido, o meu não faz isso. Ele cresce para cima. E fica grande. Como um topete. Grande como Del Shannon em 1957. Grande como um capacete de um centurião romano. Conforme meu cabelo cresce, ele vira um afro-branco-irlandês (ou um Bra-fro).

De qualquer forma, isso é o que eu estou fazendo para apoiar a Teresa na sua luta contra o câncer.

Vejo vocês depois. Mais cabeludo e substancialmente mais democrata que antes.

Uma semana depois da nossa visita ao Dr. Glaspy, Chris e eu nos encontramos com a Dra. Blaine, a oncologista mais próxima de casa. Fiquei imediatamente desencorajada pela vista do escritório. O dia dos namorados[14] estava chegando, e por isso havia chamas vermelhas e rosas, cupidos recortados e corações enfeitando cada centímetro do teto. Como se a quimio não fosse me causar náuseas o suficiente, eu ainda teria de lidar com uma overdose de fofura? Eu rapidamente calculei meus três meses de quimioterapia e me dei conta de que sofreria com a decoração de St. Patrick's Day[15] e da Páscoa. Minha esperança de que as salas do tratamento não fossem vandalizadas foram destruídas quando, trinta minutos depois do horário marcado para a minha consulta, fui encaminhada de volta para a sala de exames, passando por pratos de biscoitos em formato de coração sobre toalhas de mesa em formato de coração, mais chamas, e balões de hélio gritando: "Feliz Dia dos Namorados!".

Esperei no meu uniforme de papel por outros vinte minutos antes que a médica aparecesse. Dr. Glaspy parecia reservado e até sem humor comparado ao Dr. Karam. Porém, comparado à Dra Blaine, o Dr. Glaspy parecia cativante, quente e vago.

Ela rapidamente se apresentou e então mandou que eu deitasse para o exame. Eu deitei.

Suas mãos frias cutucaram e cutucaram.

–Você pode se sentar agora.

Eu me sentei.

– Então você é uma advogada – ela disse enquanto pegava um arquivo. – Em que área você atua?

– Eu faço inventários, principalmente para famílias donas de negócios.

– Inventários? Muitos advogados não fazem isso? Isso não é apenas inventários e heranças?

14 O dia dos namorados (Valentine's Day) é comemorado em 14 de fevereiro nos Estados Unidos. (N.T.)

15 Uma comemoração irlandesa celebrada no dia 17 de março. (N.T.)

Boa. É sempre cativante adicionar "apenas" na frente da profissão de alguém. Você não é apenas um padre? Apenas uma professora? Apenas uma oncologista?

Não. Não é mesmo "apenas" isso.

– Oh! Bem, eu tive muitos pacientes advogados. Você conhece o John Allen? Ele não é um paciente, mas nós trabalhamos muito juntos.

Eu conhecia John Allen. Ele era um conhecido e respeitado advogado que processou seguradoras por violação de boa conduta e abuso de seus segurados. Eu não tinha certeza sobre como me sentia sobre ela trabalhando tanto com ele ou como eu me sentia sobre discutir assuntos legais. Ela tinha razão para essa discussão, no entanto.

– Bom, meus funcionários me disseram que você se negou a assinar nosso termo de renúncia – ela disse.

– Sim, eu me neguei. Por duas razões: primeiro, eu só estou aqui para uma consulta, então eu não deveria precisar renunciar nada; e, segundo: aquele termo fala como se eu pudesse estragar tudo e não tivesse qualquer compensação que fosse.

– John Allen o escreveu.

Ela sorriu como quem diz "xeque-mate, vaca". E continuou:

– Se você não assiná-lo, não vou tratar você.

Eu quis perguntar o que fez com que ela fosse tão defensiva em relação aos processos legais, mas não perguntei. Estava com a cara no chão pela resposta e pelo comportamento dela.

Com a ferida cirúrgica ainda cicatrizando, eu não estava apta a discutir minha escolha de oncologistas com o Chris na banheira quente. Talvez por isso nossa decisão não tenha sido boa. Eu queria ter uma memória mais vívida do meu encontro com a Dra. Patricinha Fresca de Seamus e queria ter sido capaz de reconhecer quando eu entrei em outra batalha com uma fêmea alfa que eu não pudesse ganhar, especialmente quando eu estava vestida com uma toalha de papel, com pontos no meu seio direito e com o pesadelo da quimioterapia no horizonte. Se eu tivesse reconhecido o que estava acontecendo com a Dra. B, eu teria me poupado de grande parte da frustração e dor nos meses seguintes. Mas uma vez que eu descobri que a Dra. B era também a oncologista que tinha tratado a mãe da amiga do Chris, Ashley (que tinha jantado conosco no primeiro dia em que encontramos o Dr. Karam), e a Ashley falou muito bem dela, parecia uma escolha óbvia. A Dra. B também foi muito bem recomendada pelo Dr. Glaspy.

Eu estava lá para tratar a minha saúde, não para fazer uma amiga, eu disse a mim mesma. Talvez ela tivesse apenas tido um dia ruim e eu estava naqueles dias.

Talvez.

Descobri muitas coisas surpreendentes, mas no topo da lista estava este fato: quando uma massa de câncer de mama (o jeito chique de dizer "caroço"; a menos que você esteja tentando aplicar isso no seu marido – não funciona da mesma forma) pode ser realmente sentida, aquelas células cancerígenas ignóbeis vieram trabalhando no seu seio de seis a oito anos. Anos! Eu tenho o câncer há anos! (Estou totalmente esperando ligações, cartões e flores de alguns de vocês... o modo como vocês me trataram... e eu tinha câncer naquela época!) A tecnologia moderna não pode detectar o câncer nos primeiros anos de crescimento (não, não a mamografia, não uma ressonância, e você não pode senti-lo também... essas células são minúsculos caras maus), então ele só é descoberto depois de se dividir e se multiplicar e virar uma gangue.

Basicamente, uma pequena célula fértil de câncer se reproduz para ser duas células em mais ou menos cem dias; então, quatro células em duzentos dias; oito em trezentos dias; dezesseis em quatrocentos dias, em mais ou menos cinco anos a gangue do câncer tem por volta de um milímetro. Milímetro... nem centímetro. Somente em oito anos elas se dividirão em um número para chegar ao tamanho de um centímetro, o que geralmente é considerado o menor tumor "palpável" (o que significa que, se você estiver tentando, você pode senti-lo; as máquinas podem descobrir antes disso... se você fizer mamografias regulares). Aos dez anos, ela pode ter 2 ou 3 centímetros, dependendo da taxa de crescimento.

Vamos só pensar sobre o meu pequeno e rude tumor invasivo (um nome carinhoso que tenho para ele). Eu fiz uma mamografia por ano desde que fiz quarenta anos. Isso significa que cinco mamografias não descobriram o conjunto que estava se formando.

A última delas foi em julho. Só em novembro eu pude realmente sentir alguma coisa. Em dezembro, era um "caroço" claro. E ele se mostrou ser um caroço de 1,7 centímetro. Que veio crescendo por oito anos?

Um conjunto malvado. O que explica a mudança de julho a dezembro. E também, em partes, explica a necessidade da quimioterapia. Nós não sabemos se existem outras células começando um conjunto do mal em algum outro lugar do meu corpo que ainda não foi percebido – alguns desses vagabundos que formavam o grupo poderiam ter fluído até a rua e descido até o vizinho onde eles estavam se escondendo (covardes) até que haja muitos deles o suficiente para serem notados. Nós precisávamos mandá-los embora e bani-los.

Capítulo 18

Um disfarce

Eu me sentei com a prescrição médica na minha frente e li "Cranium Prosthesis". Desamassei o papel azul, levantei a folha até colocá-la de volta na mesa, li o impresso e, por fim, olhei fixamente sem expressão facial.

Eu precisava de cabelo.

Eu não tinha ideia de como ir atrás de uma peruca, no entanto eu ficaria careca em algumas semanas. Dr. Gasply tinha garantido isso.

– E você vai perder o seu cabelo. É garantido. Cem por cento. Sem dúvidas. Mas ele vai crescer de volta. Vai demorar – e nesse momento ele olhou para o meu cabelo, alguns centímetros abaixo do meu ombro, loiro e relativamente saudável – alguns anos para ele voltar a ser assim, mas ele voltará.

A Dra. B era igualmente direta, ainda que ela tenha rolado os olhos gratuitamente quando eu perguntei se eu realmente perderia meu cabelo e ela respondeu:

– É claro que sim.

A quimioterapia é quase tão assustadora quanto o câncer. Cada paciente de quimio deve se prender à ideia de que talvez não perderá seu cabelo; talvez seja um dos sortudos. Esses oncologistas tinham obviamente tido essa discussão vezes demais.

Na UCLA, no meu encontro inicial com o Dr. Glaspy, ele me deu diversas prescrições para começar a me preparar para a quimioterapia (distintas prescrições muito sérias, só para ser clara) – antináusea, alívio de dor de vários níveis de intensidade e uma *cranium prosthesis*. A última pode ser comprada em uma loja de bairro – razão para eu estar sentada no escritório, girando um pedaço de papel azul e contemplando o cabelo sintético.

Fiquei perplexa por alguns dias. Minha "lista do que fazer para o câncer" era longa, e eu estava ocupada tomando conta da maior parte dela com a ajuda da minha família e de Chris. Minha mãe me enviou roupas de banho com zíper para vestir durante as infusões. Meu pai enviou antioxidantes, vitaminas e livros. Chris fez um estoque na despensa das comidas de que eu mais gostava ou que tinham sido recomendadas (muito parecido com o que eu tinha feito pelo Seamus, não pude deixar de notar). Li o máximo que eu pude na internet e marquei para que Chris e eu participássemos de um treinamento no consultório da Dra. B.

Mas com somente algumas semanas até que a quimioterapia começasse, eu ainda não tinha comprado uma peruca. Estava um tanto desconcertada em relação a essa ideia. Mais uma vez, eu não conseguia chegar daqui até a outra ponta (me desculpe, com cabelo para... sem cabelo). Eu me senti tola. Fui capaz de lidar com todas as outras coisas com relativa facilidade. Eu tinha mantido qualquer controle que pude em todos os lugares possíveis, mas não com a ideia de comprar uma peruca. Como? Onde? Quando? O quê? Eu não sabia nada.

On-line, finalmente encontrei um centro de câncer que oferecia perucas e prova grátis para pacientes da doença. Eu não precisava de uma peruca grátis; na verdade, isso me parecia estranho e errado. Eu me perguntei se teria de me qualificar como financeiramente necessitada. Lembrei-me da insistência do meu avô irlandês em receber o seu pedaço do queijo grátis do governo Reagan, ainda que ele não precisasse disso. Eu não precisava de uma peruca grátis, mas a prova seria de grande ajuda. Eu não tinha a menor ideia de como alguém selecionava, vestia ou se importava com uma peruca.

Quando liguei para o centro para ter informações, a mulher que marcou minha consulta e me explicou o simples processo se chamava Hope[16]. Isso, eu pensei, era como a Destiny ligando para ver se eu estava pronta para adotar Seamus. Perguntei-me se havia uma Faith[17] e Charity[18] no meu futuro em algum lugar.

Uma vez que Chris e eu sabíamos todas as consultas que estávamos tendo e quantos dias precisaríamos deixar Seamus, começamos uma busca por ajuda. Alguém que oferecesse assistência recebia uma resposta "como você se sente em relação aos cachorros?". Com sorte, para nós e para os nossos vizinhos, muitas pessoas amam cachorros, ainda mais Seamus.

Minha consulta para o *cranium prosthesis* era no mesmo dia da nossa consulta de treinamento da quimio. As pessoas do Centro de Adoção

16 *Hope* significa esperança, em inglês. (N.T.)

17 *Faith*, em inglês, significa fé. (N.T.)

18 *Charity* significa caridade, em inglês. (N.T.)

de Animais Mary S. Roberts, a antiga casa de Seamus, ofereceram-se para cuidar dele para mim naquele dia, que todos nós suspeitamos que seria longo. Chris e eu demos um beijo de boa noite em Seamus, o deixamos no escritório do centro de adoção (com instruções claras e cômicas de que ele não estava lá para ser adotado, como se todo mundo fosse assim tão doido) e fomos ao centro de tratamento de câncer.

Durante nossa experiência na UCLA, continuei a me maravilhar com a jovialidade dos profissionais. Mas me maravilhar como em "nossa, que jovem gênio" e "nossa, passou por Columbia, Harvard e associações em Johns Hopkins e na UCLA, e você só tem 25 anos?". Isso é meio incrível. Nesse dia, nós nos maravilhamos com as jovens garotas que até ontem eram baby-sitters e que hoje não atendiam mais ao sinal do recreio, mas ao do trabalho. Fomos recebidos no Centro de Tratamento de Câncer por uma adolescente no balcão da recepção. Expliquei por que eu estava lá, e ela olhou fixamente para mim sem expressão. Finalmente ela disse:

– Hoje?

– Sim. Eu marquei uma consulta.

Eu devia parecer tão abandonada quanto eu me sentia, uma vez que outra mulher correu de trás de seu balcão e se ofereceu para se sentar na recepção para que a adolescente pudesse me atender.

A adolescente-da-peruca é a "cosmetologista" que procuraria comigo a "peruca perfeita"? Eu olhei para Chris para ver sua reação, e ele pareceu tão assustado quanto eu. Bem, pelo menos ela estaria lidando com cabelo falso.

A adolescente-da-peruca nos levou ao que ela se referia como "sala da peruca". "Armário de perucas" teria sido mais apropriado.

– Normalmente, quando as pessoas vêm procurar as perucas, elas têm menos cabelo. É por isso que eu fiquei confusa – ela disse e apontou para uma cadeira de frente a um espelho.

Sim, bem, cabelo pode ser confuso em um centro de tratamento de câncer. Eu me sentei e expliquei que a minha quimio começaria naquela semana, então é claro que eu ainda tinha meu cabelo.

Ela olhou para mim no espelho.

– Sim, mas agora eu não posso colocar as perucas no seu cabelo. Eu não sei como fixá-las.

Fiquei preocupada de ela querer que eu raspasse a cabeça ali mesmo só para fazer o trabalho dela ser mais fácil. Mas ela teve um ideia. Ela abriu uma gaveta e tirou dela o que parecia uma meia três oitavos de náilon. Ela esticou o náilon na minha cabeça, socando todo o meu cabelo dentro dele. Muito bonito.

–Você quer ser loira? Quero dizer, continuar loira? – ela perguntou.

– Sim. Isso parece mais seguro.Vamos ficar com o loiro.

A adolescente-da-peruca pegou uma caixa de perucas de cabelo castanho. Perucas curtas, enroladas e cheias com o estilo das The Golden Girls.

– Essas são morenas – eu disse.

A adolescente-da-peruca olhou em sua caixa de perucas e sem olhar para cima disse:

– Não, essas são loiras. Essas são as nossas loiras.

– Essas não são loiras. Essas são morenas.

Ela virou a caixa e olhou na etiqueta de fita-crepe. Estava escrito "loiro" e claramente eu não era capaz de vencer um argumento com uma fita-crepe dizendo o contrário.

– Sim, essas são loiras – ela disse, segurando uma pequena pele de castor.

– Está bem, e alguma mais longa? Pelo menos no meu ombro, mas preferivelmente mais longa.

– Nós não temos nenhuma longa. Só essas.

Ela segurou o que parecia o corpo de um porquinho-da-índia.

Isso teria sido informação útil para se ter antes do percurso de meia hora, antes que o náilon fosse esticado na minha cabeça e antes de eu estrangulá-la. Eu disse:

– Está bem. Bom, veja para mim a mais longa que você tiver, porque eu nunca tive cabelo curto.

Ela selecionou uma marmota grisalha e a fez entrar na minha cabeça. De repente, eu era a Bea Arthur. Só que mais velha. E mais louca. Chris e eu rimos. Comecei a entoar "NO NO NO NO NO!" e ele começou a cantar "Thank you for being a friend...".

Tentamos mais perucas que pareciam roedores, uma mais ridícula que a outra. As perucas ficavam embrulhadas em plástico, esticadas, sem penteado e guardadas juntas em uma caixa em uma prateleira de armário. Como material de artesanato. Quando elas eram colocadas na minha cabeça, estavam amassadas, e os fios de cabelo iam para todos os lados. Não havia como saber qual, exatamente, ou mesmo remotamente, estilo deveria ser. E claramente a adolescente-da-peruca não sabia muito, então ela simplesmente moveu aleatoriamente a escova de aço no topo da peruca, esperando que algo fizesse algum sentido. Como as Golden Girls já estavam fora do ar antes de ela nascer, então ela realmente não entendeu a piada.

Chris quebrou o encanto do desespero

– Eu não acredito que você não tem uma peruca de cabelo comprido.

– Todo mundo sempre gosta das curtas. Elas parecem mais naturais.

Ele gargalhou. Não havia mesmo qualquer outra resposta.

– Eu discordo – ele disse, apontando para a dobra perfeitamente alisada com cabelo brotando para cima na minha testa.

Ela disse:

– Nem todo mundo pensa assim.

Eu me perguntei ao que eles estavam comparando essas perucas. Se você só está oferecendo peles de esquilos de pelo curto de uma caixa de materiais de artesanato, então como elas ficam mais naturais do que a cabeça de isopor na prateleira de cima olhando fixamente para nós?

Chris fez a pergunta lógica:

– Bem, qual a média de idade dos seus clientes?

Isso era o que eu estava me perguntando, mas não conseguia encontrar um modo de verbalizar e fiquei aturdida em silêncio. Falei somente quando chegamos ao estacionamento. Olhando para o prédio, eu disse:

– Por que sinto como se estivesse entrando em um asilo?

A adolescente-da-peruca nos garantiu que eles tinham muitas clientes jovens. Nós não acreditamos nela. Ela não se importou.

Nos trinta segundos seguintes, a adolescente-da-peruca desistiu de nós e nós desistimos dela e de sua coleção de roedores. Eu preferia ser careca a usar uma daquelas perucas, de graça ou não. Ela removeu a meia-calça da minha cabeça, deixando o meu cabelo real amassado, bagunçado e caindo nos meus olhos. Naturalmente, ela não tinha uma escova ou qualquer coisa disponível para me ajudar com isso, porque, como ela já havia explicado, as clientes normalmente não tinham cabelo. No entanto, ela sugeriu que nós fossemos até a boutique vizinha para que eu pudesse ver alguns turbantes como alternativa.

A boutique tinha o dobro do tamanho da sala de prova de perucas, mas infelizmente eles tinham somente três turbantes para adultos.

Um. Dois. Três. Não três modelos. Três do mesmo tipo – um rosa, um vermelho e um branco, todos em um tamanho médio/grande. Se eu fosse uma criança procurando um turbante, eu teria uma vasta seleção para escolher (entendendo vasta como sendo seis). Nós passamos mais ou menos oito segundos e meio na "loja" – tempo suficiente para receber a explicação de que eles estavam em baixa no estoque e que eu deveria voltar em uma semana. Certo. Essa nota não chegou ao meu Blackberry.

Nós mal tínhamos saído quando Chris caiu na risada – porque o armário de uma loja tinha duas placas "ladrões serão processados". Ele ainda queria perguntar exatamente quantas vezes a loja foi atacada por ladrões renegados desesperados por turbantes cor-de-rosa antes que eles tivessem instalado as placas (que, é claro, colocariam muito medo em qualquer ladrão).

Eu não tinha uma peruca, e somente quinze minutos haviam passado.

Nós fomos até o laboratório para tirar o meu sangue pré-quimio. Eu fui levada para os fundos e, depois de uma curta espera, uma mulher mais velha e simpática que tinha mais ou menos um metro e vinte veio e rapidamente tirou minhas amostras de sangue. Colocou a gaze quadrada e a bandagem e, em seguida, ela me dispensou. Eu tinha dado somente dez passos no corredor quando senti um pequeno esguicho e, em seguida, um líquido quente descendo pelo meu braço.

De volta para dentro do laboratório, as duas enfermeiras estavam ocupadas com uma criança gritando. Nenhuma delas podia me ver ou me escutar com o barulho dos pais e de uma criança aterrorizada que se contorcia. Apliquei pressão no meu curativo encharcado de sangue, segurei meu braço para cima e esperei. Torci para não desmaiar ou perder outra jaqueta, e somente então me lembrei do Dr. Karam dizendo que eu sangro demais. Uma terceira enfermeira finalmente chegou e me levou para outra sala, limpando o local, parando o sangramento e fazendo uma nova bandagem.

– Lembre-se de dizer às enfermeiras que tiram o seu sangue que você sangra demais. Elas precisam fazer o seu curativo mais apertado – ela disse.

Ouvi dizer isso.

Quando me juntei a Chris, contei isso a ele.

– Uma vez que eu estou ocupada me concentrando em não desmaiar enquanto elas tiram sangue, talvez você possa ser quem se lembra de avisá-las que eu sangro demais.

– Bom saber. Eu vou adicionar isso à minha lista – ele disse.

Nossa próxima parada era a clínica da Dra. B para o treinamento de quimio.

Chris estava sentado na banqueta ao lado da cama do hospital onde eu aguardava em uma pequena sala adjacente ao que a gente supôs que era a sala de infusão da quimioterapia.

–Você acha que eles fazem um tour com a gente? Você faz ideia de como acontece a quimio? – ele disse.

– Eu não sei. Imaginei que isso seria algo em grupo. Pensei que diversos pacientes estariam fazendo quimio juntos. Ainda que, quando eu penso nisso, existem todos os tipos de problemas de privacidade que isso criaria.

– Eu não sei o que imaginei, mas sei que não envolvia uma cama de hospital. Ainda que eu esteja até que bem acostumado com essas banquetas como meu assento regular.

Chris era grande demais para usar esses pequenos assentos. E essas banquetas que eram oferecidas em todas as salas de exame nas quais nós estivemos.

A porta abriu e nos juntamos a uma pequena mulher jovem com pele pálida e cabelo castanho comprido e pegajoso (o cabelo real dela, eu devo mencionar, para que a referência aos roedores não te confunda). Ela se apresentou timidamente, abriu um arquivo grande e estufado e começou a ler coisas para mim. Devagar. Muito. Devagar. E. Baixo. E ela. Continuou. Ficando. Confusa. Não, perdida. Espere. Confusa. Ela estava confusa. Não. Perdida. Ela estava. Perdida.

Por sorte, Chris e eu já tínhamos lido as mesmas brochuras e nós pudemos redirecioná-la.

– Então, eu devo beber muitos líquidos durante a quimio. Meu pai me deu esses antioxidantes e impulsionadores de imunidade, megaverdes e megavermelhos, eles são um pó e você os mistura em água ou suco de frutas. Existe alguma razão para eu não tomá-los? – eu disse.

Ela olhou para mim sem expressão, lembrando a adolescente-da--peruca.

– Há várias vitaminas e essas coisas. Como uma saúde holística e natural – eu disse.

–Você quer dizer como Crystal Light?

– Não, nada como o Crystal Light.

Nada.

– Há vitaminas, ervas ou alguma coisa que ela não possa ingerir? – Chris tentou.

– Depende do que for.

– Bem, você tem uma lista de coisas que eu devo evitar?

– Nós teríamos de ver a lista de ingredientes. Você teria de trazê-la aqui.

Eu passei pelas páginas do material que ela tinha me dado – incluindo dois livretos da Sociedade Americana de Câncer. Eu topei com uma página que listava as comidas que eu deveria evitar. Segue:

Comida gordurosa ou frita

Vegetais crus e frutas com casca

Vegetais com muitas fibras

Comidas muito quentes ou muito frias

Comidas e bebidas que contêm cafeína, como o café

Cerveja, vinho e álcool

Tenha cuidado com derivados do leite

Hummmmm.... que raios eu posso comer? Se eu tinha de abrir mão de uma das quatro xícaras de café que eu bebia por dia, teria sido bom saber disso com antecedência para facilitar os sintomas da desintoxicação. E o que aconteceu com os médicos que me disseram que se eu quisesse tomar uma taça de vinho, eu podia?

A enfermeira vagarosamente falou o contrário sobre muito do que estava no livreto (e mais tarde naquela noite, em casa, notei que o livro tinha sido escrito em 1997 – e eles aprenderam muito sobre o tratamento de quimioterapia desde então).

Por fim, desistimos de fazer perguntas porque, como discutimos depois, poderíamos ter dito "E grama? Eu tenho permissão para chegar perto de grama? O ar é um problema? Eu deveria evitar o ar?" e ela teria sorrido devagar e dito "O quê? Eu vou ter de checar. Hummm, é diferente para cada pessoa".

Ela, como a sua alma gêmea, a adolescente-de-peruca, desistiu de nós e saiu para buscar a pessoa das finanças para discutir as "questões financeiras" comigo. E foi aí que eu notei que a música tocando nas caixas era a "I Will Remember You"[19] da Sarah McLachlan. Apontei para a caixa de som e olhei para Chris. Nós dois caímos na risada. Ele já tinha notado que eles também tocaram "You Had a Bad Day"[20] e "Just Once"[21] do James Ingram. Tudo de que nós precisávamos era "Seasons in the Sun"[22] e nós teríamos uma seleção de músicas de quimio para todo o sempre. Quando eu estava presa na cadeira, Chris foi até a sala da quimio para descobrir se nós poderíamos esperar esse tipo de serenata. Ainda bem que o sistema de som não funcionava naquela sala.

A enfermeira sem treinamento era quieta, doce e confusa, enquanto a pessoa do financeiro era sonora (muito, muito sonora) e um tanto detalhista (até os centavos) e cheia de informação (cada vírgula). Então eu descobri que eu tinha usado US$2.114 da minha dedução de US$3.000 e que eu precisava trazer um cheque de US$800 para a minha dedução mais US$20 da visita ao consultório na quinta-feira – e então US$96 na próxima vez, e então US$20 a cada vez seguinte. Sobre isso eles foram muito, muito claros. Se eu podia tomar café ou adicionar antioxidantes ao meu suco de frutas, sobre quais dos possíveis efeitos colaterais eu deveria ligar para me informar, e o que nós deveríamos trazer conosco para a sessão de quimioterapia (comida? água? lençóis?) eles tinham menos certeza.

Por aquele dia de treinamento inútil e pela oportunidade de ter a Dra. B passando rapidamente por mim sem notar, eu dei o mesmo cartão de crédito que eu tinha usado quando Seamus estava se tratando. Ganharia milhas por isso também.

Quando a recepcionista me devolveu o cartão, pensei claramente: "o cartão de Seamus". De repente, dei-me conta do motivo pelo qual eu fiquei tão sem entender o conceito da peruca. Todas as outras coisas seguiram um padrão familiar. Com o diagnóstico, a procura por médico, a cirurgia, o laudo da patologista, o treinamento de quimioterapia e, agora, até o método de pagamento. Eu tinha experiência e conhecimento. Eu tinha uma referência. Por causa de Seamus.

---

19 O título da música, em inglês, significa "Eu vou me lembrar de você". (N.T.)

20 Traduzido, "Você teve um mau dia". (N.T.)

21 Traduzido, "Somente uma vez". (N.T.)

22 O título, em inglês, significa "Estações do ano ao sol". (N.T.)

Mas Seamus não perdeu seu cabelo. Seamus não precisava de uma peruca. Eu tinha de entender a perda de cabelo e a peruca por mim mesma. Não havia um guia beagle para essa parte da minha jornada. De repente, eu perdi o meu guru diabolicamente fofo.

Eu me virei para Chris.

–Vamos pegar o Seamus e ir para casa. Eu gostaria de esquecer esse dia.

– Eu não podia concordar mais – ele disse.

Dormi enquanto ele dirigiu de volta para casa, acordando quando Chris parou no Centro de Adoção de Animais. Fui pegar Seamus com pressa.

Mas Seamus não estava lá.

– A Destiny o levou para casa – a jovem mulher do balcão nos contou.

– Levou para casa?

– Sim. Não era isso que ela tinha de fazer?

Chris e eu olhamos um para o outro, desorientados e esperando que o outro desse uma explicação.

– Hum... – eu olhei para o lobby. – A Denise está aqui? – Denise era a mesma Denise que tinha sido responsável pela Ruff House Pet Resort e que tinha ajudado a estragar o Seamus comigo. Eu estava confiante de que ela saberia por que Seamus tinha sido enviado para a casa da Destiny. Infelizmente, eu estava certa.

A Denise explicou que ele uivava tão alto e tanto o dia todo que a Destiny o levou para casa com ela depois do trabalho, esperando acalmar os seus nervos. Seamus deve ter tido uma premonição do quão ruim nosso dia estava sendo.

– Ele uivou demais em um lugar com cinquenta outros cachorros? – eu disse, estremecendo.

– Esse é o nosso Seamus – Denise conseguiu ainda estar sorrindo. Seamus tinha sorte de o seu charme alcançar tão longe quanto seus uivos. – Ele provavelmente só sente o estresse na casa. Vocês têm muitas coisas acontecendo.

Nós fomos até a casa da Destiny, somente a alguns quilômetros da nossa, imaginando o caminho todo como nós passaríamos por todas as consultas médicas que estavam por vir se os uivos do Seamus eram demais até para um centro de adoção de animais.

A Destiny me deu a coleira de Seamus com ele pulando e latindo, enquanto Chris colocava a caixa de transporte no banco de trás do carro.

– Se você precisar de ajuda, eu fico feliz em cuidar dele durante qualquer consulta que você tiver – Destiny falou. – Nós amamos Seamus. E ele não uiva quando está aqui.

Eu olhei para baixo, para o feliz e giratório cachorro na coleira. Destiny intercedeu novamente. Seamus era difícil, mas era difícil e adorável. O charme dele funcionava como mágica. Tudo que ele realmente queria era ser amado. E nunca deixado sozinho. Bem, e ser muito bem alimentado.

– Isso é tão legal da sua parte Destiny. Eu talvez tenha de abusar de você com isso. Eu tenho muitas consultas por vir. Muitas.

No dia seguinte, com a nova determinação nascida da necessidade, comecei a procurar por lojas de perucas. Eu mandei e-mails para alguns centros de sobreviventes do câncer de mama que eu conhecia e fiquei on-line até que eu encontrasse o que precisava. Um nome ficava aparecendo.

Quando liguei para a Splendor Wigs, ouvi um cachorro latindo ao fundo. E, ainda que eu não seja muito boa com "sinais", sabia naquele momento que esse era o lugar onde pegar minha peruca. Tanto como entender as minhas estatísticas de sobrevivência por intermédio de cachorros que jogam pôquer, encontrei conforto no latido desse cachorro. Vou seguir um sinal do universo canino.

Quando eu cheguei na pequena casa de perucas em uma rua comercial bem cheia, perguntei sobre o cachorro. A dona, Diedre, hesitou somente um momento antes de dizer que ela não tinha um cachorro. Ela parecia certa disso.

Eu imaginei o cachorro? Era o cachorro do vizinho? Não importava muito, exceto, talvez, para o bem da minha sanidade; esse era o lugar onde eu precisava estar para conseguir uma peruca que se encaixaria propriamente, pareceria natural e viria com instruções de alguém que sabe de verdade o que está fazendo. O cachorro latindo à distância, real ou não, foi suficiente para me fazer ir à loja com uma grande seleção de perucas e com uma mulher que sabia como selecionar, colocar e arrumar uma peruca.

Chris e Laureen, minha amiga e assistente jurídica, encontraram-me na loja de perucas. Ainda que tudo fosse muita informação, o entusiasmo e a agitação deles sobre as opções diminuíram as minhas preocupações. Diedre sentou-me em uma cadeira e, com cuidado, colocou cada peruca na minha cabeça. Todas elas, selecionadas por Chris e Laureen, estavam perfeitamente escovadas, estilizadas e cuidadas. Algumas escolhas eram boas, outras eram ridículas, mas três delas me animaram, e Chris e Laureen até provaram algumas perucas eles mesmos enquanto faziam comentários e sugestões – algumas até ajudaram.

– Eu não sei se quero continuar loira – eu disse, surpreendendo até a mim mesma.

– Jura? – Chris falou.

– Bem, sim. Não é como se estivesse tentando esconder que eu estou fazendo quimio ou usando uma peruca, então talvez eu aproveite para me divertir um pouco com isso.

– Eu gosto disso. É como estar com uma garota diferente por um tempo – Chris falou.

– Fique morena. Você vai poder ver como o restante de nós vive – disse Laureen.

– Você sempre pode escolher duas – Diedre disse, sorrindo.

Eu fui de não ter resposta alguma para o meu dilema de perucas a ter opções demais.

Mas eu tive uma ideia.

Imediatamente fui para casa e postei fotos no meu blog com diversas perucas. Então, fiz uma votação e deixei meus amigos e familiares (e, também, alguns estranhos) decidirem qual o visual que eu deveria escolher. Seamus não podia me ajudar com essa parte da minha odisseia do câncer, mas meus amigos podiam.

Capítulo 19
Coquetéis para um

Seamus vestiu uma camiseta "beagles a favor dos seios" para a minha festa de aniversário. A camiseta dele e o meu suéter eram um conjunto dado pelo minha mãe.

Como meu aniversário caiu entre a cirurgia e o começo da quimioterapia, Chris e alguns amigos decidiram fazer uma festa de aniversário "Pós-operatória/Pré-quimio". A festa foi rapidamente apelidada de "Festa POP-C" e, alternativamente, a "Festa dos Seios".

Destiny levou um convidado especial para acompanhar Seamus e garantiu que pelo menos alguma parte da comida fosse reservada para os convidados humanos (Seamus ainda pegou mais do que a quantidade justa para ele). E, para aperitivos, acho que eu nunca tinha visto tanta variação de comida e bebida cor-de-rosa. Não era nem outubro, o mês da Consciência do Câncer de Mama, e meus amigos conseguiram encontrar vodka cor-de-rosa, vinho com fita cor-de-rosa, bolos e biscoitos cor-de-rosa, toalhas de mesa, pratos, copos e até taças de martíni cor-de-rosa. O que eles não conseguiram comprar, eles fizeram. Uma amiga até fez o que chamou de "pop peito" – pequenas bolas de bolo em um palito com cobertura cor-de-rosa e uma bolinha de geleia mais escura para imitar o "mamilo".

Minha mãe e meu padrasto enviaram flores, e os pais do Chris enviaram uma cesta com itens muito úteis incluindo uma manta de algodão que Trudi garantiu que seria perfeita durante as sessões de quimio. Um grupo de amigos me surpreendeu com uma litografia de um artista que eu amava cujo show eu havia perdido por conta da cirurgia (e o fato óbvio de que eu precisava gastar dinheiro com cuidados para a saúde e não em arte). A litografia colorida era de um cão de caça em um luxuoso jardim verde com garrafas de bebidas vazias ao seu redor. O título era "Cão de caça embriagado". Isso me fez rir por diversas razões. Eu estava emocionada em ver que o artista, Robert Deyber, tinha assinado um *flyer* do show me desejando tudo de bom no meu tratamento.

Eu fui capaz de esquecer, só por aquela noite, o que estava adiante.

Logo, no entanto, comecei a contar os dias antes de começar a quimioterapia. Eu não estava dormindo bem. Caí em um hábito de acordar às duas da manhã. Eu me levantava da cama, pegava um livro no criado-mudo e ia até a poltrona da nossa biblioteca. Quando Seamus começou a acordar comigo e a me seguir para o outro cômodo, eu achei fofo. Quando ele subiu no meu colo e dormiu lá comigo, eu sabia que meu nervosismo era perceptível.

Pensei que eu tivesse me acostumado com a ideia de que perderia meu cabelo, mas continuei a imaginar como isso iria acontecer – eu acordaria um dia de manhã e meu cabelo estaria todo no meu travesseiro? Eu lavaria o cabelo em alguma manhã e ele cairia? Ou eu estaria sentada em uma reunião com um cliente quando, de repente, meu cabelo começaria a cair em tufos na mesa de conferência? E se fosse um novo cliente? Eles ficariam assustados demais para retornar!

Os médicos e as enfermeiras pareciam confiantes de que a náusea não seria um problema, mas eu sempre tive um estômago fraco, então eu não estava convencida disso. E a lista de outros efeitos colaterais possíveis era horrível. Minhas unhas do pé da mão poderiam se soltar e cair? Erupção cutânea? Sapinho? Inchaço das mãos e dos pés? Dor severa nos ossos? Retenção de líquidos? Feridas na boca? Anemia? Dores nos nervos? Infecções com risco de vida? Ataque epilético? Neuropatia? Um raio de fatiga debilitante? Minha lembrança da queda de glóbulos brancos do Seamus era fresca e assustadora.

Eu tinha de me lembrar de que essas eram apenas possibilidades e que nem todas elas ocorreriam. Com certeza, todos esses efeitos poderiam não acontecer. E, ainda, o único jeito de saber como eu responderia à quimioterapia – o único jeito de saber qual, se algum, desses efeitos colaterais eu teria – era fazer a primeira sessão.

Estou pronta para a quimio nessa quinta-feira, às 10h da manhã. Amanhã eu vou pegar as minhas prescrições e minha peruca (Tenho quase certeza de que vou ter de dar um nome a "ela"), e amanhã à noite eu vou começar com a medicação contra a náusea. Chris fez as compras preparatórias baseadas em nossas suposições – porque só Deus sabe que tivemos de aprender isso por nós mesmos. Entre os materiais que a UCLA nos deu, o livro que o bom e excelente Dr. Karam me entregou, e nossas muitas conversas anteriores com médicos, parece que é o seguinte: não existe realmente uma dieta/plano nutricional para a quimio. É só uma questão de controlar os efeitos colaterais. Então, realmente, até que nós saibamos como eu vou reagir, nós não vamos saber quais as restrições que eu tenho ou quais comidas/bebidas podem ajudar. Eu posso tomar café. Eu posso tomar uma taça de vinho de vez em quando. Eu tenho de evitar algumas comidas obviamente problemáticas como sushi, cogumelos, framboesa (difícil de descer) etc. Basicamente, isso é para evitar pegar uma infecção de qualquer tipo, uma vez que o meu sistema imunológico vai sofrer um baque. O senso comum vai ser suficiente.

As pessoas continuam me perguntando se eu tenho medo. Eu não tenho medo. Estou um pouco ansiosa, mas, principalmente, só gostaria de chegar até sexta de noite. Há muita coisa acontecendo na sexta – o dia depois do tratamento é normalmente o "pior" dia e vai me dar uma ideia do que estou fazendo. Gostaria de chegar ao ponto onde eu sei o que vai acontecer. Eu me sinto preparada, e isso é realmente tudo que eu posso fazer.

Obrigada novamente por todos os pensamentos e apoio. Vou levar meu notebook para a quimio e vou postar de lá se eu puder. Estou imaginando se eles vão me deixar tirar fotos. Se eles deixarem, vocês podem esperar por isso!

Dois dias antes da consulta para a primeira quimio, eu me sentei na minha mesa em casa olhando fixamente para a tabela de medicação que a enfermeira havia me dado. A tabela era similar à que o Seamus tinha, só que enquanto a dele havia sido cuidadosamente desenhada e impressa, a minha era um calendário porcamente copiado com notas escritas à mão e enfiadas em caixas para cada dia. A tabela era um regime de pílulas com a função de reduzir ou eliminar a náusea e a dor. Essas eram pílulas "boas".

Havia pílulas a serem tomadas na noite anterior, na manhã da quimio, à noite e nos dois dias seguintes a ela, e havia remédios opcionais para dor: um para dores suaves e outro para dores severas. Segui todas as prescrições e comprei todos os medicamentos sugeridos que não precisavam de prescrição – Benadryl, para diarreia; laxante; Tylenol – e dois termômetros para que eu pudesse constantemente monitorar minha temperatura no trabalho e em casa. Eu me perguntei se o recheio de torta de moranga funcionava para aliviar os efeitos colaterais em humanos como em cachorros.

– Talvez você devesse colocar a tabela em algum lugar que nós dois possamos encontrá-la – Chris disse, entrando no escritório.

– Eu não consigo imaginar a possibilidade de esquecê-la, devido às terríveis consequências – eu disse.

– A gente nunca sabe... E mais, você pode não querer levantar e chegar à lista, então eu tenho de saber onde ela está.

– Eu estava pensando em deixá-la ao lado do pote de café. Então eu tenho certeza que você vai vê-la.

– E se você não estiver tomando café? Lembre-se de que eles disseram que o seu gosto poderia mudar.

Enquanto era difícil me imaginar tomando um galão usual de café enquanto eu estivesse com náuseas, ou pior, vomitando, era igualmente difícil imaginar passar por essa época estressante sem café. Eu não podia imaginar sobreviver a uma manhã sem café.

Decidimos deixar a tabela ao lado do meu computador no escritório de casa, e eu arrumei as pílulas ao lado da tabela mais uma vez, revisando cada uma delas com Chris.

– Acho que você precisa saber as instruções também. Para o caso de, você sabe, eu estar vomitando, tremendo e inconsciente.

– Você vai ficar bem. Você vai ser como Seamus foi: cheia de apetite e energia.

– Eu não tenho tanta sorte. E mais, realmente, é melhor que o lado bom da quimio seja a perda de peso.

Eu acordei às cinco da manhã para a minha consulta. Seamus se espreguiçou, bocejou e, então, seguiu-me, esperando por mim para descer as escadas antes de correr na minha frente. O único bom hábito que eu consegui ensinar ao Seamus acabaria sendo uma coisa muito útil.

Quando eu o trouxe pela primeira vez para casa, Seamus regularmente corria na minha frente, largava-me e não se importava em correr entre ou debaixo dos meus pés. Antes de Chris ir morar com a gente, eu tinha receio de que Seamus tropeçasse em mim nas escadas na corrida louca dele em direção ao pote de comida. Eu me imaginava esparramada no chão, com as costas ou o pescoço quebrado, e os dias passando até que alguém viesse procurar por mim. E, então, seria somente por causa de Seamus que, ao não ganhar café da manhã, estaria uivando no portão. Então eu o treinei para não correr escada abaixo na minha frente. Ele tinha de sentar (nem tão) pacientemente até que eu chegasse ao fim da escada e desse a ele o sinal de que ele podia descer. Ele me desafiava regularmente, correndo na minha frente quando eu estava a três ou quatro degraus do fim da escada. Eu parava e o fazia voltar para cima e esperar até que eu continuasse a descer e, ainda assim, ocasionalmente ele descia como um relâmpago depois que eu desse mais um passo. Eu parava e o fazia subir a escada novamente e nós fazíamos tudo de novo. Finalmente, ele esperaria, sentado no limite do primeiro degrau, dançando para frente e para trás, mudando o peso nas suas patas dianteiras – esquerda, direita, esquerda, direita – e gemendo com ansiedade, até que eu pisasse abaixo do primeiro degrau e me virasse para dizer a ele "Está bem". Então ele soltaria um latido de vitória e se jogaria, gritando, *AAAAAAUUUUUUUUUUUU! Rápido, porra! Pegue o meu café, mulher! Eu não tenho tempo para esses joguinhos de merda! AAAAAAUUUUUUUUUUUU!* E ele passaria como um relâmpago em direção à área de serviço onde as tigelas estavam. Era um jogo para Seamus. Eu sabia disso. A única razão para o treinamento funcionar era o fato de que Seamus sabia que se eu nunca chegasse ao fim da escada, ele nunca ganharia o café da manhã.

Agora, se eu fosse ficar doente e fraca e talvez tivesse uma anestesia ou um pé dolorido e inchado, era bom o fato de eu ter conseguido ensinar ao Seamus este jogo em particular.

Seamus me seguiu até a área de serviço, e eu coloquei ração em sua tigela, dando a ele uma quantidade adicional. A manhã da quimio parecia pedir por clemência e empatia para com todas as criaturas. Eu me dei uma grande xícara de café e bebi no andar debaixo, deixando Chris dormir. Depois do café da manhã, Seamus se aconchegou ao meu lado no sofá.

– O que você acha, garoto? Vamos comer torrada?

Eu tinha de comer alguma coisa.

Seamus bateu a sua cauda ao ouvir a palavra *torrada*. Ele também bateu a sua cauda em *o que, garoto,* e *vamos* – já que ele tinha acabado de tomar seu café e sabia que o próximo seria o meu.

A Dra. Dutelle tinha me dito que agora Seamus podia comer carboidratos e que, na verdade, ele precisava mesmo. Já que o mantive na dieta de ração com muita proteína e pouco carboidrato, eu gradualmente retornei à nossa codependente rotineira de dividir a torrada. Fiz duas fatias de torrada integral e as enchi de manteiga de amendoim.

Chris entrou enquanto eu dava ao Seamus o último pedaço de casca.

– Você já tomou suas pílulas? – ele disse.

– Estou subindo para tomá-las. Imaginei que ter comida no meu estômago fosse uma boa ideia. E com café no meu cérebro... posso ler os rótulos das pílulas.

– Bons planos. Vou fazer um almoço para nós enquanto você se apronta.

A cauda de Seamus bateu novamente. *Almoço? Sim, por favor!*

Mas eu tinha menos entusiasmo. Eu tinha de ir "me aprontar". E como alguém se apronta para ter seu corpo envenenado? Eu deveria vestir preto?

Tomei banho e me vesti, escolhendo uma calça preta confortável, um suéter azul de manga curta e de algodão, e a gigante e macia manta de algodão que Trudi havia me dado. Ela me disse que a sala de infusão normalmente era fria, mas você pode sentir um calor por causa das drogas, então a manta facilmente seria colocada e retirada sem perturbar os fios no meu braço. Conselho prático. E na moda: a manta era lindamente macia e da minha cor favorita. Eu passei o secador e arrumei meu cabelo, tentando, sem sucesso, não pensar em quantas outras vezes eu faria aquilo antes que eu não tivesse mais cabelo.

Desci as escadas novamente, onde Chris esperava, de banho tomado, barba feita e vestido, aconchegado com o Seamus no sofá.

– Bem, pílulas tomadas. Eu estou pronta para a cadeira.

– E o almoço está na marmita. São só 7h30. Nós estamos até adiantados.

– Obviamente o câncer nos mudou. E não para melhor.

– Que surpresa.

– Vamos. Só isso. Não é como se eu fosse me sentar e descansar.

Seamus nos seguiu até o jardim, e nós paramos para tirar fotos de mim, a nova guerreira contra o câncer, e Seamus, o veterano. Eu fiz carinho nele para receber boa sorte, beijei o topo da testa de sua testa, e então o coloquei na caixa de transporte no banco traseiro do nosso carro.

Deixamos Seamus na casa da Destiny. Seguindo sua promessa, ela cuidaria do Seamus de manhã. Ou por quanto tempo a minha consulta durasse.

Eu estava aliviada de ver que a clínica oncologista tinha removido a decoração de Dia dos Namorados. A clínica parecia mais profissional sem chamas e corações. Nesse ponto, eu já estava no meu vestido de papel e falando com a enfermeira às 9h15. Ela considerou a minha cicatriz da cirurgia curada o suficiente e o exame de sangue que eu tinha feito no começo da semana estava bom.

–Vá se vestir e nós vamos encontrar uma cadeira para você – ela disse.

Ainda que eu mesma estivesse chamando isso de "a cadeira", a expressão se tornava mais ameaçadora o quão mais perto eu chegasse de sentar na cadeira e ter uma bolsa ligada a mim pingando veneno. Chris me seguiu até a sala de infusão. Nós dois paramos na porta e olhamos para dentro da sala, esperando por instruções.

Depois de alguns minutos, uma enfermeira me mostrou a cadeira, no lado esquerdo da sala, perto de uma mulher mais velha lendo um livro. Eu me sentei na cadeira, e Chris puxou uma cadeira pequena para perto de mim.

– Nós estamos misturando seu coquetel de quimio agora. Eu já volto – a enfermeira disse enquanto saía.

Olhei para Chris.

– Eu nunca fiquei tão desapontada ao escutar a palavra *coquetel.*

– Nem me fale. É como um abuso de uma palavra perfeitamente maravilhosa.

A sala de infusão era pequena. As cadeiras (grandes e que lembravam cadeiras de massagem normalmente encontradas em lugares chamados "Unhas felizes") estavam posicionadas encostadas em cada parede da sala. O que significava, goste ou não, que os pacientes, dez de nós (nove mulheres e um homem) estavam todos olhando fixamente uns para os outros em silêncio.

Eu me perguntei: qual é a etiqueta? O que você diz? "Eu sou nova aqui"? "Você vem sempre aqui"? Ou "Por que você está aqui?" Era difícil saber. Eu acho que a etiqueta deveria ter sido tema do meu treinamento de quimio. Os cachorros que estavam com Seamus não pareciam ter esse problema. Naquele centro de espera oncologista, os pacientes cheiravam bundas indiscriminadamente como cumprimento. Tal conhecimento não iria me ajudar aqui..

A maior parte dos pacientes mal olhou para nós e retornou para a revista deles. Alguns estavam dormindo. Todos tinham bolsas pingando em suportes móveis ao lado de suas cadeiras.

Chris começou a desfazer as malas de tudo que tínhamos levado conosco – alguns livros, meu diário, meu notebook, o notebook do Chris, a grande marmita que Chris tinha preparado, dois litros de Gatorade e diversas revistas.

Como as gotas da quimio são derramadas lentamente para se poder observar qualquer reação negativa, pelo que nos contaram, o primeiro dia de quimio seria um dia longo. Nós tínhamos nos preparado para isso. Talvez tivéssemos nos preparado demais. Parecíamos ter chegado para ficar.

Além de tomar esteroides e outras medicações na noite anterior e na manhã da minha consulta, também juntei trabalho o suficiente e outros itens para me manter ocupada o dia todo. Uma pessoa não quer estar entediada durante o envenenamento de suas veias. Como eu entendi isso, provavelmente não ficaria doente no dia seguinte. Isso significava que eu ainda poderia trabalhar durante o tratamento. A cadeira confortável até tinha uma pequena mesa lateral para o meu computador. A enfermeira se aproximou da lateral da minha cadeira e pediu para ver o meu braço esquerdo. A quimio entra pelo braço oposto ao lado em que a cirurgia foi feita. Seio direito, braço esquerdo.

Eu estendi o meu braço, movendo a manta macia de algodão.

– Oh! Você tem sorte. Boas veias. Você não precisou de um cateter, não é? – a enfermeira disse.

– Não. Eles nem me perguntaram isso. Mas sim, disseram-me que eu tenho boas veias. Na minha idade, eu acho que isso é um elogio.

Chris se animou.

– Essas veias sangram muito. Disseram para eu avisar isso.

– É bom saber, mas isso não será um problema aqui – ela disse, passando álcool nas costas da minha mão.

A agulha fácil e rapidamente escorregou para dentro de uma veia larga. Eu estremeci. Não porque doeu, mas porque tinha começado. Assisti enquanto ela passava fita no cateter nas costas da minha mão. Ela pendurou o coquetel de quimio – um líquido transparente em uma bolsa plástica opaca e robusta – em um gancho no topo do suporte móvel e se inclinou para apertar alguns botões no monitor ligado ao suporte. Chris segurou a minha mão direita com firmeza, e eu descansei a minha mão esquerda no braço da cadeira. Nós assistimos ao líquido começar a se infiltrar no tubo e seguir até a minha mão para dentro da minha veia.

Depois de sentar comigo por alguns minutos e perguntar se eu me sentia bem, se eu tinha calor, se eu me coçava ou se sentia qualquer coisa que fosse, a enfermeira saiu para atender outros pacientes.

Eu me virei para Chris.

– Então, aqui vamos nós.

Não havia como voltar atrás agora.

– Bem, isso tem de ajudar – ele disse, apontando para o topo do meu suporte móvel.

Olhei para cima. Ligado ao suporte, pendurado pelo pescoço, havia um panda Beanie Baby. Um pouco mais para baixo, mas também pendurado pelo pescoço, estava um urso marrom. Os dois ursos estavam caídos e depressivos. Eu me virei de volta para o Chris.

– Que droga é essa?

– Olha – eles estavam por toda a parte. Como se essa experiência não fosse ruim o suficiente, eles anexaram Beanie Babies suicidas a cada suporte móvel.

Olhei ao redor da sala – havia unicórnios, anjos, ursos azuis, um cachorro, um cordeiro e o que pode ter um dia sido um gatinho ou talvez um guaxinim antes de ter desistido da vida, todos pendendo por seus pescoços quebrados no topo de suportes móveis.

– A pessoa faz decoração para festas obviamente passou por aqui também. Isso deveria me alegrar?

– Olhe na parede – Chris disse, apontando para trás de mim na direção de impressões baratas enquadradas de anjos, golfinhos, arco-íris e ursos vestidos como anjos, usando vestidos de arco-íris.

– Eu gosto daquele, em particular – ele apontou para uma colcha quadrada enquadrada em vidro. – O quê? No caso de queda de temperatura, quebre o vidro?

Eu ri. O que fez com que boa parte das pessoas na sala até então silenciosa olhasse para mim. Algumas delas sorriram, mas somente uma riu comigo. Ela era uma linda jovem de cabelo escuro, sentada em uma das cadeiras "normais" de visitantes na nossa frente. Ela tinha um livro aberto no colo.

– Me desculpe – ela disse. – Não quero ser enxerida; mas é difícil não escutar. E vocês estão me fazendo rir.

– Me desculpe. Nós não tínhamos a intenção de interromper os seus estudos – eu disse.

– Não, tudo bem. É bom que alguém esteja falando.

Descobrimos que o nome dela era Elizabeth e ela estava lá apoiando a sua mãe, que estava a duas cadeiras de distância de mim, em sua quinta visita. A mãe dela não gostava de falar durante as sessões e preferia ler. Elizabeth dividiu um prato de biscoitos de chocolate, nozes e uvas que ela tinha trazido para as enfermeiras e para os outros pacientes.

A mulher na cadeira ao meu lado negou qualquer biscoito e, minutos depois, estava vomitando na lata do lixo entre nós, uma assustadora lembrança do que estava acontecendo nessa sala.

Para o meu desapontamento e surpresa, o centro de oncologia não tinha conexão wireless de internet, então seria muito pouco o que eu conseguiria trabalhar. Em vez disso, li até que Chris abrisse nosso almoço – queijo e bolacha cracker, manteiga de amendoim e sanduíches com geleia, um potinho de pudim e um Gatorade de uva.

– É como um piquenique – eu disse.

– Quase isso. Eu pensei que comida caseira seria boa. Além disso, precisávamos de coisas que poderiam ficar dentro de um pacote toda a manhã. Só finja que o Gatorade é vinho e que aqui é um parque. Com, você sabe, unicórnios suicidas.

Depois, quando precisei usar o banheiro, a enfermeira me apontou a direção e explicou que eu precisava levar o suporte móvel comigo (panda e ursos incluídos). Eu fui até lá, puxando o suporte e tendo dificuldade para fazer as rodinhas rolarem na mesma direção, minha sorte com os suportes móveis de BI não é muito melhor do que normalmente é com carrinhos de supermercado. Fechei a porta atrás de mim e fui imediatamente confrontada por uma placa acima do vaso sanitário: "Pacientes de quimioterapia: por favor, deem descarga duas vezes". Sim, aquilo praticamente resumiu o que estava acontecendo comigo.

Boa parte dos outros pacientes já tinha ido embora depois da uma da tarde, incluindo Elizabeth e sua mãe, e eu estava sendo mudada para a segunda droga da quimioterapia, Cytoxan. Essa não era a droga com a qual Seamus teve problemas, então eu pensei, mesmo que isso possa parecer insano, que essa seria mais fácil.

Depois de quinze minutos, eu estava gelada. Enrolei a manta sobre meu corpo e perguntei ao Chris se ele tinha frio. Ele não tinha.

Espirrei. Então, espirei novamente. Quando espirrei pela terceira vez, duas enfermeiras vieram instantaneamente para o meu lado.

–Você tem calor? Coceira? Náuseas?

– Não, eu sinto frio.

– Nós temos de ficar atentas a reações alérgicas.

– Não, eu acho que só tenho frio.

Ela me deu um lençol quente.

Eu me enrolei no lençol quente e dormi até quase três horas da tarde. Seamus não tinha tido um problema e nem eu teria. Quando acordei, já tinha acabado. A enfermeira estava removendo a agulha das costas da minha mão.

– Então é isso?

– É isso. Você foi bem. A maioria dos efeitos colaterais, se você tiver algum, não começam dentro de 24 a 48 horas. Quando você se levantar, levante-se devagar.

Eu me levantei devagar, mas eu estava firme. Chris já tinha arrumado as nossas coisas. Nós fomos os últimos a sair da sala de infusão. Tudo que nos faltava fazer era pegar Seamus e esperar para ver como eu iria reagir.

Capítulo 20

Festa do beagle

Acordei às três da manhã, cheia de energia. E escrevi um *post* no blog sobre a experiência da quimio, limpei minha mesa e depois li por algumas horas. Seamus me seguiu para dentro da biblioteca e ficou comigo, dormindo em uma almofada e em um lençol no chão, até que eu voltasse para a cama. Nós dois acordamos novamente às oito, com fome. Chris fez ovos mexidos e bacon com torrada (para mim e para Seamus), e eu tomei duas xícaras de café. Os esteroides estavam fazendo seu trabalho.

Nem tudo era bom. Quando fui ao banheiro, tive o pior ataque de prisão de ventre que já tive na vida. Isso estava na lista dos possíveis efeitos colaterais dos esteroides; eu tinha o remédio para isso, mas não o tinha tomado, porque as chances eram tão grandes quanto do problema oposto acontecer por conta da quimio. Como eu deveria saber?

Como já estabelecido anteriormente, Stacey veio ficar comigo para ajudar com os efeitos colaterais para que Chris pudesse passar o dia entrevistando candidatos de Princeton, como ele havia se voluntariado há muitos meses, para fazer parte da Associação Alumni. Ele ia cancelar, mas eu o encorajei a ir. Eu tinha finalmente tido a discussão com ele sobre o quão injusto eu achava que era ele ter de passar por isso na idade dele. Chris encerrou o assunto respondendo que era ainda mais injusto eu ter de passar por isso. Ainda assim, eu queria minimizar, de algum jeito, o efeito de tudo isso sobre ele. Nisso eu era como a mãe dele quando ela teve câncer.

Estava acordada quando Stacey chegou e, ainda que eu não tivesse me preocupado em arrumar meu cabelo e passar maquiagem, eu não parecia doente. Pelo olhar aliviado no rosto de Stacey quando atendi a porta, sabia que ela estava esperando algo muito pior.

– Isso deve parecer confuso pra você – eu disse.

– Como assim?

– Bem, se eu parecesse muito bem, você teria pensado que eu estava mal, baseado na sua teoria. Mas, se eu parecesse péssima... nessas circunstâncias, você também não teria pensado que eu estava muito mal e que você ficaria ocupada o dia todo comigo?

– Ah! Sim. Então eu estou agradecida que você esteja em algum lugar no meio disso. Você se sente bem?

– Eu me sinto bem, para a minha surpresa.

Nós passamos algumas horas sentadas na minha cama assistindo programas antigos de televisão e colocando a conversa em dia. Aquilo me fez lembrar de quando eu era uma adolescente, quando eu tinha tempo para perder o dia assistindo à televisão com uma boa amiga. Exceto pela parte em que nós estávamos antecipando os efeitos do veneno no interior do meu corpo.

A campainha tocou, e Seamus correu. Latindo violentamente, ele passou pela sua porta de cachorro e se jogou até o portão.

– Pobre moço do FedEx. Ele pareceu superassustado – Stacey disse enquanto levava o pacote para o andar de cima.

– Sim, eu entendo que Seamus seja barulhento e pareça um pouco louco, mas eu nunca senti "medo de beagle", especialmente pelo outro lado de um portão de aço. Ele está somente esperando outra entrega de biscoitos.

– O amor de mãe te deixa cega – ela disse me entregando o pacote.

Dentro da embalagem, estavam as perucas que eu e Chris tínhamos escolhido juntos e comprado pela internet. Não a que eu tinha comprado da Diedre, mas algumas versões mais baratas. Nós nos divertimos tanto com os diferentes estilos e cores que eu comprei várias.

Tirei uma peruca longa, preta e com camadas.

– Oh! Muito estilo Natasha – disse Stacey.

– Verdade. E obviamente essa vai ser chamada de Natasha.

Deixei a Natasha de lado e peguei uma chanel loira. Eu a coloquei e virei para Stacey.

– Sienna.

– Sienna Miller?

– Miller. Deixa eu ver essa.

Ela tirou a peruca da minha cabeça e a prendeu na cabeça dela. Eu ri.

– Me desculpe, mas você não parece com Sienna Miller.

– Não? – Stacey levantou da cama e foi até o espelho do banheiro. Escutei sua risada do sucesso ecoar pelos azulejos.

– Eu pareço uma puta drogada! Ou uma stripper desempregada!

– Então nós vamos chamá-la de Sienna Chablis. Ela é um tanto quanto versátil.

Provei a peruca seguinte, uma cheia, quase ruiva, na altura no ombro. Sempre quis um cabelo cheio.

– Meio dona de casa dos anos 1970 – disse Stacey.

– Sim? Está bem. Eu não sei por que, mas vou chamar essa daqui de "Connie".

– Eu também não sei por que, mas encaixa. E agora, eu quero ser loira.

Ela tirou da caixa a última peruca. Era longa, loira e lisa – exatamente como meu cabelo era no colégio. Ela colocou a peruca, em cima do seu cabelo curto e escuro.

– Eu instantaneamente fico mais legal.

A Stacey não nasceu para ser loira. Eu ri de novo.

– Está bem – ela disse, removendo a peruca e passando-a para mim. Eu a provei, e ela imediatamente a apelidou de "Britney-Bitch". Achei que cabia bem. Quando Chris chegou, ele se juntou à nossa brincadeira. Quando ele colocou a Sienna Chablis e pareceu com algum membro de uma banda inglesa dos anos 1980, nós consideramos mudar o nome da peruca para "Nigel". Eu ri tanto que meu estômago doeu.

Pensei que aquele tinha sido um bom primeiro dia de quimio. A única dor que eu senti foi de tanto rir. Eu podia lidar com isso.

Mantive esse pensamento pelos dias seguintes, encorajada pelo impulso de energia do meu esteroide e de um apetite gigante.

Logo, no entanto, a minha energia diminuiu.

No meio da tarde de terça-feira, no meu escritório, precisei de um cochilo. Fechei a porta do meu escritório, desdobrei o futon que eu tinha levado, e dormi por meia hora. O pequeno cochilo me permitiu trabalhar direto até às seis da tarde daquele dia. Na quarta-feira, fiz o mesmo, mas só aguentei até às cinco. Mesmo assim, eu me senti melhor do que esperava.

Entusiasmada, falei com Chris sobre uma viagem no final de semana para Phoenix. Seamus e eu queríamos ir para a Festa do Beagle. Chris questionou a delicadeza disso.

Liguei para a minha oncologista. Fui mais uma vez passada para a enfermeira, mas eu me importei menos quando ela me deu permissão para ir. Eu estava emocionada.

–Você tem certeza? – Chris falou.

– Sim. Vai ser bem melhor do que ficar sentada em casa. Se eu me cansar, nós só voltamos para o hotel.

– Ela disse que tudo bem você estar cercada por todos esses cachorros?

– Sim. Especialmente porque é ao ar livre. Mas ela disse que eu devo ficar longe de qualquer pessoa que esteja visivelmente doente, tossindo ou algo do tipo.

– Eu não sei. Parece um pouco louco dirigir por quatro horas com um cachorro em um carro para passar um dia com milhares de outros cachorros, para virar e ir embora de carro no dia seguinte, tudo isso enquanto você está sendo tratada.

Isso soou um pouco louco, mas é exatamente o que nós fizemos.

O caminho de casa para Phoenix é quase inteiro deserto e calmo. Nós paramos de hora em hora mais ou menos para comer, beber água e deixar o Seamus se esticar, andar e farejar. Em seis horas, chegamos a um hotel próximo à Festa do Beagle que aceitava cachorros.

O balconista do hotel nos deu a chave do quarto no primeiro andar "com fácil acesso à área verde", que era uma área de dois metros por um com uma faixa de grama próxima à escada, que também era em frente ao nosso quarto.

Cochilei antes de sairmos para jantar, e nessa altura a temperatura já havia esfriado significantemente e o vento estava forte.

Como tínhamos Seamus com a gente, nossa única opção era comer do lado de fora no pátio do restaurante. Os garçons se revezaram em fazer carinho em Seamus, trazendo primeiro uma tigela de água, depois pão para ele e, finalmente, um grande osso da cozinha. Outras pessoas que estavam jantando, indo e vindo do calor do lado de dentro para o friozinho de fora, também pararam para fazer carinho em Seamus, que se sentou em silêncio, parecendo adorável. Chris e eu nos sentamos tremendo na mesa enquanto Seamus recolhia a sua parte.

De volta ao hotel, as coisas não melhoraram. Seamus latia cada vez que luzes de farol piscavam no nosso quarto e também quando duas adolescentes decidiram ficar conversando na escada. Exatamente quando começávamos a pegar no sono, as luzes piscavam e o beagle uivava. Só conseguimos dormir ininterruptamente depois das três da manhã. Quando acordamos, cruzei o estacionamento para pegar uma xícara grande de café French Roast e rosquinhas para todos. Estávamos somente uma hora e meia atrasados para o evento.

A Festa do Beagle, como o nome sugere, é uma celebração de beagles. Existem centenas de cachorros lá, latindo, pulando, uivando e se comportando como beagles. Nós perdemos a competição de uivos, mas assistimos à bem mal-sucedida competição de "melhor truque", que fez com que nos sentíssemos muito melhores por não sermos os únicos que não conseguiam treinar um beagle. Pelo menos éramos espertos o suficiente para não inscrever Seamus na competição. A competição de "melhor beijo" também pareceu não funcionar, já que parecia que a maioria dos beagles, como Seamus, não gosta de lamber rostos (alguém devia ter pensado em colocar gordura de bacon no rosto). Notei que os organizadores não eram bobos o suficiente para fazer uma competição de comida para beagles.

O dia ventava, meus olhos lacrimejavam e eu estava cansada mais do que o normal, mas feliz. O dia inteiro não teve nada a ver com o câncer. Exatamente como outras centenas de dias. Seamus e eu dormimos por boa parte do caminho de volta, então é possível que Chris não tenha ficado emocionado com a viagem, mas ele não reclamou.

No dia seguinte, acordei quando meu despertador marcou 6h30. Seamus e eu descemos para o andar de baixo. Eu dei a ele o café da manhã e fiz minha torrada e meu café. Nós subimos de volta, e tomei o café enquanto checava os e-mails, como em qualquer outra manhã.

Às 7h15, comecei a sentir fadiga e um calor incomum. Medi minha temperatura. 37,5 °C. Chris estava no banho nessa hora, então eu não falei nada para ele. Tomei Tylenol e me deitei. Depois de vinte minutos, eu me senti melhor.

Voltei para o meu computador para mandar um e-mail para o trabalho e avisar que chegaria atrasada. Minhas mãos tremeram no teclado. Senti um aumento de calor. E, então, fiquei com frio. E, a partir daí, não eram somente as minhas mãos tremendo.

Andei devagar de volta ao quarto e mais uma vez tirei a minha temperatura. 39 °C.

Instruíram-nos repetidamente que se a minha temperatura passasse de 38,5 °C nós deveríamos ligar para um médico imediatamente. Eu fui para a cama, segurando os cobertores o mais perto de mim que eu conseguia, enquanto ligava para a minha oncologista. Só que ela não estava lá. Recebi confirmações de que alguém ligaria de volta para mim.

Quinze minutos depois, minha temperatura estava 39,5 °C. Eu estava fraca e tremendo demais para fazer outra ligação. Chris ligou e recebeu a mesma confirmação de que alguém retornaria a ligação, junto a instruções para me fazer descansar e tomar Tylenol para reduzir a febre.

O Tylenol funcionou para reduzir a febre o suficiente para que eu pudesse dormir, mas eu dormi picado, enrolada em vários lençóis e ainda tremendo. Eu não tinha energia para me sentar, para comer ou beber água. Chris trouxe um pano úmido e o colocou na minha cabeça. Eu não consigo lembrar a última vez que alguém tinha feito isso em mim. Ele se sentou comigo na cama, olhando para mim e checando a temperatura de vez em quando. Ele ligou para o meu escritório para avisar que eu não iria.

No começo da tarde, minha temperatura chegou a 40 °C, e a clínica ainda não tinha ligado de volta. Apesar da temperatura, eu não conseguia me esquentar. O único movimento que eu conseguia fazer era tremer incontrolavelmente.

A temperatura se elevou a 40,5 °C e eu perdi e recuperei a consciência várias vezes. Estava vagamente consciente do Chris gritando ao telefone com a clínica da minha oncologista exatamente como eu estava vagamente consciente de que eu estava provavelmente passando pela mesma queda de glóbulos brancos que Seamus havia passado. Mas como Seamus, que não podia me conduzir ao andar de baixo para comer torrada naquela fatídica manhã, eu não conseguia seguir o fio da conversa de Chris. Eu só queria dormir. Eu estava além da fadiga. O meu corpo estava desligando.

Chris me pegou, tirou-me da cama, enrolou-me em um cobertor grosso e correu comigo até o carro. Seamus foi deixado para trás, uivando para o portão. Não tivemos escolha. Eu nem tinha a capacidade de escolher. Eu me enrolei no banco da frente do carro com o cobertor bem perto de mim.

Consigo me lembrar de entrar no carro, mas não me lembro do caminho. Da mesma forma, eu me lembro de sair do carro, de agarrar o meu cobertor, como o Linus, e entrar na sala de espera. Chris me contou das outras coisas depois.

– Você sabe como sempre tem uma pessoa muito doente, tossindo horrores, pálida, tremendo e vomitando, na sala de emergência ou na UTI ou mesmo na sala de espera da clínica do médico? E todo mundo se move para longe dessa pessoa? Você era essa pessoa. Só que não tinha para onde as pessoas se moverem. Todos os assentos estavam ocupados. Na verdade, eu até tive de pedir para alguém deixar você se sentar.

– Você pensou que eles seriam mais organizados? – eu disse.

– Acredite, eu tentei. Eu estava na cara da recepcionista a cada minuto lembrando ela que você tinha câncer e estava na quimioterapia. Ela continuou a insistir que quem chegava primeiro, era atendido primeiro e se eu precisava de mais, nós teríamos de ir à UTI.

– Eu ainda não consigo acreditar que eles nos enviaram a um laboratório para tirar meu sangue em vez da emergência.

– Duas vezes. Tivemos de tirar o sangue duas vezes, e a segunda vez não podia acontecer pelo menos vinte minutos depois da primeira.

– Eu não me lembro disso.

– Você se lembra de estar sentada no carro no estacionamento?

– Mais ou menos.

Eu me lembrava de querer dormir. Eu me lembrava de ter frio e de estar extremamente exausta, de uma forma em que eu não conseguia manter a minha cabeça levantada.

– Isso foi entre os exames de sangue. Você ficava dizendo que estava congelando e que a sala de espera estava fria, então eu a levei para o carro e liguei o aquecedor.

– Estranho ter frio com uma febre de 40,5 °C.

– Sim, bom, isso aparentemente acontece quando você chega aos seus últimos seis glóbulos brancos.

– Como Seamus.

– O quê?

– Isso é o que aconteceu com o Seamus. Ele não estava tremendo, mas ele estava sem eles. Tremer me assustaria mais ainda.

– Acredite, eu estava assustado. Eu não estava lá quando aconteceu com Seamus, mas, se foi pelo menos metade de tão assustador quanto isso, foi horrível.

– Foi. Definitivamente, foi. Obrigada por cuidar de mim.

– De você e do cachorro. Eu não acredito que você teve a mesma queda de glóbulos brancos. Eu realmente podia ter passado por isso sem essa parte.

Ele estava fazendo carinho em Seamus na cama ao meu lado quando disse isso.

– Eu sei, meu amor. Eu sei.

Eu também fiz carinho em Seamus. Seamus e eu recebemos quimioterapia de Cytoxan, mas isso não foi tudo que causou essa queda de glóbulos brancos. Eu tinha tolamente acreditado que isso não causaria a minha.

Não notamos a luz vermelha piscando na secretária eletrônica até a manhã seguinte. Os vizinhos dos dois lados ligaram reclamando dos uivados de Seamus no portão. Eu falei para Chris que eu podia lidar com aquilo. Eu enviaria um e-mail para os vizinhos explicando o que aconteceu e pedindo paciência e compreensão. Eu não estava convencida de que eles teriam isso, mas não queria que Chris tivesse de lidar também com vizinhos nervosos.

Enviei um e-mail e contei aos meus vizinhos, pela primeira vez, sobre o meu câncer. A Judy ligou imediatamente. Ela me contou que também era uma sobrevivente do câncer de mama.

– Por favor, não se preocupe com o cachorro.Você tem o suficiente com o que se preocupar. Desculpe-nos por ter ligado. Nós não sabíamos – falou Judy.

– Ah! Eu sei. E eu sinto muito por ter incomodado. Nós normalmente não o deixamos sozinho.

–Você não teve escolha. Por favor, avise-nos se tiver qualquer coisa que possamos fazer para ajudar. Qualquer coisa mesmo. E não se preocupe com Seamus.Você tem de fazer o que tem de fazer.

Nossa vizinha do outro lado respondeu em seguida e, para a minha surpresa positiva, ofereceu-se para cuidar do Seamus para nós caso precisássemos. Eu não teria ficado mais surpresa se ela tivesse se oferecido a ter o câncer por mim.

Então me passou pela cabeça, de uma forma estranha e desconexa (que é como as coisas tendem a acontecer para mim), que os tratamentos contra o câncer de muitas maneiras eram uma questão de manter o lobo do portão longe ou pelo menos do outro lado do portão. Mas essa semana, como acho que está claro agora, tem sido toda voltada a lidar com os efeitos colaterais da quimioterapia, que são uma questão do câncer-lobo no outro lado do portão. Houve a queda de glóbulos brancos. Isso está praticamente sob controle. Eu tenho alguma energia de volta, minha temperatura voltou ao normal, mas ainda tende a aumentar um pouco 48 horas depois de tomar o Tylenol, e eu ainda tenho de evitar estar próxima a multidões ou a pessoas doentes. Tenho mais três dias de antibióticos. E não sou uma boa pessoa doente. Ainda que seja completamente óbvio que eu esteja doente (veja o exemplo de segunda-feira), eu tenho a tendência a esquecer. Então hoje eu esqueci os antibióticos, e o lobo começou a lamber os beiços. Eu os levei para o jantar. Os antibióticos, não o lobo.

Então existem os problemas da boca. Eu não tenho mais glândulas de paladar. Bem, eu tenho, mas elas estão, na maior parte, programadas para sentir gosto de "sujeira". É claro que isso não me impede de comer. Só significa que eu como um pouco de tudo para tentar encontrar alguma coisa que tenha gosto bom. Então eu tento me lembrar de que devo comer por nutrição, não por prazer. Então eu rio de mim mesma. Então eu me repreendo. E mais, agora a minha gengiva e a minha boca estão tão suaves que a escova elétrica não dá certo e eu tenho de usar uma escova de cerdas extramacias. Eu já estava usando uma pasta de dente especial e um enxaguante bucal designado para bocas secas e para aumentar a luta contra as bactérias. Ele foi recomendado pelo meu dentista quando eu fui fazer a minha última limpeza até a quimio (certo, aí está outra coisa que você não pode fazer durante a quimio). O enxaguante bucal é um ótimo calmante. Então agora eu sou por completo uma pessoa que precisa de cuidado dental especial. Eu escovo meus dentes completamente diferente de você. E também tomo muito mais Tylenol. (E faço quimio.)

Quando acordei na quinta-feira de manhã, exatamente duas semanas depois da infusão de quimio, hesitei em levantar a minha cabeça do travesseiro, suspeitando que meu cabelo não me acompanharia. Contaram para mim que a queda de cabelo começaria aí. No banho, eu lavava meu cabelo gentilmente, com medo de ele cair todo de uma só vez. Eu o escovava devagar e o deixava secar no ar, puxando para trás com cuidado para fazer um rabo de cavalo baixo. Então um pouco de cabelo caiu naquele dia e eu comecei a pensar que talvez eu tivesse sorte. Talvez a queda de cabelo de quarta-feira fosse só essa. Mas então as palavras do Dr. Glaspy vieram a mim: "100% garantido que seu cabelo vai cair".

Liguei para Kelly, minha cabeleireira, para marcar de raspar a minha cabeça na noite de sexta-feira. Deixei minha peruca pronta – eu logo ficaria ruiva. Todos os donos de cachorros começam a parecer com seus cachorros eventualmente, certo? Não era a peruca que tinha ganhado a votação no blog, mas o respeitável segundo lugar, e o processo me ajudou a determinar o que eu realmente queria. E o que eu queria fazer era me divertir um pouco com a situação.

Estava cansada do estresse de constantemente me preocupar quando e se o meu cabelo iria cair. Eu queria acabar logo com isso. De alguma forma, senti que quanto mais cedo tirasse a queda de cabelo do caminho, mais próxima eu estaria de terminar o tratamento. Eu poderia passar para o estágio de recuperação.

Kelly chegou às 5h15, e Chris nos fez margaritas. Mas Kelly não estava ansiosa para começar a me raspar. Ela ficava me perguntando se tinha certeza que estava pronta.

– Kelly, eu tenho de estar pronta. Vamos fazer isso.

Eu me sentei na cadeira que Chris trouxe até a sala de estar no chão de madeira. Eu podia ver que Kelly estava lutando contra as lágrimas.

– Sem chorar! Isso não é para ser mais difícil para você do que para mim.

– Eu sei, eu sei, Desculpa. Você é muito corajosa.

Eu já tinha escutado "corajosa" de muitas pessoas desde o meu diagnóstico, mas, de verdade, qual a outra escolha?

Enquanto Seamus assistia, sentado na minha frente e olhando fixamente, o Chris tirava fotos. Kelly passou a capa ao meu redor e começou a cortar. Primeiro ela tirou quinze centímetros de comprimento, e por um curto momento eu tive um chanel. Então ela cortou as laterais bem mais curtas, e nós rimos dos meus *mullets*. O cabelo de trás foi embora em seguida. Eu não olhei para o chão; era mais fácil olhar para frente – algumas vezes para Seamus, às vezes para Chris. É só cabelo. Ele cresce de volta. É um preço baixo a se pagar para viver.

Kelly pegou uma máquina de cortar cabelo.

– Você tem certeza de que está pronta?

– Agora é um pouco tarde para parar – eu disse. Tinha só uns dois centímetros de cabelo sobrando na minha cabeça. – Vai.

– Eu não vou cortar até embaixo. É muito arriscado que você se corte. Se eu deixar uns milímetros, você vai ter menos irritação do couro cabeludo.

Ela ligou a máquina.

Eu ouvi o barulho da máquina e senti cócegas do cabelo caindo nos meus ombros, e em apenas alguns minutos estava acabado.

Ela me deu um espelho.

Eu não estava chocada pela minha aparência. Eu tinha o mesmo rosto, vestia as mesmas roupas, era a mesma pessoa. Só tinha muito menos cabelo. Agora ninguém ia se referir a mim como "loira". Eu me perguntei, no entanto, sem maquiagem e roupas coloridas, e quando todo o cabelo tivesse ido embora, o quão feia eu ficaria?

– Você está fofa – Chris disse.

– Fofa é exagero, mas obrigada.

– Você tem um rosto lindo. Você pode lidar com isso.

– Eu estava pensando a mesma coisa – Kelly disse.

– Obrigada a vocês dois. Eu estou bem. Obrigada.

Pelos dias seguintes, pequenos cabelos caíram em todos os lugares onde eu fui. Eu deixei cair muito mais do que Seamus. Dentro de uma semana, havia somente alguns fios de cabelo fino, como os de bebês, na minha cabeça e ao redor das orelhas. Nunca fiquei careca a ponto de ter a cabeça brilhante, mas eu estava certamente careca. Depois de mais alguns dias, a careca era quase um alívio. Eu estava cansada demais para cuidar do cabelo de qualquer forma.

Capítulo 21

Efeitos colaterais

Depois de ontem, o meu dia de pagar contas médicas e taxas, e depois de perder um evento tão divertido hoje (Chris e seus amigos em San Diego em um Festival de Vinho e Comida), ficando em casa e trabalhando (você sabe, para pagar as contas médicas), foi difícil não cair em uma completa festa de dó de mim mesma. Eu cheguei perto. Mais de uma vez.

Mas, por sorte, eu tinha Seamus, e ele abomina essas festas de dó. Se você sofre de depressão, arranje um beagle. E alguma comida. Você terá entretenimento sem-fim e dará risada muito rápido. Seamus até me convenceu de levá-lo para passear (foi aí que eu expliquei para ele que eu sou gorda, feia e agora quebrada; ele tinha certeza de que uma caminhada podia curar tudo isso).

Já são dois dias seguidos de caminhadas! Para mim, isso é como uma rotina completa de exercícios. Eu tenho certeza até de que perdi a batata chips que comi em algum momento da festa de dó (porque, vamos lá, o que é uma festa de dó de si mesma sem batata chips?). Acho que me manter ocupada é uma forma importante para essa coisa de atitude positiva. Só talvez não ocupada com um pacote de batata chips.

Eu não acordei tão cedo para a segunda sessão de quimio, mas, sem cabelo e sem a habilidade de aproveitar o sabor do café, eu conseguia ficar pronta rápido. Usei a peruca loira Sienna Chablis, mas coloquei um boné de algodão por cima dela, o que fez a peruca parecer menos uma peruca. Eu parecia bem e me sentia bem, pensei. Mais uma vez, abracei o Seamus para ter sorte e tirei uma foto minha com ele, e então Chris e eu enchemos o carro com nosso almoço "piquenique", livros, e Seamus, com toda aquela parafernália para o dia.

Deixamos Seamus na casa de Destiny.

Quando estacionamos no centro de oncologia, eu disse a Chris:

– Acho que vou ficar bem se você não quiser ficar comigo o tempo todo. Eu sinto que eu vou dormir. Agora eu entendo por que os outros pacientes pareciam estar dormindo na última vez.

– Tudo bem, se esse for o caso, eu saio e vou fazer algumas coisas.

– Você deveria.

Pela primeira meia hora da quimioterapia, Chris ficou e conversou comigo e com Elizabeth, que estava de volta para o que nós descobrimos ser o último dia de tratamento de sua mãe.

– Eu acho que vou ler, então agora você pode ir se quiser – eu disse.

– Tem certeza? – Chris falou.

– Sim. Isso é chato, e você tem coisas para fazer. Se você voltar para irmos almoçar, já está bom.

Assim que Chris saiu, eu me inclinei para trás na cadeira e abri o meu livro.

Quinze minutos depois, Elizabeth me perguntou:

– Você se sente bem?

– Sim. Por quê?

– Você está meio vermelha.

– Estou?

A mulher na cadeira ao meu lado virou e olhou.

– Sim, você está. Você está muito vermelha.

Só então o meu rosto começou a arder. Então as minhas mãos formigaram e rapidamente ficaram anestesiadas. E então eu fiquei quente, muito quente. Um relâmpago de dor atingiu a parte de baixo das minhas costas quando eu já estava pronta a pedir ajuda. Em vez disso, tudo o que saiu da minha boca foi um suspiro. A enfermeira do outro lado da sala correu até mim.

Ela desligou o botão do meu suporte móvel e parou o fluxo de medicamento

– Como você se sente?

– Quente. E as minhas costas estão me matando. Eu deveria ter tomado o sedativo que você ofereceu.

– Vou lhe dar Benadryl e Decadron na veia; você deve se sentir melhor rapidamente – ela mudou as bolsas que estavam no meu suporte móvel e o ligou novamente.

Em minutos, a dor nas minhas costas diminuiu. E as mulheres ao meu redor foram rápidas em comentar que eu tinha voltado para a minha cor normal. A enfermeira então colocou uma solução salina para sair do meu organismo. Uma vez que isso terminou, a quimio começou novamente, com gotas pingando mais devagar. Levou quinze minutos antes que a formigação quente voltasse. A enfermeira teve de repetir o processo na intravenosa.

Quando Chris chegou com o almoço, eu já não estava recebendo a quimio de quando ele havia saído.

– Você perdeu toda a emoção.

– Perdi? O que aconteceu?

Eu contei a ele, enquanto Elizabeth adicionava um comentário colorido (principalmente em tons de vermelho).

– Credo. Eu não deveria ter saído – ele disse.

– Não há problema. Você não tinha como saber. E estou bem agora.

– Eu já disse o quanto eu odeio a quimio? Eu não vou sair mais daqui.

– Tudo bem. Bom, ajeite-se então. A enfermeira disse que agora eles vão fazer a infusão muito mais lenta para evitar qualquer reação. E, da próxima vez, eles vão manter a minha dose de esteroides. Então isso vai ser divertido.

Chris se jogou com força na cadeira ao meu lado.

– Pensei que fosse acontecer outra queda de glóbulos brancos.

Alcancei e segurei a mão dele com a minha mão direita livre. Eu tinha pensado a mesma coisa.

Mais um vez, assistimos a cada paciente daquele dia terminar o seu tratamento e ir para casa. Despedimo-nos de Elizabeth e de sua mãe, que recebeu o seu "diploma" por completar o tratamento. Os médicos, enfermeiras e nós, pacientes (com inveja), aplaudimos e os funcionários fizeram uma cerimônia de "graduação" para ela.

Chris e eu fomos os últimos a sair, junto da enfermeira, quase às seis da tarde.

– Os esteroides estão funcionando – disse assim que Chris e eu chegamos ao carro. – Você sabe como eu sei?

– Você tem uma vontade do nada de bater em alguma coisa? Ou você está nervosa e quer lutar?

– Pizza. Eu quero pizza.

– Nós podemos arranjar isso. Eu realmente não estou com vontade de cozinhar. Nós vamos pegar a pizza, o nosso cachorro e ir para casa.

– Está bem.

No dia seguinte, teríamos de retornar ao centro de oncologia para uma injeção que preveniria que a queda de glóbulos brancos acontecesse de novo. A injeção em si tinha uma longa lista de possíveis efeitos colaterais, incluindo "dor severa nos ossos" em 30% dos pacientes, mas naquela noite nós tivemos um tempo tranquilo para nós em casa.

Seamus, contudo, tinha outros planos. Ele deve ter tido alguma simpatia com os esteroides pela forma que ele uivava por pizza.

AAAAAAAUUUUUUUU!! Pizza! Eu Amo Pizza! Pizza é a minha comida mais favorita de todas. AAAAAUUUU! Pizza! É como torrada com salsicha! Pizza! Me dê a porra da pizzaaaaaaaaaaaaaaaaaaaaa aaaaaaaaaauuuuuuuuuuu!

Eu dei a Seamus a borda da minha pizza. Chris balançou a cabeça.

– Você não imagina quanta simpatia eu tenho por esse cachorro agora – eu disse.

Foram necessários vinte minutos, depois de devorar a pizza, para que todos nós dormíssemos no sofá.

Parece que essa coisa de clube do câncer de mama é coisa de mulher. Sim, isso é um problema. Eu nunca fui boa em coisas de clubes femininos. Nunca. Eu talvez não seja uma pessoa "de grupo" no geral. Por exemplo, a ideia de um grupo de apoio a pessoas com câncer, para mim, é pior do que a doença. E sem surpresa, ninguém (nem mesmo o meu plano de saúde) sugeriu que eu fosse a um desses. Tudo bem, a clínica oncologista me deu um calendário de "eventos" (que tem uma porção de grupos de apoio – mas nenhum para almas maldispostas e sarcásticas como a minha). Mas o calendário era para janeiro e fevereiro, e eu o recebi no dia 26 de fevereiro.

Então aqui estou eu – pessoa com câncer de mama, inserida em um mundo de fitinhas cor-de-rosa, camisetas fofas, livros/poemas/placas/conversas inspiradoras, poder feminino, e... panelinhas. Sim, panelinhas. Agora, não me entenda errado, eu amo camisetas. Mas eu não sou uma grande fã de rosa (fúcsia, com certeza, mas não rosa-bebê). Eu também tenho a tendência a me ver sem inspiração por coisas que eu não tenho certeza se deveriam me inspirar. Eu não quero nada além de passar por isso e voltar a ser eu, não um eu melhor, somente eu.

Esse sentimento de que eu sou um membro de um clube tem me acompanhado desde o meu diagnóstico. E, como disse Trudi, não é um clube ao qual alguém queira pertencer, então isso não é surpresa alguma. O sentimento de que eu possa ser um membro perdedor de um clube e não cumprir as expectativas é meio novo. Mas o fato de que existem "panelinhas" dentro desse clube e um tipo de "livro de regras" está somente começando a entrar na minha cabeça. Eu não tenho certeza se estou encontrando minha panelinha. Talvez porque meus amigos não vão a eventos cor-de-rosa?

Eu agora posso ser o equivalente às crianças góticas da escola.

A injeção para prevenir a queda dos glóbulos brancos exigia sua própria luta por meio de pílulas contra efeitos colaterais. Deram para mim outra receita de coquetel. Era um "coquetel" de Claritin, Benadryl e Tylenol com Gatorade. Seamus tinha recebido Tagamet e Zantac. Até então, eu não tinha ideia de que existiam tantos medicamentos isentos de prescrição médica usados no combate ao câncer.

Como resultado dessas novas drogas, eu não tinha tanta energia como tive no terceiro dia da primeira quimio, e eu estava desapontada com isso. Continuei procurando pelo mínimo lado bom disso (eu tinha ganhado, e não perdido, peso), Cochilei, assisti a um pouco de TV com Chris e, então, capotei. Já que estava tomando a medicação de esteroides e tomando muito líquido, eu tive de levantar e ir ao banheiro algumas vezes durante a noite. Quando saí da cama no meio da madrugada, meus membros estavam pesados. Eu me senti como se alguém estivesse me empurrando para baixo. Não era tão dolorido quanto estranho e assustador, como se concreto estivesse secando nas minhas veias. Como eu iria arrastar os quatro membros até o banheiro?

Balancei os meus braços e pernas e me atirei em direção ao corredor para o banheiro. Tomei Tylenol enquanto estava lá e, então, caí de volta na cama, agradecida por não quebrar a cama e o chão até o térreo. Fiquei na cama a maior parte da manhã, sem energia e pesando trezentos quilos.

Pela primeira vez em dezessete anos, não consegui ir à Caminhada com Animais, em benefício ao Centro de Adoção de Animais Mary S. Roberts. Pedi ao Chris que ele fosse e levasse Seamus. Eu me senti como se pelo menos eu pudesse ser representada. Chris me mandou as fotos do celular, cada uma delas mostrando uma pessoa conhecida mandando tchau ou fazendo o sinal de "joia" com o dedão para cima. Ele fez eu me sentir parte do evento mesmo quando eu não podia estar lá fisicamente. E Seamus ganhou agrados e carinho de praticamente todo mundo que estava lá.

O sentimento de concreto correndo nas minhas veias durou quase uma semana. Eu me recuperei disso exatamente a tempo de lidar com a queda das minhas sobrancelhas e cílios. Mas a perda das sobrancelhas muda um rosto. Eu parecia triste. Parecia doente.

Então, acordei com uma erupção nas mãos, que durante o dia se espalhou pelo meu corpo. Encharquei a minha pele com loção de calamina e tomei a dosagem máxima de Benadryl, mas nada parecia ajudar. Eu cocei. Eu sangrei.

Quando acordei na manhã seguinte, a erupção tinha piorado e meu corpo estava coberto de vergões escuros onde eu tinha mexido durante a noite enquanto dormia. Chris ligou para o médico e, depois de diversas ligações, a enfermeira disse a ele que eu deveria tomar Benadryl e Tylenol, e continuar checando minha temperatura. Lá vamos nós de novo, nós dois pensamos. E mais uma vez a médica não estava disponível. Nós nunca recebemos notícias dela durante a queda de glóbulos brancos, e não parecia que ela estaria disponível para isso também.

O Benadryl me manteve dormindo por boa parte do dia. Mas, quando eu dormia, tinha pesadelos normalmente envolvendo um carro rodando ou derrapando fora de controle ou comigo no assento traseiro e sem motorista. A análise do sonho não era difícil – tudo estava correndo fora do meu controle. De noite eu não tinha sonhos porque eu não dormia. Ao contrário, eu jogava o que eu chamei de caça-níquel da miséria. Havia três coisas dando errado intermitentemente durante toda a noite e qualquer uma das três era suficiente para me manter bem acordada. Primeiro, tinha as erupções – que periodicamente atacavam e me deixavam arrancando a pele. Então havia os golpes de calor – a quimio tinha me mandado à menopausa mais cedo, dessa maneira, calores, suores noturnos, todas essas adoráveis coisas femininas, aconteceram. E, por fim, tinha a indigestão – o nome comum para o elefante pisando no meio do meu peito. De vez em quando, eu sentia como se uma bola de tênis tivesse se alojado no meu esôfago e tudo que eu precisasse fazer fosse engoli-la. Meu pai tinha me contado sobre tomar a mistura de bicarbonato de sódio com água e normalmente isso aliviava a indigestão melhor do que os remédios sem prescrição. Mas não sempre.

Coceira. Golpes de calor. Indigestão. Esses eram os prêmios do meu caça-níquel da miséria. Algumas vezes uma dessas coisas aconteceria, às vezes duas, e se eu ganhasse o *jackpot* da miséria, todas as três aconteceriam juntas e os sinos tocariam, a sirene soaria, e... não haveria prêmio de *jackpot*. Exceto por total miséria.

Eu não podia dormir. Em uma noite particularmente terrível, desisti e carreguei meus membros de raiz de árvore para fora da cama, com cuidado para não acordar Chris.

No banheiro de visitas no fim do corredor, fiz um banho de aveia para tentar reduzir a vermelhidão dos vergões irregulares que cobriam o meu corpo. Eu me despi e entrei na água morna, deixando-a me rodear enquanto eu testava para encontrar uma posição confortável. Oh! O quanto eu tive saudade da banheira quente e espaçosa com confortáveis assentos desenhados e água me rodeando até o pescoço. Mas a banheira quente, com framboesas, comida picante e pedicuras, estava fora de cogitação durante a quimio. A banheira formidável, funda e grande da minha antiga casa alugada teria sido um lindo descanso, mas ela estava no passado. Eu tive de me virar com a banheira rasa e pequena disponível e a água morna que eu podia ter. Esperei por alívio. Qualquer alívio.

Fechei meus olhos e tentei não olhar para o que meu corpo tinha se tornado – o que eu havia me tornado. O meu corpo estava inchado, e eu era uma garotinha sem cabelo sofrendo de menopausa prematura e urticária. Eu estava cansada. Estava doente. Não conseguia mais fingir o contrário. A água esfriou cedo demais.

Eu me levantei devagar, usando a parede para me equilibrar e equilibrar os meus membros pesados, e pisei para fora da banheira. Em dois passos, fiquei cara a cara com um monstro no espelho. Ali estava ela: careca, sem cílios, sem sobrancelhas e com grandes olheiras cinzas abaixo deles, vergões vermelhos por todo o corpo (ainda mais vibrantes por conta da água quente), arranhões escuros destruindo a pele, uma cicatriz de cinco centímetros no seio direito e um inchaço completo do corpo causado por esteroides.

Eu estava horrível. Horrível.

Eu era a imagem da quimio.

Quando estava me preparando para a quimio, tinha pensado sobre a queda de cabelo, é claro, e concentrado no fato de que ele cresceria novamente. Pensei sobre perder meus cílios e decidi que sombra e delineador faziam milagres. Eu sabia do ganho de peso que os esteroides causariam, mas eu disse a mim mesma que era melhor do que a náusea e mais uma vez seria temporário; afinal, Seamus tinha ganho 20% do seu peso e, tão rápido quanto ganhou, ele voltou a ficar em forma. A menopausa viria, com certeza, mas iria fazer isso cedo ou tarde de qualquer forma, e antes que isso acontecesse, eu não estava mais avisada do que qualquer outra pessoa do real significado de golpes de calor e do quanto queima de dentro para fora, então isso também não me preocupou. De alguma forma, eu tinha negligenciado as erupções na pele como um efeito colateral e nunca, nunca parei para pensar no que esses efeitos colaterais seriam todos juntos. Não até aquele momento, encarando aquela imagem no espelho.

Como alguém se recupera disso? Impossível. Não tinha maneira de o meu corpo voltar a ser o mesmo, jamais. E eu ainda tinha outras duas sessões de quimio restantes. Eu me joguei no chão, longe do espelho, e deixei minha cabeça cair na palma das minhas mãos. Fechei meus olhos com força. Jamais seria a mesma. Eu vinha me enganando dizendo que isso seria temporário. Não se pode voltar ao normal depois de algo assim. Minha cabeça martelava. Meu peito doía e eu engolia a seco para respirar. Eu não posso aguentar isso. Não posso.

E, então, ouvi um barulho familiar.

AAAAAAAAUUUUUUUU!!

Pulei de susto, batendo meu antebraço na quina da pia.

AAAAAAAAUUUUUUUU!!

– Seamus, não – fiz um sinal para ele ficar em silêncio. Ele tinha acordado Chris, e eu não queria que Chris me visse daquele jeito. Agarrei o meu roupão e o coloquei rapidamente, pulando até a porta aberta simultaneamente.

Seamus bloqueou a passagem.

Ele estava no meu pé, sentado daquele jeito fofo que eu amava, bunda no chão, pernas traseiras jogadas parecendo espalhadas em seis direções diferentes, pernas dianteiras travadas e retas à frente, cabeça de lado, uma orelha dobrada e grandes olhos achocolatados e com delineador olhando fixamente para mim, com a cauda balançando. Ele olhava para mim como se nada estivesse errado.

Mas algo estava errado. Algo estava terrivelmente errado.

Eu me abaixei para fazer carinho em Seamus. Em vez de se enrolar em mim como ele normalmente fazia quando queria amor, ele latiu e se virou, indo em direção às escadas. Ele fez isso de novo e de novo, sua cabeça se movimentando, indo do meu rosto para a escada e de volta para o meu rosto. Com latidos, é claro.

Andar de baixo. Ele queria que eu fosse ao andar de baixo.

Seamus tinha muitos problemas, mas a inabilidade de se expressar não era uma delas. Eu me apressei atrás dele, ainda torcendo para ele não ter acordado Chris. Quando passei na frente do quarto, olhei rápido e percebi que Chris não estava mais na cama.

Segui Seamus até a causa de seu entusiasmo.

Chris estava na cozinha, bem acordado e com as luzes acesas.

– Ah, você está fofa – ele disse.

Fofa?

– Eu estou horrível. Eu não acredito no quão horrível estou.

Eu me sentei no balcão na cozinha.

– Eu não sei se eu consigo continuar fazendo isso.

Chris tirou do forno uma forma de biscoitos frescos e quentes.

– Você está toda cor-de-rosa por causa do banho, e com o seu roupão branco e fofinho e com o capuz em volta do seu rosto, você está fofa. Não está nada feia.

Tranquilo, ele começou a esvaziar a forma e colocar os biscoitos em um prato.

– Você consegue aguentar isso.

– Eu não me sinto bem. Eu me sinto muito, muito merda.

– Eu sei, meu amor. Eu sei. Mas você já está na metade do caminho. Lembre-se do mantra: o cachorro sobreviveu e você também sobreviverá.

– Eu posso sobreviver, mas eu também posso parecer um monstro para sempre.

– Não, não pode. Olhe para o Mousse – Chris disse apontando para Seamus, que estava balançando suas pastas traseiras, cabeça e pescoço esticados, focinho no ar, farejando o prato de biscoitos no balcão.

– Você nunca saberia que ele esteve doente.

Chris encheu dois copos de leite.

– Eu não sou um cachorro. Eu não tenho tanta sorte.

– Não, você não é um cachorro. Mas você é tão teimosa quanto um.

Ele saiu da cozinha, carregando o prato de biscoitos e os copos de leite. Seamus trotou atrás dele.

– Isso vai ajudar. Eu vou ficar acordado com você. E enquanto houver biscoitos, eu acho que Seamus também vai. Talvez a gente possa ver um filme.

Ele fez biscoitos. Ele vai ficar acordado comigo. E são quatro horas da manhã.

Ele nem sequer se assustou com minha aparência. A tensão no meu rosto relaxou. Meus ombros soltaram, e eu me juntei a Chris no sofá.

Eu parecia um monstro, ele tinha desistido de tanta coisa para ficar ao meu lado a cada passo disso tudo, ele tinha se assustado e ficado cansado e tinha de ter tanta responsabilidade na nossa casa e na nossa vida, e ele não reclamou nunca. Não, ao contrário, ele ficou em silêncio, foi para o andar debaixo e fez biscoitos e leite, e ele estava pronto para ficar acordado comigo toda a noite se fosse preciso. Qual outra prova eu precisava de que eu tinha, finalmente, escolhido certo? Eu tinha acertado nessa coisa de "relacionamento". De que outra prova qualquer eu precisava?

Meu caça-níquel da miséria estava desligando. Eu estava ganhando um *jackpot* totalmente diferente agora.

Lá no sofá, aconchegada com Chris, mastigando biscoitos macios e grudentos feitos em casa, eu me dei conta de que tinha acabado de ser salva. O que aconteceu no banheiro poderia ter tomado uma direção totalmente diferente. Aquele momento poderia ter me destruído. Mas não destruiu. Seamus, por qualquer razão, tinha conseguido me tirar disso. Ele tinha me ensinado isso antes. Eu precisava lembrar uma lição muito importante: algumas vezes, você só precisa se focar nos biscoitos. E, se eu me focasse nos biscoitos, eu não poderia deixar de notar o amor do cachorro e, mais importante, o do Chris. E isso era o que realmente importava, ali no meio da noite e sempre: foque nos biscoitos.

Descansei a cabeça no ombro de Chris e respirei fundo. O sentimento era similar a quando tive o acidente de carro – o momento em que eu saí dali e me dei conta de que eu estava ilesa, mas, então, virei para ver o estrago do carro e o que poderia ter acontecido. O momento em que eu me dei conta do quanto eu poderia ter perdido.

Eu me dei conta de que o câncer tem um jeito de focar a pessoa no que está sendo perdido. Era hora de focar no que eu tinha. Sorri. Qualquer vontade que eu tive de cair em lágrimas foi dissipada. Tudo que eu queria fazer era carinho no meu beagle macio e fofo que tinha dado uma lição no câncer e me aconchegar perto de Chris.

Sim. O cachorro sobreviveu. E eu também sobreviveria.

Capítulo 22

Desequilibrada

Fiz café da manhã para Chris. Foi simples: rosquinhas com cream cheese e algumas frutas – mas eu levei para ele na cama.

– Que legal. Eu me esqueci do meu aniversário? – ele disse.

– Não. Só pensei que era a minha vez de fazer alguma coisa por você.

– Obrigado, mas não precisava.

– Precisava – disse e me sentei na cama, ao lado dele. – Você sabe que eu quase surtei ontem à noite, né?

– Eu imaginei que tivesse sido ruim.

– Então eu não estava fofa de verdade? Você só falou aquilo para eu me sentir melhor?

– Você está sempre fofa para mim. Mas, sim, eu gosto quando você se sente melhor.

Eu também não era muito fã de ficar mal daquele jeito.

– Eu não acho que eu vá me sentir assim de novo. Eu estive pensando.

– Isso não tem como ser ruim.

– Você vem me dizendo isso há um tempo, mas acho que não tinha realmente entendido até a última noite. Eu preciso lidar com isso como eu lidei com Seamus.

Nós dois olhamos para baixo, na direção de Seamus, que estava, naturalmente, no lado da cama de Chris fazendo sua dança da torrada. Tendo a nossa atenção, Seamus uivou.

– Eu assumo que você não quer dizer que vai comer horrores durante a quimio.

– Não, mas eu vou falar com a médica e, se nós não conseguirmos a atenção dela, eu vou voltar ao Dr. Glaspy. Ela não tem estado lá. Ela nunca falou com a gente durante todo o período da queda de glóbulos brancos e nem depois. Ela nunca lhe respondeu sobre a coceira. Ela nunca ligou para perguntar como eu estava. Eu acho que ela não tem nem ideia do que está acontecendo comigo.

– Eu não posso afirmar isso. O máximo que eu posso dizer é que ela nem está na clínica.

– Exatamente. Então qual é a vantagem de me consultar com ela se ela nunca me vê?

– Agora nós sabemos que o caminho de volta da quimio para casa não é quando os problemas acontecem. Então, se você quiser voltar para a UCLA, eu estou com você.

Joguei um pedaço da minha rosquinha para Seamus.

– E tem outra coisa sobre a qual eu venho pensando.

– Aparentemente, você tem pensado bastante.

– Eu tenho. E isso é sobre os seus pais.

– Oh, hum – ele gemeu e se sentou ereto e ajustou a almofada nas suas costas.

– Não, está tudo bem. Eu estou bem. Com eles, eu quero dizer. Eu acho que é hora de dar uma folga para eles. Sua mãe tem sido realmente simpática durante essa coisa toda. Ela tem me dado bons conselhos sobe como lidar com a quimio e me enviado aquelas mantas lindas. Ela liga. Eles enviam cartões e flores constantemente. E eu sei que sua mãe lê o blog. Então, sim. Eu acho que é hora de eu me desprender daquela merda toda do passado.

– Está bem – ele colocou isso para fora, ainda nervoso sobre o que estava por vir.

– Você disse que eles se ofereceram para vir aqui e nos levar para o almoço de Páscoa, certo?

– Sim.

– Fala que sim. Nós vamos.

– Almoço? Com meus pais? De novo? Você tem certeza de que isso não é uma febre da quimio?

– Não. Nós vamos. Médico primeiro. Pais depois.

– Bem, então tá, e a Teresa que eu conheço e amo está de volta.

Quando entramos na clínica da oncologista, nossos sentidos foram atacados por tons pastéis e chamativos ovos, coelhos e galinhas de papel recortados. A Páscoa estava chegando por toda a área da recepção em tamanha e proposital felicidade que parecia estar incomodando exatamente aos pacientes que deveriam ser ajudados. Eu tinha náuseas e um consistente gosto metálico na minha boca. Nem mesmo ovos me apeteciam, menos ainda coelhos de chocolate. E eles era tão condescendentes. Nós íamos mesmo ser recebidos por coelhos de chapéu e vestido?

– Esse deve ser o pior até agora – eu disse, apontando a minha mão para toda a sala de espera enquanto me sentava com a prancheta e o questionário que eles me davam a cada visita.

– Calma – disse Chris.

Apontei para o meu questionário.

– Eles querem saber se eu me considero saudável. Estou careca. Ainda não me recuperei de uma coceira no corpo inteiro e, mais importante, estou sentada em uma clínica de oncologia. Eu me pergunto se essa é uma pegadinha?

Chris riu.

– Eu vejo que você está diferente hoje de manhã. Isso deve ser bom.

Quando devolvi minha prancheta, avisei a enfermeira que eu não seguiria meu tratamento até que eu conseguisse falar com a médica.

– A enfermeira vai encontrar com você na sala de exames.

– E ela é ótima, mas não. Eu quero ver a médica.

– A enfermeira está fazendo os exames pré-tratamento hoje.

– A médica está?

– Está, mas ela tem consultas.

– E agora ela tem mais uma – eu disse e me sentei sem esperar por uma resposta.

Logo em seguida, Chris e eu estávamos sozinhos na sala de exames, eu no meu colete de papel de sempre, sentada na mesa, e ele na sua cadeira de sempre, ao meu lado.

A médica entrou na sala e me cumprimentou sem fazer contato visual. Ela olhou fixamente para a prancheta.

– Eu entendo que você precise falar comigo.

– Sim. Parece incomum que eu não tenha falado com você. Que não tenha existido nenhuma comunicação e que algumas coisas tenham dado errado.

– Esses efeitos colaterais são muito comuns, e as enfermeiras sabem como lidar com eles. Nós lidamos com esse tipo de coisa o tempo todo.

Ela se moveu em minha direção com o estetoscópio mirado no meu peito.

Eu me inclinei para trás, desviando da arma dela.

– Não é comum para mim. Eu não lido com isso o tempo todo. E sua enfermeira soava como se estivesse chutando o que fazer com a minha coceira.

– Nós gostamos de ter você aqui para que possamos ver com o que estamos lidando.

Ela se moveu em minha direção novamente, estetoscópio pronto. Eu, mais uma vez, inclinei-me para trás, colocando a minha mão na frente do estetoscópio.

– Eu me ofereci para vir para cá. Não há como trabalhar desse jeito, então a minha agenda estava vazia. Mas a sua enfermeira disse que a enfermeira responsável estava em Pasadena. E que você estava na Suíça. E era óbvio que não havia outra médica nessa clínica porque a enfermeira estava esperando pelo retorno das ligações de Pasadena. Obviamente não havia ninguém aqui que pudesse me ver.

– Bem, sempre existe uma sala de emergência, mas essa não é uma boa escolha.

Dessa vez, ela levantou muito pouco o estetoscópio, mas sem se mover em minha direção.

– Não, é uma escolha terrível. Eu só queria alguma garantia de que alguém está acompanhando o meu caso e sabe o que fazer em relação a ele. Eu sinto como se tudo dependesse das enfermeiras e elas estivessem sobrecarregadas. Eu fui indicada para esta clínica por sua causa, mas não parece que está cuidando de mim.

– Eu sei tudo que está acontecendo no seu caso. Elas ligam e me mandam e-mail com todas as novidades e mudanças. Eu sei o que está acontecendo. Agora, nós precisamos dar continuidade ao seu exame.

– Eu posso falar com você por e-mail?

– De jeito nenhum. Eu tenho pacientes demais para isso.

– O meu cirurgião não parecia ter um problema com isso. Isso realmente ajudou a entrar em contato com ele para esclarecer algumas dúvidas.

– Ah! Bom, com certeza, ele só te vê cinco vezes.

Eu a encarei.

– São três vezes a mais do que você já me viu.

Ela foi para trás, inclinou-se contra o balcão e cruzou seus braços na altura do peito.

– O que você quer de mim?

– Eu quero saber o que está acontecendo. Eu quero saber se foi uma reação alérgica que eu tive e, se sim, o que está sendo feito sobre isso. Eu quero me sentir confiante no cuidado que estou recebendo. Não acho que esteja pedindo demais.

Minha voz estava trêmula. Eu estava tentando ser firme sem mostrar minha raiva. Também estava tentando não gritar com ela.

Com má vontade e, rapidamente, ela revisou o meu caso comigo. Minha reação à última quimio não era aceitável, e ela decidiu não me dar aquela quimio novamente. Ela estava me mudando para outra quimioterapia que me daria o mesmo benefício, mas teria menos chances de causar uma reação alérgica.

– O que acontece se eu tiver outra reação alérgica?

–Você não vai ter.

Ela estava ficando muito nervosa.

– E se eu tiver?

Ela deixou escapar um suspiro exasperado.

– Se você tiver outra reação alérgica, nós provavelmente pararemos a quimio. Você já vai ter tido três sessões e nós provavelmente não faremos a quarta. Nós só vamos continuar com a terapia de hormônios.

Olhei para Chris. O rosto dele registrou o mesmo alarme que eu estava sentindo.

– Doutora, o meu câncer é triplo negativo. Não é receptivo a hormônios. Meu protocolo não pede terapia de hormônios.

Ela virou de volta para a prancheta por um momento. Deveria estar escrito "TRIPLO NEGATIVO" e "ALÉRGICA" em letras brilhantes, mas não estava.

– É claro – ela disse, muito mais tranquila do que estava falando comigo.

–Você entende por que eu estou preocupada por você não estar envolvida com os meus cuidados?

Depois disso, ela passou vinte minutos me examinando e ouvindo as minhas preocupações. Eu segui com a quimioterapia naquele dia e, quando saímos, ela foi me ver para sugerir que eu tomasse o medicamento contra náusea e o sedativo que ela tinha prescrito para me ajudar com a insônia, além de receitar um remédio de ervas para ajudar com os suores noturnos. Ela também concordou com o meu pai sobre o bicarbonato de sódio para indigestão. Eu tive a impressão de que ela não só finalmente escutou, mas também tinha voltado e lido o meu arquivo inteiro. Ela respondeu às minhas preocupações mencionadas sobre as enfermeiras.

Dormi por boa parte do tratamento. Quem diria ser exaustivo ficar sentada em um colete de papel desviando do estetoscópio enquanto se interroga uma médica que fala rápido?!

Então, essa nova quimio é de Taxol em vez de Taxotere. E eu fui mudada para ela na terça-feira, hum, mais ou menos meia hora antes de ela começar, durante o tango do estetoscópio que eu estava dançando com a boa médica. Eu me surpreendi ao começar a me sentir enjoada na sexta-feira à noite e o dia inteiro ontem. De todos os efeitos colaterais que a quimio traz, esse não tinha sido um deles. Eu meio que sentia que já tinha feito a minha parte e não estava realmente esperando por isso.

Então, fiquei on-line ontem à noite e procurei Taxol. Hummm... parece que isso é um efeito colateral comum dessa quimio. Mais do que de outros remédios. Nossa... não teria sido bom saber disso? Talvez eu tivesse tomado medicamentos contra náusea antes. Oh! E ele causa... eu só vou dizer "o problema digestivo oposto ao que eu estou acostumada". Também teria sido melhor saber antes da hora. Como, vamos dizer, doze horas antes para que eu soubesse qual medicação tomar para combater os efeitos colaterais. Mas você sabe, a quimio é uma dessas coisas que você só dá uma passada no consultório do médico e já era. Não é como se você precisasse se preparar ou, você sabe, planejar alguma coisa. Eu sou simplesmente uma grande banana. Com um pano na cabeça. E, quando eu aprendo como antecipar todas essas coisas, a quimio vai acabar.

Foi mais fácil me vestir para encontrar com os pais do Chris dessa vez. Ninguém poderia julgar uma paciente de quimio, e é claro que meu cabelo estava visualmente perfeito. Tudo que eu tinha a fazer era decidir se eu queria ser morena, loira ou ruiva. Escolhi ser loira. Embora a Britney-Bitch pudesse não parecer apropriada para a Páscoa, ela tinha uma vantagem: a Britney era somente uma fita de cabelo – nada cobria o topo da minha cabeça, o que significava que eu podia amarrar sobre a minha cabeça, como um lenço de pirata, o lindo pano azul-água que meu amigo Gary tinha acabado de me enviar. Gostei do visual; parecia tão divertido quanto estiloso. O visual era certamente melhor do que eu suando horrores por baixo de uma cabeça vermelha, da mais conservadora peruca que eu normalmente vestia no trabalho.

Perucas são quentes e dão coceira e, na Páscoa, Riverside estava chegando aos 27 °C. Eu queria ficar fresca para ir com o meu novo e calmo visual de perdão. O pano também combinava perfeitamente com a blusa nova que eu havia comprado. Escolhi uma calça de linho *off-white* e sapatos baixos; por semanas meus pés tinham ficado inchados e doloridos demais para salto alto.

A família de Chris chegou a nossa casa, trazendo grandes cestas de Páscoa. A Trudi me deu uma.

– Para mim?

–Você é parte da família agora, você ganha uma cesta de Páscoa.

Chris nem tentou conter um sorriso, então eu sabia que ele também estava lembrando que foi um almoço de Páscoa que fez com que sua mãe "saísse" do relacionamento. E eu tinha tirado sarro de dar cestas de Páscoa para adultos. Quando abri os presentes da minha cesta de Páscoa, no entanto, eu me converti imediatamente. Minha cesta tinha dois cachecóis e cartões de presente da Nordstrom, Starbucks e Barnes & Noble. (Depois, disse ao Chris que ele deveria ter realmente amado me ver desistir de falar, naquela fatídica Páscoa, das coisas que a mãe dele colocava em cestas de Páscoa.) O único doce na minha cesta era gelatina e um coelho branco de chocolate.

– Eu lembrei que você não gosta de chocolate, mas espero que chocolate branco não seja um problema – ela disse.

Eu estava impressionada e emocionada.

– Está perfeito. Meus próprios pais têm problemas em se lembrar de que eu não gosto de chocolate. É maravilhoso que você tenha lembrado.

– Eu tenho uma sobrinha que também não come chocolate.

– Jura? Eu acho que nunca encontrei ninguém que não gostasse de chocolate.

–Viu, você se encaixa direitinho na família!

– Bem, obrigada. Muito obrigada. É uma cesta perfeita cheia de todas as minhas coisas favoritas.

Eu a abracei. E não sou do tipo de pessoa que abraça.

Nós fomos almoçar no restaurante de um amigo, e todos os garçons estavam vestindo aventais pretos enfeitados com fitas cor-de-rosa. O calor e o apoio que eu estava sentindo foi quase suficiente para me fazer esquecer o enjoo do meu estômago.

Eu olhei o menu, procurei por alguma coisa que meu estômago toleraria e que também tivesse uma chance de vencer o gosto de metal sujo na minha boca.

– Você deveria pedir ginger ale[23], Teresa – disse Trudi.

– Ginger ale?

– O menu diz que eles fazem com gengibre fresco ralado. Isso vai melhorar seu estômago.

– Vai?

– Com certeza. Gengibre é bom para estômago ruim.

Durante o almoço, tomei três copos grandes de ginger ale, o que não ajudou somente meu estômago, mas também tinha um gosto fantástico. Eu queria pedir galões disso para levar para casa. No fim do almoço, consegui comer quase minha omelete inteira junto a fatias de laranja e melões frescos.

– As meninas querem ver o Mission Inn. Você acha que consegue andar até lá? – Trudi perguntou.

Chris virou para mim.

– Eu posso levá-los lá se você quiser descansar.

– Não há problema. É do outro lado da rua, e eu estou me sentindo muito bem. O ginger ale realmente ajuda.

Nós seis andamos pelas pérgolas cobertas de videiras até os lindos jardins do Mission Inn, aproveitando a vista dos arcos de buganvílias e das varandas, os papagaios na grande gaiola de aço forjado na entrada e o cheiro de eucalipto flutuando do spa adjacente. Ressaltei os carpetes personalizados com imagens de cada uma das missões da Califórnia, e Kati, Courtney, Chris e eu encontramos as missões das quais cada um de nós tinha feito uma maquete nos nossos tempos de escola, um ritual para estudantes da Califórnia. O tempo estava perfeito para o sul da Califórnia: céu azul-claro com nuvens de algodão e um sol exuberante. Nós paramos para tirar fotos em uma das varandas do lado de fora da capela, com a vista de um jardim espanhol abaixo. Trudi insistiu para que eu estivesse na foto, então Chris fotografou. Eu nem me preocupei

---

23 Ginger ale é uma bebida não alcoólica à base de gengibre. (N.T.)

em ser "acidentalmente" empurrada para fora – com certeza um sinal de progresso mental da minha parte. Mas também era fato, simples e direto, que eu tinha curtido passar um tempo com a família dele.

Eu me senti bem hoje. Até trabalhei até depois das seis da tarde. Meus pés estavam um pouco melhor. Talvez porque eu tenha usado sapatos baixos (ainda assim fofos; adoráveis sapatilhas de balé). Quando cheguei em casa, segui as ordens do Dr. Papai e mergulhei meus pés em água fria para, então, colocá-los um pouco para cima. Parece que ajudou.

Estou distraída dos meus próprios problemas de saúde pelo fato de Seamus claramente não estar se sentindo bem. Ele estava esperando por mim no portão quando cheguei em casa... todo triste e se movimentando devagar (o que quase nunca acontece com um beagle). Ele cochilou comigo, mas estava tão lento para sair da cama que chorou quando pulou no sofá para perto de mim depois. Acho que ele machucou alguma coisa (possivelmente as costas), então nós o estamos deixando descansar para ver como ele vai estar de manhã. Tentei sentir as partes do corpo dele, e ele me deixou tocá-lo sem choro ou estremecimento, então eu não consigo descobrir o que dói nele. No entanto, ele tem se mostrado terrivelmente carente e carinhoso. Nesse momento, Seamus está dormindo e fazendo barulho. Eu estou esperando que isso seja uma boa coisa. Coitado do Chris. Muitos pacientes na casa.

Capítulo 23

Tempos cabeludos

Nós estávamos ansiosos por um fim de semana devasso.

Minha quarta e última sessão de quimio não teve problemas, exceto por uma coisa: esqueci de tomar meu medicamento contra náuseas de manhã.

Chris virou o carro.

– Nós somos como pais de uma quarta criança. Com a primeira nós fizemos tudo perfeitamente e de acordo com as regras. Agora nós estamos na quarta, e a única regra é "sem heroína no sofá novo".

O meu esquecimento nos fez ficar uma hora atrasados e, por isso, para manter a nossa tradição, fomos mais uma vez os últimos a sair da clínica de oncologia. Sem diploma ou cerimônia de "graduação" para mim. E, naturalmente, sem despedidas tristes com a minha médica.

Eu não liguei. Era o fim.

Que venha a festa.

Eu tinha mais três semanas de possíveis efeitos colaterais e, é claro, havia 33 sessões de radiação à frente, mas eu nunca mais tomaria veneno na veia. E Chris e eu estávamos olhando para um final de semana de Dia de Para Recordar quando eu finalmente estaria livre das restrições de banheira quente, morangos, sushi, multidões e outras coisas perigosas. Eu estava esperançosa de que minhas papilas gustativas também retornassem ao normal.

Nas duas semanas seguintes, além dos efeitos colaterais usuais, meus pés incharam a tal ponto que eu tinha somente dois pares de sapato que eu conseguia usar, a dor nos ossos tinha aumentado e chegado até o meu crânio, minha garganta estava inflamada, e os suores noturnos estavam ferozes. Mas eu me foquei nos biscoitos, que nesse caso seriam um final de semana em La Jolla, cortesia de uma amiga que ofereceu sua casa de praia.

Uma manhã, acordei com desejo de café. Quando pisei para fora da cama, cautelosamente como sempre, coloquei meu pé para baixo. Não havia dor alguma que me incomodasse! Eu não cambaleei! Pude descer as escadas sem precisar colocar os dois pés em cada degrau. E o sinal mais maravilhoso de que os efeitos colaterais estavam acabando: meu Starbucks French Roast tinha gosto de... café! Céus!

Imediatamente, é claro, chequei a minha cabeça para ver se havia sinais de cabelo nascendo, como se fizesse todo sentido que todos os efeitos negativos fossem sumir simultaneamente. Fiz Chris olhar também.

– Há uns fiapos, certo? Há fiapos visíveis!

– Está mais para fiapos palpáveis, mas sim, fiapos. Parabéns, meu amor. Seus dias de careca estão no fim.

Os raios X de Seamus mostram uma pequena displasia de cadeira, mas os veterinários acham que ele provavelmente se machucou e precisa de descanso. Sem escadas. Sem pulos. Isso é quase impossível de conseguir porque (1) ele é um beagle e (2) nossa casa tem dois andares e vários níveis e, por isso, tem escadas por todo lado. Ele agora também toma remédio anti-inflamatório, e a julgar pelos efeitos, faz com que ele se sinta como se pudesse correr para cima e para baixo nas escadas... mas ele não pode. E Seamus odeia ser pego no colo (ele odeia não estar no controle, na verdade), então isso de carregá-lo para cima e para baixo vai ser interessante.

Outra novidade é que eu oficialmente tenho "barba por fazer na cabeça"!!! O cabelo definitivamente começou a voltar. Não que seja algo que se possa notar, mas eu definitivamente posso. E Chris pode. Nós perguntamos ao Seamus a sua opinião, mas ele honestamente não se importa. Essa é a parte boa dos cachorros.

Enrolei um pano cor-de-rosa ao redor da minha cabeça com fiapos. Uma peruca parecia ridícula na praia.

O clima estava quente, com o céu limpo e ensolarado. Eu pensei ser esse o motivo de muitas pessoas sorrirem para nós enquanto andávamos pela praia de La Jolla, de mãos dadas.

Então, notei a cabeça de lado e o leve estrabismo de seus olhos enquanto elas olhavam para mim.

– Ah! O sorriso simpático. Todo mundo está pensando que eu tenho câncer.

Chris passou seu braço pela minha cintura.

– Eu não sei se para todas as pessoas, mas é um tanto óbvio que você vem lutando contra o câncer de mama. Se não pela camiseta, o pano é um indicador claro.

Olhei para baixo para o meu vestuário. Ele tinha um ponto válido: eu estava vestindo uma camiseta de apoio às mulheres com câncer e um suéter estampado "Beagles a favor de seios". E então, sim, tinha o pano na cabeça – o símbolo da quimio.

– É irônico. Isso é o melhor que eu me sinto desde a cirurgia, e agora pareço doente para todo mundo.

– Para mim você não parece.

Nas semanas seguintes, escolhi usar só lenços na cabeça, e eu seria frequentemente surpreendida por portas abertas, assentos oferecidos em áreas de espera, bebidas grátis e, uma vez, uma torta cremosa de banana que eu dividi na minha sessão de radioterapia. Comecei a pensar que meu lenço de cabeça tinha algo como superpoderes, e tudo isso havia começado lá na praia Windansea, em La Jolla, enquanto eu celebrava o fato de ter minha vida de volta.

Os posts regulares de blog foram interrompidos pelas seguintes circunstâncias:

a. o fim das restrições da quimio;
b. a presença de uma banheira quente, limpa e fresca;
c. o Chris, e
d. um Four Graces Pinot Blanc gelado.

Foi dito o suficiente.

Michelle, minha secretária, retornou da licença maternidade. Ela levou seu filho, Jayden, para trabalhar com ela. Nós concordamos que ela poderia levá-lo ao trabalho por quanto tempo nós conseguíssemos fazer isso funcionar. Ela era eficiente e trabalhava duro o suficiente para que eu soubesse que ela seria capaz de fazer tanta coisa em um dia com um bebê quanto boa parte das pessoas fariam em dois. E mais, Jayden era um bebê adorável e contente. Ele era muito popular entre nossos clientes e um bom e feliz equilíbrio para o meu visual de "paciente de câncer". Ele não fazia bagunça nem chorava e criteriosamente escolhia cochilar por boa parte do dia. Ele também trouxe outros benefícios.

– Ele faz eu me sentir melhor em relação ao meu cabelo – eu disse.

– Eu sei. Ele só tem uns fiapinhos. Eu me pergunto quando algum cabelo de verdade vai crescer – disse Michelle.

– Eu me pergunto a mesma coisa sobre mim. É chato se eu o desafiar a um duelo de crescimento de cabelo?

– Não se você me deixar tirar fotos.

Ela passou o Jayden para mim e eu removi meu lenço. Segurar bebês me aterroriza (eu mencionei minha falta de instinto maternal, não mencionei?). Por isso, estava distraída do fato de agora estar careca em público. Um pequeno público de duas pessoas (uma delas era uma criança), mas, mesmo assim, um público. Eu estava preocupada demais em não derrubar o bebê para me preocupar com o quão estranha eu parecia.

Michelle tirou fotos de Jayden e de mim, de frente e de costas, com nossas cabeças com fiapos de cabelo juntas.

– Ei, vocês dois têm essa erupção vermelha na base da cabeça – ela disse.

– Nós temos?

– É chamado de mordida da cegonha em bebês.

– Bem, eu acho que é uma mordida da quimio em mim. Isso some? Ou todo mundo tem e eventualmente o cabelo cobre?

– Eu acho que nós vamos descobrir.

(Só para constar, ganhei a competição de crescimento de cabelo, mas Jayden passou em disparada na categoria "fofura". E a mordida da cegonha some sim – nos bebês e nos pacientes de quimio.)

Aqui é o Chris com outro relatório de Se Livrando do Câncer, atualmente entrando no quarto mês. Nós estamos avançando para a marca mítica de sete centímetros, claramente o cabelo mais longo que eu já tive. Honestamente, há dias em que eu me sinto como o Richard Marx quando ao escovar meus longos cachos depois de um banho. Outros dias, sinto-me como o mendigo que vive debaixo da ponte. É o cabelo nas costas do meu pescoço que está realmente me incomodando. Ele e o cabelo caindo nas minhas orelhas. A Teresa diz que se eu esperar mais meio centímetro, vou conseguir empurrar meu cabelo para trás da orelha e alisá-lo para trás, mas eu não sei. Eu não acho que eu seja moreno ou exótico o suficiente para ter esse tipo de visual. Acho que, se eu alisar meu cabelo para trás dessa forma, vou ter de deixar um cavanhaque ou uma barba longa e, para ser bem sincero, eu simplesmente não posso fazer isso (não que eu não queira... Eu acho que sou fisicamente incapaz de deixar um cavanhaque ou uma barba crescerem. Sendo honesto, todo o cabelo no meu rosto está no meu pescoço e, vamos combinar, nenhum homem fica bem com barba no pescoço).

Restava mais um pedaço da minha odisseia contra o câncer. A radioterapia estava para começar quatro semanas depois que a quimioterapia terminasse. Uma vez que esses tratamentos seriam mais frequentes do que a quimio tinha sido – eu iria todos os dias da semana, 33 vezes – retornar à UCLA não era uma opção. Mas eu estava muito preocupada, dado o fato de como a quimio longe da UCLA tinha sido.

Dr. Karam continuou sendo o Dr. Bom Karma, pessoalmente pesquisando e encontrando um centro oncologista de radioterapia perto de seu escritório. Ele também procurou e entrevistou por telefone a própria oncologista.

– Eu acho que você vai gostar dela. Ela parece muito competente e tem credenciais muito boas – ele disse.

– Estou feliz por você ter encontrado alguém tão perto. A clínica dela é a mais ou menos três quilômetros da minha.

– Jura? É perfeito então.

– Sim, é. Especialmente pelo fato de que existe uma Starbucks por ali.

– Oh! Eu sei disso. Eu procurei por clínicas perto de uma Starbucks.

– Procurou?

– Há! Não, Teresa. Eu procurei por uma boa médica para continuar o excelente cuidado que você merece.

– Aaaahh. Bem, eu mereço a Starbucks também.

– E vinho! Quando você e Chris vêm para LA? Quando você terminar o seu tratamento, nós vamos celebrar com vinho.

– Isso soa maravilhosamente bem.

– E como vai Seamus?

– Ele está bem. Teve seus próprios problemas com uma pequena displasia de cadeira e inflamação, mas se recuperou bem. Correndo como louco, como sempre.

– Ele estava com ciúmes por você ter toda a atenção médica.

O Dr. Bom Karma não conhecia Seamus ainda, mas ele já tinha entendido como ele funcionava.

– Bem por aí.

Era o ego de Seamus que estava inflamado.

Com a ajuda do Dr. Bom Karma, meu plano de radioterapia se encaixou rapidamente e facilmente. Chris foi comigo à consulta inicial. Quando a Dra. Hocko entrou na sala de exame alegre e sorridente, ela fez contato visual com nós dois e havia claramente lido as informações enviadas pela UCLA (que agora tinha meus arquivos da quimioterapia). Ela também comentou que gostou do Dr. Karam e que foi bom falar com ele. Encarei isso como um sinal muito bom da personalidade dela.

Nos dias anteriores ao começo da radioterapia, mais uma vez eu me preparei. Comprei tops esportivos sem ferro, desodorante natural, que era o único permitido, e muito aloe vera. Eu também passei um pouco de tempo lendo do lado de fora, absorvendo algum sol enquanto eu podia. Fui instruída a ficar longe de luz solar direta durante as sessões.

Também decidi que a radiação era como o exame da OAB[24] da Califórnia tinha sido. O exame da OAB em si, eu pensei, não era difícil. Afinal, eu tinha passado os três anos anteriores da minha vida estudando para aquela prova. O mais difícil era o aspecto mental e físico de ser testada por oito horas diárias, três dias seguidos. Se você se permitir pensar demais sobre isso, você vai ter muito mais dificuldade no exame. Naquela época, eu não havia pensado no "jeito Seamus" de se concentrar no biscoito, mas também não estava longe. Então, foquei em incrementos no teste – uma redação por vez ou uma sequência de três horas de teste por vez, nunca mais do que isso. Agora eu estaria contando 33 radiações, uma por vez, com um diploma depois de cada uma.

Pacientes de radiação têm o mesmo horário de consulta todos os dias. Eu escolhi o horário das 9h15. Mesmo que eu não tivesse cabelo para lavar ou secar, não tivesse cílios para aumentar com máscara e mi-

24 O exame para o BAR – o órgão correspondente nos estados Unidos à OAB do Brasil – é diferente do exame realizado pela OAB e dura mais horas, além de contar com um exame oral. (N.T.)

nhas pernas e axilas não precisassem de depilação, ainda não me movia rápido pela manhã, e eu sabia que ficaria ranzinza pelo restante do dia se eu tivesse de estar em qualquer lugar antes das nove.

Na manhã da minha primeira consulta, no entanto, mais uma vez acordei cedo. Momentos depois, Chris me seguiu para o andar de baixo.

–Você tem certeza de que não quer que eu vá contigo?

– Obrigada, mas tenho. Parece uma perda do seu tempo. Além disso, tem o Seamus.

Ouvindo seu nome, Seamus balançou sua cauda e levantou a cabeça.

– Bem, a doutora falou que são só quinze minutos. Tenho certeza de que posso deixá-lo sozinho por esse tempo – Chris falou.

– Eu não tenho tanta certeza disso. Mas está tudo bem. Eu vou ficar bem. Se houver algum problema, não vai ser antes de muito mais tarde.

Consegui manter aquela coragem até que eu estivesse na mesa de radiação, com os seios expostos, braços para cima da cabeça e lasers apontados para o meu peito.

– Está bem, fique imóvel. Nós vamos sair da sala agora, mas nós podemos te ver, existe um interfone para que nós possamos te escutar e você será capaz de nos escutar. Não vai demorar muito.

Os técnicos de radiação eram alegres e eficientes, mas isso só fez eu me sentir mais sozinha quando eles saíram da sala. A porta de metal que eles fecharam era gigante, mais de dois metros e meio de altura e pelo menos trinta centímetros de espessura. A sala ficou silenciosa.

Sozinha na mesa, pensei em Seamus. Cada vez que ele foi levado de mim para o fundo do hospital para suas sessões de quimio, eu me preocupei que ele pudesse estar assustado e se sentindo sozinho ou abandonado – como eu me sentia. Mas todas as vezes ele voltava trotando, feliz e cheio de energia, procurando por um novo biscoito.

Eu esperava o mesmo para mim.

A máquina começou com seus barulhos da era espacial, zumbindo e estalando conforme o braço se movia para cima de mim e os feixes de laser piscavam pelo meu peito. Eu podia escutar cada vez que a carga de radiação era aplicada. Ping, zip. A máquina rodava em sentido horário. Ping, zip. A máquina movia de novo. Ping, zip. Mais rotação. Ping, zip.

–Você foi bem. Agora somente fique onde você está e nós vamos entrar na sala para te liberar – veio a voz pelo interfone.

– É isso?

– Sim. É isso. Você foi bem.

Eu teria balançado a minha cauda se tivesse uma. Boa paciente!

Durante a semana, montei uma rotina pela qual eu comecei a esperar... bem, pelo menos por quanto alguém pode esperar por uma rotina que envolvia a radiação de um seio. Acordei, tomei meu café enquanto lia, tomei banho, vesti-me e fui dirigindo até o centro de radioterapia. Eu cumprimentei e conversei com meus companheiros pacientes de radiação: a senhorita nove da manhã era uma paciente de câncer no ovário; a senhorita nove e meia era também uma paciente de câncer de mama; e o senhor nove e quarenta e cinco era, além de ser aquele que chegava mais cedo para suas consultas, um paciente de câncer de esôfago que, em alguns dias, podia falar e, em outros, não. Normalmente, eu entrava e saía em vinte minutos, um pouco mais se a máquina estivesse de mau humor ou se algum dos meus colegas pacientes ou eu estivéssemos particularmente conversadores. Então, eu passava dirigindo pela Starbucks e pegava meu café e meu mingau de aveia no caminho para o escritório. Às dez horas eu estava na minha mesa terminando meu café da manhã. Para uma paciente de câncer, disse a mim mesma, isso não era nada mal. Um dia já passou, mais 25, 4, 3 para terminar.

As pessoas continuam a perguntar o que a dosagem de radiação é, quanto tempo dura e se é uma "dosagem baixa". E, hum, eu não sei. Tenho certeza de que eles me disseram, mas eu também tenho certeza de que eu decidi que isso não era informação que precisava manter no meu cérebro superlotado agora. Contanto que a médica saiba, eu estou bem. Tentei contar (um carneirinho, dois carneirinhos, três...) quanto tempo cada "zip" tinha, mas eles pareciam inconsistentes para mim, então eu finalmente perguntei. E a enfermeira da radioterapia me disse que não é o tempo, é a dose. Mas eu fui "zipada" por tanto tempo quanto se é preciso para chegar a 180... hum... eu acho que ela disse centigramas. (Pai...eu sei que você vai me ensinar a medida correta e então exigir a devolução de parte daquele dinheiro que você gastou com a minha educação.) Ela me disse para pensar nisso como encher uma xícara de açúcar. Não é quanto tempo demora para você encher; só acaba quando você enche a xícara.

Na segunda semana, eu viria a conhecer meus colegas pacientes da radiação. Depois do meu zip de segunda-feira, quando voltei à sala de espera, a senhorita nove e meia e o senhor nove e quarenta e cinco e seu amigo, um homem negro e corpulento cujo *e-reader* eu comecei a cobiçar abertamente, estavam sentados e lendo, ambos em silêncio.

– Eu vou me trocar e esperar por você – eu disse para a nove e meia.

– Ótimo, trouxe um lenço. Eu não posso esperar para ter opções além de todos esses chapéus – ela disse.

– Mas você está fofa – eu disse.

– Eu tenho dezesseis anos! Fofa não é o que eu quero. Eu quero sofisticada. Eu quero parecer você.

– Bem, nós temos o mesmo estilo de cabelo, então você já começou bem – eu disse. Todo mundo na sala riu. Todos nós tínhamos o mesmo estilo de cabelo.

No dia anterior, a senhorita nove e meia tinha me perguntado como eu amarrava os lenços que usava na cabeça. Exatamente quando desisti das perucas e as substitui por lenços para o verão, ela tinha desistido das perucas e as substituído por uma variedade de bonés esportivos.

Nessa altura, eu tinha acumulado uma seleção impressionante de lenços, incluindo vários de seda, caros, grandes e luxuosos que a Trudi havia me dado e muitos que minha mãe costurou especialmente para essa ocasião. Minha mãe ainda estava lutando contra o herpes e não podia vir fazer outra visita, então ela se ocupou costurando. E fazendo cobertores. (Eu agora também tenho um cobertor de fitas cor-de-rosa.)

Eu recebia elogios diários dos meus acessórios de cabeça tanto dos funcionários quanto dos outros pacientes. Eu prometi à senhorita nove e meia que eu a ensinaria a dar nó em lenços. Minha instrução verbal falhou, enquanto eu fazia minha demonstração na minha própria cabeça, então, hoje nós estávamos mudando para uma demonstração completa com participação da classe. Eu tirei meu lenço da cabeça para demonstrar o nó.

– Você tem cabelo – disse a senhorita nove e meia.

– Não, eu tenho barba por fazer. E é escura e estranha.

– Você tem mais do que eu. Se eu tivesse essa quantidade, eu não colocaria nada na minha cabeça.

Pensei sobre aquilo por um momento. Em casa, comecei a ficar sem nada cobrindo a cabeça. Mas eu não estava totalmente pronta para um aparecimento público. Ainda assim, foi bom ouvir isso.

Depois de algumas tentativas, ela virou mestre na arte de prender lenços de pirata.

– Eu preciso de brincos de argola. – ela disse.

– E um delineador escuro e pesado, à la Johnny Depp.

– Muito legal!

Eu gostava desse grupo de pessoas que estava conhecendo. Todos nós estávamos lutando pela nossa vida, mas todos tiveram tempo de ser educados uns com os outros. As enfermeiras me contaram como a dinâmica da sala de espera mudava com os grupos que apareciam, e o nosso era um grupo particularmente simpático. Elas tinham grupos nervosos que aumentavam a ansiedade um do outros, grupos que mostravam suas cicatrizes uns para os outros, e grupos que competiam sobre quem sofreria mais. Eu estava feliz pela minha turma.

Mas então, um dia, mais ou menos na metade do meu tratamento, eu saí da sala para me vestir para o trabalho e vi uma discussão entre outros pacientes. Uma paciente nova tinha se juntado a nós e queria saber o número de todos os outros.

– Então qual o seu número? – ela disse para mim.

– Meu número?

– O seu era câncer de mama?

Eu notei que pacientes de câncer são possessivos com seus tipos de câncer e têm muitas conversas sobre "o meu câncer" e o "seu câncer".

– Oh! Hum, sim. Câncer de mama. Triplo negativo – eu olhei para os meus colegas pacientes, os de sempre. A senhorita nove e meia parecia que estava tentando não rir e os outros estavam apenas balançando a cabeça devagar. Eu estava ciente de que "triplo negativo" não era um número, mas eu não tinha certeza de onde ela estava querendo chegar. Pelo menos "triplo" era quase um número.

– Então 5%?

– Desculpa. 5% o quê?

–5% de chance de reaparecimento. Você sabe. Todos esses médicos dão nossos números. Então nós sabemos. Nós sabemos se vai voltar. Qual é o seu número?

Nossa. Essa é uma completa estranha que quer saber as chances de eu morrer? Por quê? Para que ela pudesse decidir se está perdendo seu tempo me avisando?

– Ah! Esse número. Bem, eu tenho 85% de chance de o meu câncer não voltar.

– Então você tem 15% de chance de reaparecimento.

– Não. Eu tenho 85% de chance de ele não voltar.

– Isso é 15% de chance de reaparecimento! – ela se aproximou de mim, suas sobrancelhas franziram, como se eu estivesse falhando em entender que era o trabalho dela me consertar.

– Não há nada de errado com a minha matemática. É simplesmente como eu vou olhar para isso. Eu prefiro pensar que eu tenho 85% de chance de ele não voltar. Mas muito obrigada por perguntar – olhei através dela para os outros pacientes sentados na sala. A senhorita nove e meia me deu um sinal de aprovação e eu pude ver que muitos dos outros pacientes estavam sorrindo agora. Conforme eu saí, ouvi a recém-chegada explicar aos outros que eu estava em estado de negação.

Naquela noite, Chris e eu levamos um Seamus totalmente recuperado para uma longa caminhada, e contei ao Chris o que tinha acontecido. Nós havíamos sido banidos da nossa banheira quente por meses. Caminhadas com Seamus se tornaram nosso novo momento de conversar.

– Isso é chocante – ele disse.

– Eu sei. Não é? Como se eu precisasse de alguém me lembrando de que eu posso morrer por isso. De uma total estranha!

– Bem, isso não me surpreende completamente. As pessoas são rudes. Não, eu estou mais surpreso por você.

– Por mim?

– Dar lições de como vestir um lenço, conversas positivas... quando você se tornou a Senhora Otimista? Focando no lado positivo? Você tem certeza de que seu cérebro não foi "zipado" naquela tempestade de raios durante a radiação? Talvez eles tenham trocado sua personalidade com alguma pobre líder de torcida em algum lugar que agora está gritando "simplesmente faça a porra do seu trabalho e nos deixe ir para casa" nas laterais de um campo de futebol?

Eu ri. Ele tinha razão. Não sobre a líder de torcida, é claro, mas sobre mim. Minha primeira resposta tinha sido positiva. Um pensamento positivo. Sem condenação. Sem melancolia. Eu!

O cachorro sobreviveu e eu também sobrevivi.

E parecia que eu realmente acreditava nisso agora. Isso não era somente esperança ou um mantra. Eu dei um beijo rápido em Chris e terminei a caminhada ainda sorrindo. No último dia de radioterapia, Chris foi comigo. Eu finalmente peguei meu diploma e tive uma alegre cerimônia de graduação feita pela Dra. Hocko e pelos seus funcionários maravilhosos. Eu pensei, por um momento, que eu até sentiria falta do centro de oncologia. Eu tinha conhecido meus colegas pacientes e também os funcionários e, de muitas formas, minha recuperação havia começado ali. Quando saímos, Chris tirou uma foto de mim em frente ao centro, agarrada ao meu diploma e jogando meu chapéu no ar, demonstrando com orgulho meu centímetro de cabelo e sorrindo ridiculamente.

Fique avisado: se você está procurando alguma história de tratamento contra o câncer, que seja triste, louca ou até engraçada, você veio ao blog errado. Sim, com certeza, esse é um blog sobre a minha "odisseia" contra o câncer, mas tirei o dia de folga do câncer. Em vez disso, esse é um pequeno post feliz sobre Chris e eu celebrando nosso aniversário. Em um 12 de junho, nós tivemos nosso primeiro encontro – em um jogo dos Angels. Então, nesse 12 de junho nós nos encontramos novamente no Clube Diamond em um jogo dos Angels. Como era uma ocasião especial, fui vestida de *drag* (cabelo falso e sobrancelhas falsas e enormes!).

Nosso primeiro encontro foi muito divertido (sim, hum, é por isso que nós continuamos saindo) e ele também marca o aniversário do dia em que aprendi o termo *loba*. (Agora eu aperfeiçoei meu conhecimento. Aham.) Havia algumas lobas nos assentos na nossa frente no primeiro jogo. Dessa vez, era uma família de quatro pessoas. Das duas vezes, no entanto, havia bêbados desagradáveis atrás de nós. Ah! Eventos públicos esportivos... Eu gosto dessa época quando eu podia voltar ao normal, mesmo que por um momento. E nada é tão normal quanto um cara bêbado e fogos de artifício em um jogo de beisebol. Eu posso ter ficado um pouco mais cansada que o normal, e vestida de *drag*, mas foi uma ótima noite fora com um homem fantástico que não se importa se eu sou uma *drag* ou se estou careca ou lutando contra o câncer ou de mau humor ou qualquer uma dessas coisas que eu tenha sido nos últimos meses.

Chris nem se preocupou que, pela segunda vez em cinco dias, um estranho tenha chegado nele e comentado que ele parecia com o Jay Leno. Ele nem se preocupou quando um fã bêbado do Angels pediu para ele fazer uma imitação de Jay Leno (sim, ele fez e é uma imitação muito boa). Quando o cabelo dele está comprido, as pessoas acham que ele parece com Jay Leno. Quando está curto, Vince Gill. Para mim, ele é todo o Chris. E todo meu.

Capítulo 24

Aloha[25], câncer

Conforme chegávamos ao verão[26], a luz do dia durava mais e a minha energia também. Voltei do trabalho para casa em uma noite e encontrei um grupo de amigos com o Chris no nosso quintal dos fundos, tomando vinho tinto francês e admirando o pôr do sol.

– Nós estávamos somente dizendo ao Chris o quão maravilhoso é o fato de ele ter passado por toda essa experiência horrível – disse Jane.

Eu puxei uma cadeira, e Chris me deu uma taça de vinho.

– Sim, eu sei. Eu também falo isso para ele. Também falei o quão popular ele seria entre as mulheres se eu não sobrevivesse. Ele poderia escolher.

– É verdade. Minha nossa – Becky se juntou à conversa. – Um cara que não só ficou firme com sua mulher e foi a cada consulta médica, mas que também fez essa loucura com seu cabelo para demonstrar apoio? Elas estariam fazendo fila. Espere, onde eu entro na lista de espera?

– Sério. Eu estou nela – disse Laureen.

– Você não pode; você já está casada – Becky comentou.

– Está bem, então eu só vou ser a cafetina dele. Vou me responsabilizar por agendar o senhor Jovem Viúvo Popular. Isso pede uma ótima habilidade de organização.

Todos nós estávamos rindo, e o clima continuou assim por algum tempo. O próprio Chris adicionou alguns nomes à lista de espera.

– Ei, pessoas, eu ainda estou aqui! Eu não estou morrendo de verdade. Um pouco de respeito pela Garota do Câncer, por favor! – eu disse.

– Você que começou – Becky respondeu. – E sério, eu nunca estive perto de alguém com câncer e nunca pensei que eu seria capaz de fazer piadas sobre coisas relacionadas a essa doença. Então eu acho que devo agradecer você por isso, por me mostrar como lidar com isso e fazer essa situação mais fácil.

– Bem, eu estou um pouco preocupada por talvez ter feito vocês todos ficarem um pouco confortáveis demais. Eu me preocupo com

25 *Aloha*, em havaiano, significa "Adeus". (N.T.)

26 No hemisfério norte, o verão começa em junho. (N.T.)

a próxima mulher que vocês conhecerem com câncer de mama. Ela pode não rir ao ver vocês quererem vender o marido dela.

– Não se preocupe. Nós não vamos – disse Laureen. – Nós vamos estar ocupadas demais vendendo o Chris.

Eu estava feliz em escutar a risada, mas ainda mais feliz em ver a torrada que Jane me fez em seguida.

– Eu estou falando sério, Chris. Você foi incrível durante tudo isso. Então eu gostaria de fazer um brinde ao Chris.

Ela levantou a sua taça, e todos nós seguramos nossos copos para cima.

– Eu nunca estive tão feliz em estar tão errada sobre alguém.

Peguei o olhar de Chris através das taças e consegui ver que ele estava feliz em escutar isso. Depois de tudo que ele passou, finalmente todos podiam ver o Chris que eu conhecia desde sempre. (Bem, o Chris sabia desde sempre; eu fui um pouco mais lenta em perceber o que nós tínhamos.)

– Isso significa muito, Jane. Obrigado – Chris falou, tocando sua taça na dela.

– Isso significava muito para mim também – e bebi no momento em que o sol mergulhou atrás da montanha e nossos amigos continuaram conversando e bebendo vinho em uma linda noite de junho.

Aqui é o Chris, que hoje à noite vai postar pela Teresa. E já que passou um mês desde o meu post "Se livrando do câncer", nós estamos falando do quinto mês com vocês nessa noite. E que mês ele tem sido no que diz respeito ao crescimento de cabelo! Nós estamos nos surpreendendo com dez centímetros e estamos definitivamente saindo do cabelo comprido e entrando no território de capacete capilar.

De fato, nós já devemos ter passado correndo pelo território do capacete e estamos nos movendo diretamente à uma completa juba de leão. Meu cabelo repentinamente começou a tomar a mesma forma do jardim da Senhora Havisham. O cabelo ao redor das minhas orelhas (ao redor, ao redor!) pode agora ser esticado até a parte de baixo das minhas orelhas se eu quiser (eu não quero), e eu estou começando a ficar preocupado que logo não haja mais espaço atrás das minhas orelhas para manter essa gigantesca quantidade de cabelo arrumada. Tenho medo de que logo o único visual que eu serei capaz de ter seja de Donny Osmond em 1972, e até mesmo ele não tinha de lidar com essa... essa... essa COISA ondulando ao redor e violando minha testa. Sério, as ondas naturais se formando na frente e atrás do meu cabelo fariam o Jacques Cousteau suspirar de temor e enviar milhares de moradores da costa da Indonésia gritando por socorro. Eu quero dizer, chequem seja lá o que estiver acontecendo nos fundos, aquelas garotas Fancy Dan estão começando a virar em direção ao meu pescoço. Isso não é natural. Cabelo não deve se mover nessa direção, certo? Eu não estou ganhando um *mullet*, né? NÉ?

Chris e os amigos que estavam na nossa casa naquela noite tinham começado a fazer planos para uma celebração com o tema do programa *No Limite* no final do meu tratamento. Eles fizeram convites e camisetas com uma paródia com o logo do programa. O logo era cor-de-rosa e dizia: "Fora quimio, fora radiação. Viva a vida". A festa seria dada no quintal da casa de Michelle, recentemente reformado. Ela tinha o bônus adicional de dois grandes cachorros, Will e Nellie, que eram os dois melhores amigos de Seamus. Seamus via o quintal dela como uma espécie de Disneylândia para cachorros, tanto que era difícil colocá-lo no carro depois de uma visita.

Mais de cem amigos e clientes apareceram durante o dia para celebrar comigo, apesar da temperatura bater 45 °C, um dos dias mais quentes em Riverside. Pessoas vieram de tão longe quanto Bay Arena, Oregon e Colorado. Dr. Karam veio de Los Angeles, espalhando seu bom humor e causando uma certa desordem entre as minhas amigas mulheres quando ele trocou sua camiseta por uma camiseta *No Limite*, revelando uma tatuagem que cobre suas costas e também uma parte do seu bíceps.

Ele também finalmente conheceu Seamus.

– Ele é tão fofo – Dr. Karam disse, ajoelhando-se para fazer carinho nele.

– Diabolicamente fofo, esse é o problema.

– Mas ele sobreviveu ao câncer e te ajudou, então ele pode ser assim.

– Exatamente.

Dr. Karam levantou-se e Seamus correu na direção da churrasqueira, uivando por hambúrgueres.

– Então, eu tenho uma pergunta para você, Amer.

– Qualquer coisa. Pode perguntar.

– Eu sei que você era novo na UCLA quando eu fui lá. Eu fui sua primeira paciente?

Ele sorriu envergonhado.

– Quase isso.

– Está bem. Obviamente deu muito certo, e eu não teria ligado se eu soubesse disso na época. O Seamus foi o terceiro paciente da Dra. Dutelle e nós a amamos. E então, qual era o meu número?

– Três.

– Há! Então é por isso que você foi a todas as consultas comigo.

– Sim, eu também estava me familiarizando com o campus – ele sorriu. – E eu também me encontrava com outros médicos.

– Fico feliz em saber que pude ajudar. Mas eu acho que não posso dizer para todas as outras pessoas que esperem esse tipo de tratamento.

– Não, talvez não. Mas eu vou tentar.

Eu sabia que ele tentaria.

Os pais de Chris e suas irmãs, junto à tia Susan foram à festa. Eu tentei exercitar meus novos poderes de otimismo para não me estressar com o fato de que a presença deles significava que membros da minha família – meu pai, madrasta e minha irmã mais nova e seus filhos e marido – iriam conhecer a família de Chris. Mas eu estava nervosa. Quando nós vimos nossos pais se cumprimentarem com um aperto de mãos, Chris e eu já estávamos juntos por mais de cinco anos e morando juntos havia três, mas nós ainda seguramos nossa respiração. Eu quase desmaiei quando meu pai conheceu a mãe de Chris, mas eles sorriram e elogiaram o filho um do outro e o quão bem nós lidamos com a odisseia do câncer juntos. Em outras palavras, eles se comportaram como os adultos civilizados que eram. O universo não implodiu, de verdade. Eu podia finalmente soltar minha respiração.

Chris cruzou o jardim e me deu uma margarita supergelada da máquina que meus amigos insistiram em alugar.

– Então, eles se conheceram.

– Se conheceram. E ninguém se agrediu.

Levantei meu copo plástico até o dele.

– Nem mesmo verbalmente. Parece que tudo está bem.

Eu aproveitei o momento ao lado de Chris, assistindo à minha família e meus amigos. Eu podia me sentir sendo curada sob o calor da luz do sol.

Seamus correu uivando atrás de Will e Nellie.

– Tudo está bem – eu disse, inclinando-me para o abraço do Chris. Eu estava profundamente feliz. – Muito, muito bem.

Minha própria experiência como "outro cachorro qualquer" aconteceu ontem de noite. Dentro de três dias, eu tenho meu primeiro exame geral em três meses. Ouvi dizer que ele pode ser muito como a primeira mamografia pós-tratamento: um momento estressante, já que traz memórias da doença e do tratamento exatamente no período em que se começa a voltar ao normal. E mais: há aquele sentimento constante de "pode reaparecer" até que se bate a marca mágica de cinco anos (e, eu imagino, mesmo depois disso). Eu não estava realmente pensando ou me preocupando. Até domingo à noite.

Não me sentia bem. Eu estava realmente, realmente com sede e tendo que hum, bem, hum... fazer xixi o tempo todo. Então, senti uma dor de matar nas costas. Ontem, também tive calafrios – que eram altamente remanescentes da minha experiência de queda dos glóbulos brancos. Quando tirei minha temperatura, estava com 39 °C. Nada bom. Fiquei on-line para olhar os sintomas no WEbMD. E eu devo acrescentar aqui que eu nunca antes tinha feito isso na minha vida. Eu pensaria sozinha ou ligaria para o meu pai. Mas eu estava um pouco nervosa, porque sentia como na manhã da queda dos glóbulos. A WEbMD era muito boa – eu tinha câncer de bexiga ou de fígado ou uma infecção de bexiga ou urinária. Droga!! Então ela também tinha um aviso sobre procurar orientação médica imediatamente se a pessoa fosse *X*, *Y*, *Z* ou tivesse um sistema imunológico comprometido como uma pessoa em quimioterapia. Hum, está bem, eu vou começar com a menos pior dessas opções. Vou fingir que eu sou qualquer outro cachorro e tirar da lista a mais fácil. Eu tinha um sistema imunológico comprometido (durante a quimio), mas eu não tenho mais. Tenho?

Eu bebi muito suco de uva, dormi como se não houvesse amanhã, fiquei em casa hoje e tomei antibióticos. Estou me sentindo muito melhor. Eu sou, acho, só outro cachorro qualquer. Com uma infecção na bexiga.

Eu não tinha certeza se deveria ficar animada ou não. Chris, no entanto, ficou em êxtase.

Nós estávamos indo cortar o cabelo.

Como eu havia prometido à minha mãe quando ela não pôde viajar até mim, Chris e eu fomos até Missouri em agosto para fazer uma visita (e, no final das contas, ter outra festa *No Limite*). Chris, com seu então gigantesco Bra-fo, suportou uma visita no verão úmido do meio oeste. Eu, por outro lado, tinha o corte de cabelo perfeito para tal viagem de verão, o mesmo corte que meu sobrinho de dez anos ostentou em minha homenagem. Mas Chris se manteve firme em sua promessa. Ele não cortaria seu cabelo até que eu precisasse cortar o meu.

Em dezembro, eu tinha quase cinco centímetros de cabelo castanho ondulado. Não precisava tanto ser cortado como precisava ser arrumado. Mas isso era bom o suficiente. Nós estávamos indo ao Havaí, e eu não queria que Chris tivesse de passar as férias com cabelo de novo. Na velocidade que o cabelo dele crescia, nós teríamos de comprar outro bilhete de avião para ele se ele não o cortasse.

–Você quer ir primeiro? – eu disse.

Chris se sentou a uma cadeira de distância da minha cabeleireira Kelly e estendeu sua mão até mim.

– Depois de você. Eu não posso cortar o meu até que você tenha o seu cortado. Promessa é promessa.

– Eu não acredito que você fez isso – Kelly falou. – É quase mais louco do que passar a máquina na própria cabeça. E, no seu caso, definitivamente mais difícil.

– Foi divertido – disse Chris. – E eu sozinho revitalizei a indústria dos produtos para cabelo.

Kelly raspou meu cabelo, principalmente nos lugares onde algum cabelo original estava pendurado – nunca caindo da minha cabeça durante todas as quatro sessões de quimio. (Chris os chamava de "pequenos cabelos – grandes atitudes".) Ela então usou um produto para dar forma ao cabelo e colocou algumas peças em direções diferentes. Então, Kelly rodou minha cadeira para que eu pudesse ver meu novo look.

– Nossa. Eu tenho um penteado de verdade.

– Está realmente fofo – disse Kelly.

– Você pode se dar bem com cabelo curto. Eu te falei isso – completou Chris.

Gostei do visual. Kelly tinha me dado um estilo esportivo e estiloso e enviado para longe o meu visual de vítima da quimio. Eu só tenho de me acostumar a ser morena agora.

– E, finalmente, é a sua vez – eu me levantei da cadeira e a ofereci a Chris.

– Mal posso esperar! – Chris ficou em uma posição animada.

Kelly passou suas mãos pelo cabelo caótico dele.

– Vou ter de cortar com tesouras antes de usar a máquina!

– Vai com tudo. Você provavelmente precisará de tesouras novas quando terminar.

Tufos gigantes de cabelo grisalho caíram e instantaneamente dominaram e cobriram meus insignificantes cachos marrons de quimio que estavam no chão.

Quando Kelly terminou, meia hora depois, Chris olhou-se no espelho.

– Eu estou de volta!

– Você está ótimo. Mais Vince Gill, menos Jay Leno.

Quando decidimos ir ao Havaí para celebrar a vitória contra o câncer e ignorar aquele feriado que não deve ser nomeado, amigos nos ofereceram sua casa em um condomínio fechado em Maui.

– Só me avise as datas que vocês querem e nós vamos reservar o lugar – pediu meu amigo Ted. Ele estava ciente da minha história com o mês de dezembro e sua esposa, Sandy, uma enfermeira, tinha acompanhado o progresso do meu tratamento pelo blog.

– Isso é incrivelmente legal da parte de vocês. E com relação às datas, eu só tenho dois pedidos: eu quero estar lá no dia 25 e não quero voar no dia 23 de dezembro.

Ted quase morreu do coração.

– Não, isso não seria justo com todas as outras pessoas no avião.

Os pais de Chris também se ofereceram para pagar por cinco noites em um hotel na grande ilha. Eu não estava nem suspeitando de que quartos separados estariam reservados ou que o Chris seria sequestrado e levado em um avião para casa sem mim. Fiquei simplesmente grata e emocionada.

Então, eu tinha de ver se eu podia dar outra chance para dezembro ser bom.

Em 23 de dezembro, um ano depois da ligação para contar que o resultado da mamografia era de "altamente suspeito de malignidade", Chris e eu andamos pela praia Keawakapu em Wailea, tomando *mai tais* e observando o pôr do sol pela terceira noite seguida, sem furacões à vista. Eu usei maquiagem e deixei meu cabelo despenteado no ar salgado. Meu seio direito ainda tinha remanescentes do "bronzeado inverso" da radiação (o seio estava mais escuro que a pele em volta), mas minha cicatriz tinha sumido bastante. Eu vestia uma camiseta *No Limite* para comemorar o dia e o ano que passavam.

Simplesmente não me importava com minha aparência. Eu não mais precisava de armadura. Eu tinha vencido a batalha. Seamus tinha me trazido alguma sorte irlandesa no fim das contas.

E é claro, andar na praia, vendo outros cachorros brincando e correndo, fez-me sentir saudades de Seamus. Mas eu sabia que ele estava seguro na Ruff House com seus adoráveis fãs e, mais importante, nós dois estávamos saudáveis. Pensei que eu já tinha aberto mão de coisas suficientes pelo Seamus sem ter que abrir mão de uma viagem ao Havaí. (Eu podia quase escutar os seus uivos sobre esse pensamento: *Seus meeeeeeeeerdas! Eu amo a praia! Venham me buscar! Venham me tirar daqui! Agoooooooooora! E mais: tragam torradas! AAAAAAAAAAAAUUUUUUUUU!*) Eu já tinha comprado para ele uma coleira verde escrito *aloha*.

Chris e eu nos sentamos na praia com nossos braços ao redor do outro e dedos enterrados na areia. Nós assistimos em silêncio enquanto o sol ficava amarelo, laranja, rosa e magenta. O sol se punha no horizonte, e havia silhuetas negras das palmeiras no céu.

Dessa vez, elas não lembravam o câncer de forma alguma.

Agradecimentos

Somente um livro pode começar a expressar a imensa gratidão que eu tenho por aqueles que salvaram a vida de Seamus e a minha. O conhecimento e a simpatia de Nancy Mount, do Details Dog Grooming, e a compaixão e perfeita habilidade da Dra. Autumn Dutelle salvaram a vida do meu cachorro (e, provavelmente, a minha saúde mental). O Dr. Wayne Davis e o talentoso e dedicado pessoal do Small Animal Hospital (particularmente Angel Redfearn, Mardell Denney e a Dra. Laura Schrader), ontem e hoje, mantiveram Seamus feliz e saudável, como eles sempre fizeram com todos os meus cachorros. Obrigada a todos vocês. (E Seamus manda um *AAAAAAUUUUUUUUU!*)

Todas as pessoas lidando com câncer deveriam ser sortudas o suficiente para serem pacientes do Dr. Amer Karam, que sozinho pode mudar a reputação de cirurgiões em todos os lugares. Sua simpatia, humor e, mais importante, aquelas mão habilidosas nunca serão esquecidas. Dr. Bom Karma – palavras nunca poderiam expressar nossa gratidão (então eu vou continuar lhe mandando vinho). O Dr. John Glaspy e todo UCLA Medical Center são tão bons que nós não mais nos importamos com a viagem de carro de ida e volta de duzentos quilômetros (ainda que vá ser bom quando não for mais necessária). Obrigada a todos por seu cuidado compassivo. À Dra. Janet Hocko, da Vantage Oncology, e todo o seu time talentoso que fizeram minha experiência de radioterapia ser muito boa. Obrigada, sempre. E enquanto eu fui, talvez, dura com um médico ou dois neste livro de memórias, cabe mencionar que as enfermeiras e técnicos que Seamus e eu encontramos pelo caminho eram, como pessoas (está bem, exceto o Emboscada... mas você sabia disso), amigáveis, preocupadas e profissionais. Todas aquelas enfermeiras e técnicos (particularmente na oncologia) merecem muitos, muitos agradecimentos pelo difícil trabalho que eles fazem, e eu faço os meus aqui. E à minha "sala" de radioterapia (manhã, primavera/verão 2009 na Vantage Oncology), obrigada a todos pela companhia – cada um de vocês fez aquelas manhãs mais suportáveis, e ainda que alguns de agora já tenham partido, eu me lembro de todos afetuosamente. Um agradecimento especial vai para minha colega de roupão azul, Melanie Pope.

Aos meus pais, Jim McElhannon e Vivian Terbeek, que me deram o meu primeiro cachorro (o tão amado Tippy), meu senso de humor, meu primeiro cartão de biblioteca e uma infância peculiar que me deixou sem outra escolha a não ser de me tornar uma escritora, obrigada. Ao meu padrasto e madrasta, Ted Terbeek e Nancy McElhannon, obrigada para sempre pelo apoio de vocês; ser madrasta e padrasto é um trabalho difícil (talvez mais ainda na nossa família, mas isso é outro livro), e vocês dois o fizeram muito bem. Ao meu irmão Jay, obrigada por deixar eu me intrometer na sua viagem para a Irlanda – quem imaginaria que isso seria o começo de tudo? Muitos agradecimentos também à minha irmã e ao meu cunhado Shawna e Eli Robertson – é ótimo ser capaz de conseguir ajuda médica e reparos domésticos na mesma família, e Deus sabe que eu precisei dos dois nesses últimos anos. À minha meia-irmã, Laura Ballantine, e ao meu meio-irmão, Michael Wakefield, (veja, eu já expliquei que a família é complicada!), obrigada pela amizade de vocês e apoio quando eu realmente precisava. E eu devo, é claro, agradecer aos meus primos na Irlanda – especialmente Seamus, o gênio observador.

À família do Chris – Jim, Trudi, Kati e Courtney – obrigada pelo apoio e pela aceitação... e pelo Chris. Estou feliz de fazer parte da família de vocês (ainda que eu realmente queira fazer uma piada "ilegal" aqui!). E em carinhosa memória da tia do Chris, Susan Michel Santos, que sucumbiu ao câncer de mama enquanto eu estava escrevendo este livro, mas que sempre será lembrada por sua força e sorriso, e é claro, por suas "joias chamativas".

Um agradecimento enorme aos meus amigos, alguns mencionados neste livro por nome e outros não, que me mantiveram rindo, que me abraçaram mesmo que eu não seja de abraçar, que fizeram fila para sair com o Chris se eu não sobrevivesse (vocês não disfarçam, não mesmo), que trouxeram comida e bebidas (tanto quando eu estava na quimio como quando eu estava escrevendo este livro de memórias), que me ajudaram a perceber que tequila funciona melhor durante a quimio do que vinho, que provaram minhas perucas, leram o blog, cuidaram do Seamus, enviaram cartões e flores, e que se preocuparam comigo (anteriormente e agora, eu tenho certeza), e então reviveram tudo isso quando escrevi este material: Corby Rhodes, Stacey Aldstadt,

Valeria Zucker, Tom e Cris DeGrezia (e Mimi e Loren também), Laureen Pittman, Michele Pierce, Becky Whatley, Zee Beard, Sue Mitchell, Jane Carney, Amy Harrison, John Goodman, Gary Berg, Rich Gold, Barbara Ryan, Tera Harden, Brian Pearcy, Brein e Roryann Clements, Mitchell Edwards, Michelle Pepke, John e Carrie Schutz, e Bob e Helga Wolf. A todos esses e à minha cabeleireira e amiga Kelly Koerber, obrigada por ficarem comigo durante a saúde e a doença. Um agradecimento especial ao gênio criativo Mike Easley, da Vital Excess, que tirou a foto da capa e deu vida a muitas ideias inteligentes de marketing para este livro e para tantas outras coisas na minha vida. Um mundo de agradecimentos também à minha terapeuta, Joanne Simmons – eu me arrepio só de pensar onde eu estaria sem sua orientação.

Um grito para às minhas garotas Maui – Jane Gideon e Lori Lacefield – que viajaram essa estrada da escrita comigo desde que nós nos encontramos pela primeira vez na Maui Writers Conference há mais de uma década. É bom ter amigos dispostos a se juntar a mim no difícil trabalho de escrever em Maui, Paso Robles, La Jolla, Ocean Isle Beach, France, Breckenridge e São Francisco. Vocês constantemente me encorajam e me inspiram – e são muito divertidas durante as férias também. Valeu, meninas!

E por falar em escrita, eu sou sortuda o suficiente (você vê como eu estou aprendendo essa coisa do otimismo?) para ter dois grupos de escritores que passaram por incontáveis rascunhos desse manuscrito (principalmente no primeiro capítulo, 642 vezes, porque é assim que grupos de escritores funcionam). Muitos agradecimentos e gratidão infinita ao grupo de Los Angeles: Trai Cartwright, David Del Bourgo, Julia Elrick, Eileen Austen, Lorna Freeman e Chris Kern (sim, ele!). E o mesmo aos meus Escritores 951[27]: Barbara Abel, Barbara Shackelton, Michelle Ouellette, Krintin Tilquist, Dulce Pena, Patti Cotton McNeily, Susan Knock e Chris Kern (de novo!). Agradecimento especiais à Nancy Hinchliff, que eu conheci no SheWrites on-line e que me fez comentários críticos excelentes durante todo o caminho desse manuscrito – eu espero encontrá-la ao vivo algum dia. Também tive a sorte de encontrar uma colega amante de cachorros e escritora, Sara J. Henry por meio dos nossos blogs (e então ao vivo no Festival dos Livros do Los Angeles Times) e não poderia agradecê-la o suficiente

27 951 é o código de área da região de Riverside. (N.T.)

por seu encorajamento, seus conselhos e sábias notas nesse manuscrito. Todos os escritores deveriam ter um mentor como Sara. Eu não posso agradecer meus amigos escritores sem também agradecer especialmente o meu instrutor de escrita, Tod Goldberg, que não somente me fez escrever depois de um longo, longo hiato (também conhecido como casamentos), mas é responsável inclusive por eu e o Chris termos nos encontrado (tudo bem, Tod – essa é uma coisa boa).

E por falar em viajar (bem, dois parágrafos acima; não há agradecimentos para editores), uma escritora não consegue se abrigar em lugares como os mencionados anteriormente sem ter alguns amigos um tanto quanto fantásticos com maravilhosas casas de férias. Muitos agradecimentos à Susan Medel e Norm Martin por fazerem meus repousos em La Jolla possíveis, e à Bill e Willy Richman, Ted e Susan Williamson (Maui), o colega Maui alum Tim Smith (Breckenridge), e Rachel e Raphael Pommier (França). Vocês são todos bem-vindos a ficar em Riverside a qualquer momento.

E por falar em editar (só um parágrafo acima!) posso ver claramente a sorte que eu tive em ter Sarah Jane Freymann, da Agência Literária Sarah Jane Freymann, como minha agente. Seu trabalho incansável, pressão gentil e bons conselhos (sem ela, não haveria história de amor nesse livro... e, portanto, provavelmente não haveria livro) são inestimáveis. E foi Sarah Jane que me levou à editora Shana Drehs, da Sourcebooks. Tem sido tão divertido trabalhar com a Shana que nenhuma parte do processo de edição pareceu trabalho. (Isso recebeu uma ajuda das doses de *mai tai* em Maui quando a edição começou.) Isso foi uma felicidade. Muitos agradecimentos, Shana, pela sua mão hábil e sutil me guiar neste livro de memórias e pelo seu entusiasmo em dar vida a este livro. Obrigada também ao time da Sourcebooks – vocês são um grupo fantástico de profissionais dedicados (e amantes de cachorros, o que realmente ajuda).

Seamus gostaria de agradecer aos seus melhores amigos Will e Nellie Ouellette (Boxer/Dogue Alemão/talvez misturas de pitbull de muita beleza... especialmente para aquele boêmio Will... e cérebro... especialmente para aquela falsa-nêmesis Nellie). Ele pode, em breve, visitar e brincar novamente? E nós dois queremos agradecer a muitas pessoas boas – funcionários, responsáveis e voluntários – do Centro de Adoção de Animais Mary S. Roberts, em Riverside, Califórnia. Em